# Revanche pour un héritier

---

# L'étreinte d'un rival

YVONNE LINDSAY

# Revanche pour un héritier

éditions HARLEQUIN

*Collection :* PASSIONS

*Titre original :* THE WAYWARD SON

*Traduction française de* MARION BOCLET

HARLEQUIN®
est une marque déposée par le Groupe Harlequin

PASSIONS®
est une marque déposée par Harlequin S.A.

*Photos de couverture*
*Homme :* © PHOTODISC/ ROYALTY FREE/GETTY IMAGES
*Paysage :* © AURORA CREATIVE/PAUL GIAMOU/GETTY IMAGES
Réalisation graphique couverture : C. ESCARBELT (HARLEQUIN SA)



83-85, boulevard Vincent-Auriol, 75646 PARIS CEDEX 13.
Service Lectrices — Tél. : 01 45 82 47 47
www.harlequin.fr
ISBN 978-2-2802-8265-9 — ISSN 1950-2761

# - 1 -

Anna n'avait jamais rien vu d'aussi beau. Elle ne voyait même plus les couleurs exquises du paysage automnal, tant elle était subjuguée par la silhouette de l'homme qui coupait du bois à quelques dizaines de mètres de là. Il était torse nu, et le soleil d'Adélaïde tombait sur ses muscles parfaitement dessinés.

Elle avait toujours su apprécier la beauté d'un homme, même si cela allait rarement plus loin. Elle s'approcha. Soudain, elle fut parcourue d'un frisson, nullement dû à la brise légère qui soufflait sur les collines, le soir. Elle le reconnaissait.

*Judd Wilson.*

C'était pour lui qu'elle était en Australie.

Ils ne s'étaient jamais rencontrés, mais il ne pouvait s'agir que du fils de Charles Wilson. Grand et musclé, Judd avait la peau mate et les cheveux noirs de son père. Très beau, il était comme l'incarnation du fantasme féminin.

A son grand étonnement, son cœur fit un bond dans sa poitrine. Depuis combien de temps n'avait-elle pas ressenti une attirance pour un homme ? Quoi qu'il en soit, elle ne s'attendait pas à en éprouver une pour le fils de l'homme qui était non seulement son employeur, mais aussi une véritable figure paternelle. Elle respira profondément, s'efforçant de chasser l'émotion qui l'avait gagnée. Car elle était là pour affaires et avait bien l'intention de tenir la promesse qu'elle avait faite à Charles.

Ses instructions avaient été très claires : faire en sorte de convaincre Judd Wilson de retourner en Nouvelle-Zélande avant la mort de son père, qu'il n'avait pas vu depuis plus de vingt ans.

D'un pas hésitant, elle s'avança encore un peu dans l'allée entre les rangs de vigne, les yeux rivés sur l'homme qui travaillait devant elle et qui ne se doutait pas un seul instant de la nouvelle qu'elle lui apportait. Elle s'arrêta un moment, nerveuse.

Judd n'avait que six ans quand ses parents avaient divorcé et que sa mère avait quitté la Nouvelle-Zélande avec son fils, laissant son ex-mari et leur fille cadette, Nicole. Judd se souvenait-il de son père ? Comment accueillerait-il l'occasion de se réconcilier avec lui ? Toutes ces années l'avaient-elles rendu amer ?

L'anxiété qu'elle éprouvait en imaginant la réaction de Judd céda bientôt la place à un élan de colère, né de son affection pour Charles. Elle n'avait jamais rencontré Cynthia Masters-Wilson, mais elle n'avait pas vraiment hâte de faire sa connaissance. Bien sûr, elle ne pourrait l'éviter encore bien longtemps, mais pour le moment, sa priorité était de rencontrer le fils de Charles et de mener à bien sa mission. Même si le désir intense qu'il éveillait en elle promettait de compliquer quelque peu les choses…

Elle s'admonesta, alors même que son regard se posait de nouveau sur le torse bronzé de Judd. Elle ne pouvait se permettre de se laisser distraire. Le moment était sans doute mal choisi pour l'aborder et entrer dans le vif du sujet. Elle devrait faire preuve de finesse pour parvenir à ses fins ; elle devait réussir. Pour Charles, lui qui avait tant fait pour sa famille toutes ces années. Le moins qu'elle puisse faire pour remercier l'homme qui avait subvenu à ses besoins depuis son enfance et à ceux de sa mère, maintenant décédée, était de lui apporter une relative tranquillité d'esprit. Elle ne pouvait pas faire irruption dans la vie de Judd Wilson et risquer de gâcher par une précipitation malvenue sa seule chance de le convaincre de retourner avec elle en Nouvelle-Zélande.

Elle tourna les talons. Elle aurait tout le temps de lui parler pendant son séjour à Masters' Vineyard and Accommodation. Cependant, en dépit de ses intentions, elle n'alla pas bien loin.

— Bonsoir ! appela une belle voix grave derrière elle. Belle soirée, n'est-ce pas ?

Impossible de l'ignorer maintenant ! Qui plus est, elle se devait de faire bonne impression… Rassemblant tout son courage, elle se tourna vers le fils de son patron.

***

« Ce doit être la nouvelle cliente du gîte », pensa Judd en regardant la jeune femme approcher. Au début de chaque semaine, sa cousine Tamsyn indiquait au personnel lesquels des luxueux cottages de la propriété seraient occupés les jours suivants. Elle n'avait bien sûr pas mentionné que la nouvelle arrivante était aussi belle…

Judd plissa les yeux et suivit les mouvements de la jeune femme en robe bleue. Elle évoluait avec grâce, et le balancement sensuel de ses hanches était particulièrement troublant.

— Judd Wilson, bienvenue à la propriété.

Il lui tendit la main. Un sourire se dessina sur ses lèvres et, quand elle plaça sa main dans la sienne, il sentit un délicieux trouble l'envahir.

Intéressant, très intéressant… Il avait peut-être trouvé une échappatoire à l'ennui qui pesait sur sa vie depuis des semaines. Il lui sourit et lui serra la main avec vigueur.

— Bonsoir, dit-elle d'une voix légèrement rauque, je suis Anna Garrick.

Elle l'observa attentivement, presque comme si elle s'attendait qu'il la reconnaisse… Non, c'était impossible. S'il avait déjà rencontré Anna Garrick, il ne l'aurait pas oubliée. Avec ses cheveux châtains, son corps parfaitement proportionné et ses ongles de pieds vernis, elle représentait son idéal féminin. Même sa voix, douce et légèrement voilée, ne le laissait pas insensible.

— Enchanté, Anna. Etes-vous arrivée aujourd'hui ?

Elle détourna brièvement les yeux, comme si elle était soudain nerveuse ou cachait quelque chose.

— Oui, répondit-elle. C'est magnifique, ici. Vous avez de la chance de vivre dans une aussi belle région. Vous… travaillez ici depuis longtemps ?

La question était innocente, mais il avait perçu dans sa voix une certaine hésitation, comme si elle s'était apprêtée à lui demander autre chose.

— Oui, on peut le dire, répondit-il avec un sourire un peu crispé. J'ai grandi ici, et j'ai toujours travaillé pour l'entreprise familiale.

— Mais pourtant, votre nom de famille…

Ah, oui ! Son nom lui rappelait ce père qui l'avait rejeté quand il était enfant, et c'était à cause de ce nom que certains de ses cousins continuaient à le traiter comme un étranger, même s'il avait fait du gîte sa priorité.

— Cynthia Masters-Wilson est ma mère.

Inutile d'entrer dans les détails. Ce n'était pas ce dont il avait envie de discuter avec cette jeune femme. Il avait en tête des choses bien plus agréables…

— Et tous les Masters coupent-ils du bois pour les cheminées de l'établissement ? ironisa-t-elle.

— Bien sûr, répondit-il du même ton. Nous ferions n'importe quoi pour rendre votre séjour plus… plaisant.

Il ne pouvait pas décemment lui avouer qu'il avait eu besoin de se défouler après une journée de travail passablement contrariante. Certains jours, taper sur le clavier d'un ordinateur ne suffisait pas quand on avait besoin d'action. Il avait eu le choix entre couper du bois et en venir aux mains avec son cousin Ethan. A contrecœur, il avait opté pour la première option.

Pourtant, il faudrait bien un jour ou l'autre que quelqu'un ramène Ethan à la raison. Il dirigeait l'établissement vinicole avec un talent incontestable, comme le prouvaient les vins primés, mais il faisait aussi preuve d'une incroyable étroitesse d'esprit. Ethan s'employait exclusivement à maintenir la qualité supérieure des vins emblématiques du château, tandis que Judd insistait pour qu'ils se diversifient.

Oui, Judd avait grand besoin de la distraction agréable qu'apportait l'arrivée de cette Mlle Garrick.

— N'hésitez pas à me le dire si je peux faire quoi que ce soit pour vous, ajouta-t-il.

— Je saurai m'en souvenir… mais je ne vois rien. Pour le moment, je vais me promener dans les vignes avant la tombée de la nuit.

— Dans ce cas, je ne vous retiendrai pas plus longtemps. Nous nous verrons au dîner, ce soir ?

— Au dîner ?

— Nous organisons un dîner de famille toutes les semaines pour accueillir les nouveaux clients. Vous devriez trouver un carton d'invitation dans votre brochure d'accueil. Ce dîner est précédé d'un apéritif à 19 heures, dans le grand salon.

Il s'approcha d'elle et lui prit de nouveau la main.

— Vous y serez, n'est-ce pas ?

— Oui, avec plaisir.

— Parfait, murmura-t-il. Alors, à ce soir…

Il lui fit un baisemain. L'espace d'un instant, elle sembla décontenancée, puis un sourire se dessina lentement sur ses lèvres, et elle tourna les talons. Il la regarda s'éloigner. Des ombres commençaient à s'allonger au pied des collines. Il leva les yeux vers les ruines du manoir de style gothique. Les vestiges carbonisés étaient tout ce qui restait de la demeure originelle des Masters. Des années après sa destruction, elle restait le symbole de la gloire passée de la famille et de son combat pour rebâtir un monde réduit en cendres lors d'un incendie dévastateur. On ne pouvait qu'admirer des gens qui avaient certes perdu leur fortune, mais qui s'étaient démenés pour être là où ils en étaient aujourd'hui.

Il était fier de cet héritage. En dépit de son nom, il était autant un Masters que ses cousins et, tout comme eux, avait sa place ici. Pourtant, il avait toujours eu l'impression d'être un étranger parmi eux. Il avait travaillé deux fois plus pour prouver ce dont il était capable, et avait ainsi contribué à développer l'entreprise familiale au-delà des espérances de ses proches.

Mais peut-être s'était-il trop focalisé sur le travail, ces derniers temps. Depuis combien de temps ne s'était-il pas accordé un moment de détente ? Depuis des mois, ses responsabilités lui pesaient, et il devait bien s'avouer qu'il s'ennuyait ferme. Il n'y avait pas grand-chose de stimulant dans sa vie. Flirter avec la charmante Anna Garrick était peut-être le remède à la frustration qu'il éprouvait.

Il empila méthodiquement les bûches qu'il avait

fendues et rangea ses outils avant de retourner dans ses appartements prendre une douche bien méritée. La perspective de passer une autre soirée avec sa famille était soudain beaucoup plus attrayante, malgré sa récente altercation avec Ethan.

Judd avait les cheveux encore légèrement humides lorsqu'il pénétra dans le grand salon, où tous les membres de sa famille s'étaient rassemblés pour prendre un verre avec les clients avant le dîner. C'était une tradition fermement ancrée dans un style de vie depuis longtemps abandonné, mais qui ne manquait pas de charme.

Le soleil s'était couché, et l'air s'était rafraîchi, mais un bon feu crépitait dans la grande cheminée de pierre. Il jeta un coup d'œil autour de lui et adressa un sourire à sa mère, assise à côté de la cheminée, très élégante, comme à son habitude. Anna Garrick n'était pas encore arrivée.

Il se dirigea vers le buffet et, tandis qu'il se servait un verre de pinot noir de la propriété, il la vit justement apparaître sur le seuil, hésitante. Aussitôt, il s'avança vers elle, mais sa mère, toujours aussi vigilante, fut plus rapide que lui. Il s'approcha et l'entendit questionner Anna.

— Excusez-moi d'être aussi directe, disait Cynthia, mais j'ai l'impression de vous connaître. Etes-vous déjà venue ici ?

Au grand étonnement de Judd, une expression de surprise passa sur le visage d'Anna.

— N… Non, répondit-elle. C'est la première fois que je viens en Australie, mais j'espère bien que ce ne sera pas la dernière.

Elle sourit, mais son regard trahissait un certain malaise. Mentait-elle ? Décidément, cette Mlle Garrick était de plus en plus intéressante…

— Vous avez peut-être un sosie, il paraît que nous en avons tous un, reprit alors sa mère d'un ton dégagé pour dissiper toute gêne. Dites-moi, très chère, que désirez-vous boire ?

— J'aimerais beaucoup un verre de sauvignon blanc, s'il vous plaît… J'ai entendu dire que vous aviez récemment remporté deux médailles d'or pour vos sauvignons.

— Oui ! Nous sommes très fiers d'Ethan, dit Cynthia en adressant à Judd un regard lourd de sous-entendus, qui signifiait qu'Ethan l'avait déjà mise au courant de leur querelle. N'est-ce pas, Judd ? insista-t-elle.

— Il sait ce qu'il veut, c'est sûr, répondit-il.

Le double sens n'échappa pas à sa mère, qui lui lança une œillade assassine et, en mesure de représailles, entraîna Anna avec elle pour lui présenter le reste de la famille. Il était bien puni, car s'il y avait une personne avec laquelle il aurait voulu passer la soirée, c'était Anna.

Il resta là à observer ses réactions, tandis que sa mère faisait avec elle le tour de la famille. Quand Ethan s'avança pour l'accueillir, Judd ressentit une pointe de jalousie, qui dut se voir sur son visage, car une lueur d'intérêt passa dans les yeux de son cousin, qui se pencha alors pour murmurer quelque chose à l'oreille d'Anna. Elle eut un petit rire. Judd en fut troublé autant qu'irrité. Bien décidé à ne pas donner à Ethan la satisfaction de mesurer à quel point il était agacé par cette connivence, il se tourna vers Tamsyn, qui entrait à ce moment-là.

— Je vois que la nouvelle cliente est déjà là, remarqua-t-elle.

Elle lui prit son verre des mains et en but une gorgée. Sa bague de fiançailles brillait de mille feux.

— Hmm, délicieux ! Tu peux m'en servir un ?

— Prends le mien, je n'y ai pas touché.

— Merci, répondit Tamsyn avec un sourire.

— Ton fiancé est des nôtres, ce soir ?

— Non, il est encore en ville, il travaille.

Elle l'observa attentivement.

— Tu as l'air tendu… Tout va bien ?

Il se força à sourire. Tamsyn sentait toujours quand quelque chose n'allait pas.

— Ça va, mais ça ira encore mieux quand ton frère fera autant attention aux tendances du marché qu'aux clientes.

Tamsyn rit.

— Eh bien, bonne chance ! Ethan se moque éperdument des tendances du marché, mais je ne m'en ferais pas trop, à ta place…

Elle indiqua Anna d'un hochement de tête.

— Tu sais qu'il préfère les blondes, et de toute façon, cette brune-là n'arrête pas de te regarder. As-tu déjà discuté avec elle ?

Il acquiesça d'un signe de tête et regarda Anna,

heureux de constater qu'elle jetait effectivement des coups d'œil dans sa direction.

— T'a-t-elle dit ce qu'elle faisait à Adélaïde ?

— Non, mais je crois qu'elle est simplement là pour de courtes vacances. Elle n'a pas dit grand-chose quand elle a fait sa réservation.

— De courtes vacances ?

— Elle ne reste que quatre jours, mais je suis sûre que tu auras tout le temps de faire sa connaissance, le taquina sa cousine.

— Dans ce cas, je ferais mieux de ne pas perdre de temps ! Si tu veux bien m'excuser…

Sans attendre la réponse de Tamsyn, il traversa la pièce et rejoignit Anna. Elle se tourna vers lui en souriant.

— Comme cela doit être agréable de travailler avec toute votre famille…

— Cela présente en effet des avantages indéniables, reconnut-il. Alors, avez-vous prévu de faire un peu de tourisme, pendant votre séjour ? Justement, je ne vais pas avoir beaucoup de travail ces jours-ci, et je serais ravi de vous servir de guide, si vous le souhaitiez.

Anna s'efforça de rester calme. C'était exactement l'opportunité dont elle avait besoin : passer un peu de temps en tête à tête avec Judd Wilson lui permettrait de mieux le connaître. Charles s'attendait qu'elle se contente de prendre rendez-vous avec lui et de lui remettre la lettre qu'elle avait sur elle en ce moment même, mais en dépit des directives de son employeur, elle préférait connaître un peu mieux Judd avant de se lancer.

Charles avait eu son lot de déceptions et, si elle parvenait à ses fins, les dernières années de sa vie seraient plus heureuses. Il rêvait de retrouver son fils, mais s'était préparé à son refus. Il n'avait dit à personne à quel point il était important pour lui de se réconcilier avec son fils. Il avait fait jurer à Anna de garder le secret, ne lui permettant pas même de se confier à Nicole, la sœur de Judd, qui avait pris les rênes de l'entreprise quand son père était tombé malade. Ce silence devenait pesant pour Anna, car Nicole était aussi sa meilleure amie : elles travaillaient ensemble, vivaient sous le même toit, et Anna avait l'impression de la trahir.

Une fois encore, elle se répéta qu'elle le faisait pour Charles, qui méritait de revoir son fils. Si seulement elle savait pour quelle approche opter !

Son intuition lui disait que Judd serait peut-être plus réceptif si elle taisait ses intentions pour le moment, le temps de gagner sa confiance. Cependant, l'attirance qu'elle éprouvait pour lui était si forte qu'elle craignait de ne pouvoir y résister si elle tardait trop.

Elle choisit ses mots avec soin.

— Etes-vous sûr ? Je ne voudrais pas abuser de votre gentillesse. C'est la première fois que je viens dans la région, et je devine déjà que je n'aurai pas assez de temps devant moi pour tout voir.

Il se pencha vers elle.

— Je pourrai peut-être vous convaincre de revenir.

Ses paroles la firent frissonner. S'il se montrait encore plus entreprenant, elle aurait du mal à garder le contrôle d'elle-même. L'attirance qu'elle ressentait à son contact était une complication inattendue, et elle ne savait comment la gérer. Au moins, elle était sûre d'une chose : il avait envie de passer du temps en sa compagnie…

La cloche sonna, annonçant que le dîner était servi, ce qui lui évita d'avoir à répondre. Judd lui offrit son bras.

— Puis-je vous accompagner à table ?

Anna hésita un instant avant d'accepter.

— Vous montrez-vous toujours aussi galant ?

Le regard de braise qu'il lui lança lui fit comprendre instantanément qu'il pouvait aussi oublier toute bienséance. Elle fut brutalement submergée par le désir intense de sentir ses mains sur son corps.

— Il est des circonstances dans lesquelles je ne le suis pas, répondit-il avec un sourire dévastateur, une lueur malicieuse dans les yeux.

Elle se força à détourner le regard. Sa beauté virile exerçait sur elle une incroyable fascination. Finalement, apprendre à connaître Judd Wilson n'était peut-être pas une si bonne idée que cela… En tant qu'assistante de Charles, elle avait eu l'occasion de mener des affaires avec quantité de personnes impressionnantes, mais elle n'avait jamais rencontré un homme aussi charismatique, aussi séduisant.

Les quelques jours à venir lui apparaissaient soudain terriblement incertains. Dans quoi s'était-elle aventurée ?

# - 2 -

Dans la salle à manger, la longue table de bois était magnifiquement dressée : porcelaine, cristal et argenterie. Néanmoins, Anna ne fut pas impressionnée par ce faste ; elle y avait été habituée en grandissant sous le toit de Charles Wilson. Celui-ci avait insisté pour qu'elle bénéficie des mêmes avantages que Nicole, même si elle était loin d'avoir les mêmes moyens financiers.

Assise en bout de table, à la droite de Judd, elle pouvait observer à loisir tout le monde. De toute évidence, Cynthia était le chef de famille. Si Judd Wilson ressemblait physiquement à son père, sa sœur, Nicole, avait les traits de sa mère.

Avec ses cheveux noirs et épais, Cynthia Masters-Wilson était une belle femme. Elle avait le port altier et l'air majestueux de ces femmes qui ont l'habitude d'être obéies sans discussion ; d'ailleurs, elle ne cachait pas son mécontentement si on ne se pliait pas à ses volontés. Anna se demanda comment elle était dans les premières années de son mariage avec Charles, mais son hôtesse la surprit en train de la regarder. Anna lui sourit et détourna les yeux, mortifiée d'avoir été prise en flagrant délit. Elle ne voulait surtout pas attirer l'attention…

Elle remarqua qu'un lien puissant unissait Cynthia à son fils. Apparemment, Judd était le seul capable de faire naître un sourire sincèrement chaleureux sur les lèvres de sa mère. Comment, alors que son fils était aussi important pour elle, avait-elle pu abandonner sa fille âgée de un an quand elle était revenue vivre en Australie ? N'avait-elle jamais songé à l'enfant qu'elle laissait derrière elle, à l'impact que cet abandon aurait sur Nicole ?

Anna était arrivée en Australie emplie de compassion pour Charles, que Cynthia avait si profondément blessé, mais maintenant qu'elle la voyait en chair et en os, elle mesurait à quel point Nicole aussi avait été lésée.

— Vous avez l'air bien sérieux… Le repas ne vous plaît pas ? lui murmura Judd à l'oreille, l'arrachant à ses pensées.

La caresse de son souffle la fit frissonner. Elle se ressaisit et secoua la tête.

— Si, c'est absolument délicieux, merci.

— Y a-t-il quelque chose d'autre qui vous tracasse ? insista-t-il.

Il prit la bouteille de vin posée devant lui sur la table et la resservit.

« Oui… vous ! » Se retenant de dire le fond de sa pensée, elle secoua la tête.

— Je suis un peu fatiguée, c'est tout.

— Il est vrai que nous sommes un peu fatigants…

— Non, ce n'est pas cela, je vous assure ! A vrai

dire, je vous envie… Je suis fille unique, et mes parents n'avaient pas de frères et sœurs non plus. Avoir tant de parents réunis en un même endroit… c'est merveilleux !

— C'est merveilleux et pénible à la fois, répliqua-t-il avec un clin d'œil malicieux.

Nicole aurait dû avoir la chance de participer à ce genre de festivités… De nouveau, Anna se demanda ce qui avait poussé Charles et Cynthia à divorcer et à séparer leurs enfants. Quoi qu'il ait pu se passer, Charles refusait catégoriquement d'en parler, se contentant de répéter que sa femme avait trahi sa confiance, ce qui, pour lui, était impardonnable. Anna savait seulement qu'à l'époque où leur mariage s'était effondré, Charles s'était aussi brouillé avec son associé et meilleur ami. Tant de vies avaient été affectées par la séparation de Charles et de Cynthia…

Quand, après le dessert, le café fut servi, Anna se retira, prétextant qu'elle était fatiguée. Les hommes assis autour de la table se levèrent lorsqu'elle repoussa sa chaise. Elle trouva ce geste courtois et désuet absolument charmant.

— Merci pour ce délicieux dîner et pour votre très agréable compagnie.

— C'était un plaisir, Anna, répondit gracieusement Cynthia. Demain, vous pourrez dire à la réceptionniste si vous comptez vous joindre de nouveau à nous au cours de votre séjour. Avez-vous prévu quelque chose de spécial ?

— Nous allons faire un peu de tourisme, intervint Judd, et j'emmènerai Anna déjeuner à Hahndorf.

— Ah, vraiment ?

Cynthia parvint à cacher sa surprise, mais pas avant d'avoir jeté à son fils un regard perçant. Elle lui reprocherait cette initiative dès qu'ils seraient seuls, Anna en était persuadée.

Cynthia afficha un sourire un peu forcé.

— Eh bien, dans ce cas, j'espère que vous apprécierez notre petit coin d'Allemagne. Dormez bien.

— Merci, bonne nuit à vous aussi, répondit Anna avant de quitter la pièce.

A son grand étonnement, Judd la suivit. Dans l'entrée, elle s'immobilisa.

— Pourquoi avez-vous dit à votre mère que nous allions faire du tourisme, demain ?

— Parce que c'est ce que nous allons faire, répondit-il avec assurance, et vous ne pouvez pas visiter Adélaïde Hills sans passer par Hahndorf : ce serait culturellement indélicat.

— Culturellement indélicat ou pas, j'ai l'impression que cela ne lui a pas fait particulièrement plaisir.

— Elle trouve que je ne travaille pas assez dur, mais c'est mon problème, pas le vôtre.

Il ouvrit la porte et s'effaça pour la laisser passer. Sur l'allée étroite qui menait à son cottage, l'air froid de la nuit lui fit regretter de n'avoir pas pris son châle. Elle frissonna.

— Au risque de faire dans le cliché, dit Judd en retirant sa veste et en la lui posant sur les épaules, je crois que vous en avez plus besoin que moi.

— Merci, murmura-t-elle.

Il avait probablement raison… A en juger par la chaleur que diffusait encore sa veste, il n'en avait pas vraiment l'utilité. Une douce chaleur l'envahit aussitôt. Un léger parfum d'épices, rehaussé d'une note boisée, l'enveloppa. Elle devina qu'il s'agissait de l'eau de Cologne de Judd, et se sentit fondre.

— Les nuits sont assez fraîches, ici, à cette époque de l'année. Le personnel a allumé un bon feu dans la cheminée de votre cottage, et vous aurez bien chaud quand vous arriverez.

Soudain, une image s'imposa à elle : elle le revit en train de couper du bois. Mettait-il autant de vigueur à tout ce qu'il faisait ?

— C'est une belle nuit, tout de même, dit-elle en levant les yeux vers le ciel étoilé.

— C'est vrai.

Quelque chose dans sa voix la poussa à le regarder. Il plongea ses yeux dans les siens et, même si un bon mètre les séparait, elle eut l'impression qu'il la touchait. Aussitôt, elle sentit sa gorge se serrer. Cet homme était la sensualité même… D'un seul regard, il parvenait à la faire frémir de désir.

Elle le connaissait à peine, et pourtant, elle avait déjà envie de faire fi des règles qu'elle s'imposait et de l'inviter à donner libre cours à l'attirance qu'ils éprouvaient l'un pour l'autre. Elle savait qu'il ressentait la même chose qu'elle, elle sentait l'énergie et la tension qui émanaient de lui. Que se passait-il lorsqu'il cessait de se maîtriser ?

Elle chassa vivement cette pensée et détourna

les yeux avant de risquer de faire quelque chose de complètement déplacé. Elle allongea le pas, Judd marchant en silence à côté d'elle.

Une fois au cottage, il attendit qu'elle ouvre la porte. Elle retira alors la veste qu'il lui avait prêtée et la lui tendit.

— Merci encore.

— Je vous en prie.

Pourquoi ne s'en allait-il pas ? Elle sentit le rouge lui monter aux joues. S'attendait-il qu'elle l'invite à entrer ? Il y avait une cuisine équipée et un petit bar, mais quel genre de message enverrait-elle si elle l'invitait à boire un verre ou un café ? Ce qui était sûr, c'était où cette invitation les mènerait : dans la chambre luxueuse, pour une nuit absolument torride.

Cette seule pensée l'excitait autant qu'elle l'effrayait. Elle n'était pas le genre de femme à se précipiter au lit avec un homme qu'elle venait de rencontrer, et jamais auparavant elle n'avait mélangé travail et plaisir.

Si elle cédait maintenant aux avances de Judd, que se passerait-il lorsqu'elle serait obligée de lui avouer la vraie raison de sa présence ici ?

— Vous êtes encore dans vos pensées, dit-il en souriant, la ramenant à la réalité.

— Cela m'arrive souvent, reconnut-elle.

— Dans ce cas, voici de quoi les alimenter…

Il s'approcha d'elle et posa sa main sur sa nuque. Ses doigts chauds sur sa peau glacée… Instinctivement, elle inclina la tête en arrière. Elle entrouvrit les lèvres, s'apprêtant à protester, mais elle savait que c'était inutile. Elle le désirait autant qu'il la désirait, et était incapable de résister à ses avances.

Sa bouche, quand elle se posa sur la sienne, était douce, enjôleuse, et elle eut l'impression qu'un feu s'embrasait en elle. Elle avait presque espéré que ce baiser serait décevant : cela lui aurait facilité la tâche, l'aurait aidée à le repousser. Pourtant, elle avait su que ce baiser serait magique, et qu'elle le désirerait de toutes les fibres de son être.

Les bras le long du corps, elle serra les poings pour se retenir de le toucher. Si elle posait les mains sur lui, elle ne parviendrait plus à s'écarter. Or, la caresse de ses lèvres l'invitait à s'approcher et, sans même s'en rendre compte, elle posa les mains à plat sur son torse. Elle sentit la chaleur qui émanait de son corps brûlant.

Ses muscles se contractèrent sous ses paumes quand il lui passa un bras autour de la taille pour l'attirer vers lui. Serré contre elle, il n'aurait pas pu nier qu'il était aussi excité qu'elle.

Leur baiser se fit plus profond. Un léger goût de vin, d'interdit et de promesses inexprimées flottait sur les lèvres de Judd. Elle se plaqua plus étroitement contre lui, pour assouvir un peu du désir qui la submergeait. Mais cela ne fit qu'attiser la flamme qui la consumait. Elle lui rendit son baiser avec la passion violente qui l'animait soudain et noua ses bras autour de son cou, glissant ses doigts dans ses épais cheveux noirs. Ses mamelons étaient durs et sensibles sous la dentelle de son soutien-gorge, ses seins gonflés de désir…

Le chant d'un oiseau nocturne la rappela à la réalité. Se remémorant la raison de sa présence en Australie, elle laissa retomber ses bras le long de son corps. Judd détacha ses lèvres des siennes et appuya son front contre le sien, les yeux fermés, haletant. Elle aurait pu si aisément l'embrasser de nouveau… Cependant, si elle recommençait, elle savait que les choses ne s'arrêteraient pas là, pas après le baiser incendiaire qu'ils venaient d'échanger.

Ce qui n'aurait dû être qu'un baiser furtif s'était mué en étreinte passionnée. Elle ne pouvait se permettre d'aller plus loin, n'osait pas aller plus loin avant de lui avoir dit la vérité. Or, elle n'était pas encore prête à lui expliquer la raison de sa présence.

Le silence entre eux était lourd de promesses et de possibilités, mais elle n'avait pourtant qu'une chose à faire : dire bonne nuit à Judd et le laisser s'en aller.

— Est-ce comme cela que tu dis bonne nuit à toutes tes clientes ? demanda-t-elle d'un ton léger, dans l'espoir de détendre l'atmosphère.

Un sourire se dessina sur ses lèvres, et il releva la tête.

— Non, seulement à toi.

Son expression sincère lui alla droit au cœur, mais elle s'efforça de ne pas succomber à l'invitation tentante qu'elle lisait dans ses yeux.

Sa gorge se serra. Comment répondre sans paraître trop désinvolte ? Il perçut son embarras.

— Ne t'inquiète pas, Anna, déclara-t-il. Je voulais t'embrasser pour te dire bonne nuit, c'est tout… Sauf si tu souhaites que cela aille plus loin ?

— Je… Je ne peux pas. Je…

— Ce n'est pas grave, l'interrompit-il. Je suis un homme patient, et tu vaux la peine d'attendre… mais je peux te promettre une chose : tôt ou tard, nous ferons l'amour, et ce sera inoubliable.

Ses paroles la laissèrent sans voix. Inoubliable ? Elle était persuadée que faire l'amour avec lui serait une expérience sensuelle extraordinaire. Elle n'avait jamais eu d'aventure sans lendemain. Or, la proposition de Judd était des plus tentante. S'il n'avait été le fils de Charles.

Il lui déposa un baiser sur la joue, tout près de ses lèvres. Elle n'aurait eu qu'à tourner la tête pour laisser les choses suivre leur cours naturel, mais elle s'y refusa, et il ne chercha pas à aller plus loin.

— Je passerai te prendre demain matin, vers 9 heures, dit-il en s'écartant. Bonne nuit…

Elle le regarda s'éloigner. Quand il eut disparu au tournant de l'allée, elle s'adossa au chambranle de la porte.

Quelques heures plus tôt, elle arrivait en Australie avec un seul but en tête : convaincre Judd de repartir avec elle en Nouvelle-Zélande pour retrouver son père. Elle voulait et devait encore atteindre ce but, mais elle avait aussi très envie de profiter du temps qu'elle passerait avec Judd, de céder à l'attirance qu'ils éprouvaient l'un pour l'autre et de voir où cela les mènerait.

Pourtant, elle savait que c'était la dernière chose à faire. Tant de choses dépendaient de la façon dont il réagirait quand il apprendrait la raison de sa présence. Si la situation échappait à tout contrôle, s'il apprenait la vérité trop tôt, tous les espoirs de réconciliation de Charles pourraient être anéantis. L'idée qu'elle puisse décevoir ce dernier lui était insupportable. Elle n'avait d'autre option que de réprimer le désir ardent que Judd éveillait en elle.

Elle toucha ses lèvres du bout des doigts. Il lui semblait sentir encore sa bouche sur la sienne, le goût de ses baisers… Pourrait-elle passer toute une journée en sa compagnie sans céder à la tentation ?

# - 3 -

Judd se dirigeait vers le cottage d'Anna, au volant de son Aston Martin V8 Vantage. Un sourire de satisfaction dansait sur ses lèvres, en dépit de la frustration physique qui le tenaillait.

Il ne s'était pas senti aussi attiré par une femme depuis bien longtemps… A vrai dire, jamais il n'avait éprouvé pareille attirance pour une femme. La journée promettait d'être vraiment très intéressante. Quant à la soirée… elle serait probablement encore meilleure.

La sonnerie de son téléphone portable l'arracha à ses pensées. Il jeta un coup d'œil à l'écran et s'arrêta sur le bas-côté pour répondre.

— Bonjour, maman ! Je suis surpris que tu m'appelles si tôt…

Sa mère ne perdit pas de temps en civilités.

— Je sais d'où elle vient.

— Qui ? Anna ?

— Qui d'autre ? J'étais sûre de l'avoir déjà vue, et maintenant je sais pourquoi : j'ai connu sa mère, elle travaillait pour Wilson Wines. Elle ne faisait pas grand-chose à vrai dire, si ce n'est passer le plus clair de son temps à flirter de façon éhontée avec les représentants. Elle a fini par épouser l'un d'eux, et elle est partie, enceinte bien évidemment, mais j'ai toujours soupçonné ton père d'avoir des vues sur elle. Environ trois ans après notre départ, j'ai entendu dire qu'après la mort de son mari, Charles l'avait engagée comme gouvernante… Comme si quelqu'un était dupe !

Judd se crispa. Chaque fois que sa mère mentionnait Charles Wilson, elle prenait un ton qui lui faisait grincer les dents.

— Tu m'as entendue, Judd ? insista-t-elle.

— Oui, je t'ai entendue. Qu'attends-tu de moi, au juste ?

— Que tu la démasques, bien évidemment ! Arrange-toi pour découvrir ce qu'elle fait ici. Je suis prête à parier qu'elle n'est pas en vacances… Sa présence parmi nous a forcément un rapport avec ton père.

Même s'il n'avait nulle envie de l'admettre, sa mère avait probablement raison. Depuis qu'il avait rencontré Anna, il la soupçonnait de cacher quelque chose. Par ailleurs, la première fois qu'il l'avait vue, elle l'avait observé attentivement, comme si elle cherchait une ressemblance avec quelqu'un… L'avait-elle comparé à son père ? Cette pensée suscita en lui un élan de colère, qu'il s'efforça de réprimer.

— Je vais m'en occuper, promit-il à sa mère. Ne t'inquiète pas.

— J'ai deviné qu'elle allait nous causer des ennuis dès que je l'ai vue. Elle travaille sûrement pour lui, tu sais. D'ailleurs, si elle est comme sa mère, cela ne m'étonnerait pas qu'elle soit sa maîtresse. Il a toujours préféré les femmes plus jeunes…

Les remarques de sa mère étaient emplies d'amertume. Elle n'avait jamais dépassé la rancœur qu'elle éprouvait pour son ex-mari. Judd se souvenait encore du jour où sa mère et lui étaient arrivés sur la propriété et qu'elle lui avait montré les ruines au sommet de la colline. Leur maison en Nouvelle-Zélande, que Charles avait fait construire pour sa jeune épouse en guise de cadeau de mariage, était la réplique de la première demeure des Masters. Judd avait été très perturbé en découvrant les ruines calcinées d'une maison qui ressemblait tant à celle de sa petite enfance. D'ailleurs, sa mère en avait profité pour enfoncer le clou, lui assurant que ces ruines leur rappelleraient à tout jamais ce qu'ils avaient perdu quand son père les avait rejetés et chassés.

A six ans, Judd n'avait pas vraiment compris ce que sa mère avait voulu dire ; il ne pouvait pas mesurer la profondeur de son obsession pour la maison qu'elle avait perdue deux fois. Jour après jour, dans la propriété des Masters, il avait appris ce que cela signifiait d'avoir été rejeté par son propre père : entre les regards compatissants de ses oncles, qui avaient essayé, avec un peu trop d'empressement parfois, d'incarner pour lui une figure paternelle, et les remarques qu'il avait surprises quand les adultes pensaient qu'il n'écoutait pas, il avait vite su, l'apprenant à ses dépens, ce que signifiait être un laissé-pour-compte.

Il s'arracha à ses sombres pensées et revint au présent.

— Je t'ai dit que j'allais m'en occuper, maman. D'ici ce soir, nous aurons découvert ce qu'elle manigance.

— Très bien. Je sais que je peux compter sur toi, Judd. Sois prudent, mon chéri.

Prudent ? Il avait bien l'intention de l'être. Il serait tellement prudent qu'Anna Garrick ne se douterait de rien. Il raccrocha et reprit la route en direction du cottage occupé par la jeune femme.

Elle l'attendait sur la terrasse, en apparence fraîche et innocente dans ses vêtements clairs. Cependant, elle était tout sauf innocente, il le savait, surtout s'il se fiait à sa réaction quand il l'avait embrassée, la veille au soir…

Elle s'approcha de la voiture tandis qu'il descendait et lui ouvrait la portière, côté passager.

— Belle voiture, remarqua-t-elle.

— Enfant, j'étais un fan de James Bond, expliqua-t-il en souriant. Il y a des choses qui ne changent pas…

Elle rit et s'installa dans le fauteuil de cuir rouge, dont la couleur mettait en valeur ses cheveux châtains. Pendant qu'il s'installait au volant, elle fouilla dans son sac à main et en sortit une épingle à cheveux en bambou. Elle entortilla ses longs cheveux et les attacha sur sa nuque.

— Je peux remonter la capote, si tu veux, dit-il, jetant un rapide coup d'œil à son cou gracieux.

— Non merci… Il fait beau, profitons-en !

— Bonne idée ! dit-il en s'engageant dans l'allée qui sortait de la propriété. Hier, tu as dit que c'était la première fois que tu venais à Adélaïde… Qu'est-ce qui t'a décidée à venir ici pour les vacances ?

Il y eut un silence. Du coin de l'œil, il vit qu'elle pinçait les lèvres, comme si elle prenait le temps de chercher ses mots.

— On me l'a suggéré, répondit-elle enfin, se tournant vers la vitre.

Il savait très bien qu'on le lui avait suggéré, et qui lui avait fait cette suggestion. Même sans les informations de Cynthia, ses manières évasives l'auraient trahie, tôt ou tard. Il avait senti qu'elle cachait quelque chose, et maintenant qu'il savait que cela avait un rapport avec son père, il était bien décidé à découvrir de quoi il s'agissait avant la fin de la journée. En attendant, rien ne l'empêchait de prendre un peu de bon temps.

Tandis qu'ils s'engageaient sur la route, il vit qu'Anna levait les yeux vers les ruines, au sommet de la colline. Il s'attendait qu'elle dise quelque chose, qu'elle lui demande ce qui s'était passé, comme tout le monde, mais elle resta silencieuse, songeuse.

Par pure malice, il ne put s'empêcher de remarquer :

— Elle était magnifique, autrefois, tu sais…

Anna tourna la tête vers lui.

— Pardon ?

— L'ancienne demeure des Masters, là-haut, sur la colline…

Tenant le volant d'une main, il indiqua la maison d'un geste vague.

— C'était la maison de ta famille ?

L'ignorait-elle vraiment ? Ou faisait-elle semblant ?

— Non, pas celle-là, mais j'ai vécu dans sa parfaite réplique quand j'étais petit, en Nouvelle-Zélande.

Elle ne releva pas.

— La demeure des Masters a été détruite avant ma naissance, continua-t-il, mais ma mère et mes oncles y ont vécu, enfants. Ma mère ne s'est jamais remise de l'avoir perdue. La maison a été détruite, tout comme une bonne partie des vignes.

— Ce n'est pas comme s'ils avaient pu faire quelque chose, n'est-ce pas ?

— Comment ça ?

— Il y a eu un feu de brousse, non ?

Il lui lança un regard perçant.

— Du moins, je crois que c'est ce que j'ai lu quelque part, s'empressa-t-elle d'ajouter.

Bien rattrapé… Il hocha lentement la tête.

— Ils ont eu de la chance de s'en sortir vivants, déclara-t-il. Malheureusement, il ne leur restait pas grand-chose… si ce n'est la ténacité des Masters. Ils ne pouvaient pas reconstruire la maison, alors qu'ils devaient déjà se démener pour gagner leur vie. Cela leur aurait demandé tout l'argent qu'il leur restait ; ils ont dû choisir entre rebâtir la maison ou recréer l'établissement vinicole.

— Un vrai dilemme… Quel dommage qu'ils n'aient pu faire les deux !

— Oui.

Il se tut un moment. Leur vie à tous aurait-elle été très différente si les Masters n'avaient pas été contraints de prendre cette décision ? Cela n'avait pas dû être facile pour sa mère et ses oncles… En quelques minutes, leur vie faite d'aisance et d'abondance était partie en fumée. Ils avaient dû repartir de zéro. Etait-ce pour cela que Cynthia avait eu le coup de foudre pour Charles ? Avait-elle été incapable de résister au luxe et à la richesse qu'il lui offrait ?

— Alors, qu'y a-t-il au programme, aujourd'hui ? demanda Anna d'un ton faussement enjoué. Tu as parlé d'Hahndorf, hier soir… Qu'est-ce que c'est ?

Il lui adressa un sourire éclatant avant de reporter son attention sur la route.

— Au début du XIXe siècle, c'était une colonie allemande. Ce n'est pas loin d'ici, mais je pensais t'emmener d'abord visiter deux ou trois autres lieux, et retourner à Hahndorf pour le déjeuner.

— Avec plaisir ! C'est très gentil de ta part de me consacrer du temps, je te remercie.

Il lui prit la main et la serra dans la sienne.

— Je veux te connaître davantage, Anna… Ce ne serait pas vraiment possible dans mon bureau, n'est-ce pas ?

A son grand étonnement, il vit ses joues s'embraser. Elle rougissait ? Cette réaction ingénue ne cadrait pas avec la liberté dont elle avait fait preuve la veille au soir, quand il l'avait embrassée. Une chose était sûre : Anna Garrick l'intriguait, et il aimait être intrigué, même par une femme qui avait des intentions cachées.

Anna sentit le rouge lui monter aux joues. Seigneur ! L'effet que Judd lui faisait causerait sa perte. Elle dégagea sa main de la sienne, s'affairant à fouiller dans son sac. Elle frôla la lettre de Charles et retira sa main si rapidement que Judd lui lança un autre regard perçant.

— Alors, dit-elle, s'efforçant de se reprendre, où m'emmènes-tu en premier ?

— Au Mont Lofty. De là, tu verras tout Adélaïde.

Judd se révéla être un excellent guide. Il aimait la région et la connaissait très bien. Après avoir admiré le panorama et flâné dans les jardins botaniques à flanc de montagne en sa compagnie, Anna eut du mal à se rappeler qu'elle n'était pas là pour faire du tourisme.

Tandis qu'ils marchaient, Judd mêla ses doigts aux siens, et tous ses sens furent aussitôt en éveil. Le contact physique qui les unissait l'obnubilait, et elle se surprit à souhaiter que ce contact se fasse plus intense…

Elle s'efforça de se ressaisir et de chasser ces pensées de son esprit. Se lancer dans une relation physique avec Judd Wilson aurait été pure folie…

Pourtant, sa raison lui dictait une chose, et son corps, une autre, bien plus sensuelle.

Elle sentit son téléphone portable vibrer dans son sac. Cela ne pouvait être que Charles… Son cœur fit un bond dans sa poitrine. Est-ce qu'il allait bien ? Il n'avait pas l'air en forme quand elle avait quitté Auckland, la veille.

Elle libéra sa main de celle de Judd et prit le téléphone.

— Je suis désolée, il faut que je décroche…

Elle s'écarta un peu de lui.

— Tu as rencontré Judd ? demanda Charles sans préambule.

— Oui.

— Eh bien, comment est-il ? Tu lui as donné la lettre ? Qu'a-t-il dit ?

Elle fit encore quelques pas pour s'éloigner.

— C'est difficile à dire pour l'instant. Non, et rien encore, dit-elle pour répondre à ses deux dernières questions.

— Tu es avec lui en ce moment même, n'est-ce pas ?

— Oui. Ecoute, le moment est vraiment mal choisi… Je peux te rappeler plus tard ?

Charles rit.

— Le moment est mal choisi ? Très bien, je te laisse, mais rappelle-moi dès que possible.

— Je n'y manquerai pas. Au revoir !

— Anna, attends !

Elle soupira.

— Oui ?

— Je compte sur toi. J'ai besoin de mon fils à mes côtés.

— Je ferai de mon mieux.

— Merci, tu es un amour.

Il raccrocha. Anna sentit ses épaules s'affaisser sous le poids des attentes que Charles faisait peser sur elle.

— Mauvaise nouvelle ? demanda Judd.

— Non, pas vraiment…

— Je peux peut-être t'aider ?

Elle réprima un rire sans joie. S'il savait ! Cependant, elle ne pouvait pas lui révéler les détails de cette conversation téléphonique, du moins, pas encore. Elle secoua la tête et remit son portable dans son sac.

— C'était professionnel, je réglerai cela plus tard. Je meurs de faim ! annonça-t-elle soudain pour changer de sujet. Et ce déjeuner que tu m'avais promis ?

— Allons-y, dit-il en lui prenant de nouveau la main pour y déposer un baiser.

Une lueur intense passa dans ses yeux bleus, lui indiquant qu'il avait en tête bien plus qu'un simple déjeuner… Une vague de désir la submergea. Elle se força à sourire. La tâche qu'elle avait à accomplir s'avérait beaucoup plus difficile qu'elle ne s'y était attendue.

Tout au long du trajet jusqu'à Hahndorf, les paroles de Charles résonnèrent dans sa tête : « J'ai besoin de mon fils à mes côtés. » Un sentiment de colère inattendu l'envahit malgré elle : Charles voulait tellement retrouver son fils perdu depuis si longtemps qu'il en oubliait sa fille. Sa fille, qui savait tout de son entreprise et qui avait passé sa vie à essayer de combler le fossé qu'avait creusé Cynthia en partant avec Judd.

Une fois de plus, Anna se demanda ce que Charles disait dans la lettre qu'elle cachait dans son sac à main. Elle savait qu'il avait l'intention d'offrir à Judd quelque chose pour l'inciter à revenir en Nouvelle-Zélande, mais il ne lui en avait pas dit plus. Quelle que soit la carotte qu'il avait choisi de tendre à son fils, qu'en aurait dit sa fille ? Elle qui avait travaillé si dur pour satisfaire son père, obtenir son amour et son approbation…

Anna adorait Charles, mais elle craignait que son obsession pour Judd ne nuise à ses relations avec Nicole.

La voix de Judd la fit sursauter et l'arracha à ses pensées :

— Quel genre de travail fais-tu pour que l'on t'appelle quand tu es en vacances ?

Elle avait redouté cette question et s'était dit que le mieux serait encore de lui faire une réponse vague.

— Je suis secrétaire.

— Ton patron doit vraiment avoir besoin de toi s'il ne peut pas s'empêcher de t'appeler.

Elle se força à sourire.

— Je travaille pour lui depuis des années, nous sommes très proches.

Judd lui lança un regard perçant, puis il reporta son attention sur la route. Il ralentit alors qu'ils approchaient d'une petite ville et, quand ils s'engagèrent dans la rue principale, elle laissa échapper une exclamation de joie. Sans les voitures modernes garées le long du trottoir, la rue bordée d'arbres et de bâtiments pittoresques lui aurait donné l'impression d'avoir remonté le temps.

Dès qu'il eut coupé le contact, Judd contourna la voiture pour venir lui ouvrir la portière.

— Cela m'étonne qu'il te laisse partir, si vous êtes si proches.

Ses mots avaient un sous-entendu qu'elle n'arrivait pas à définir.

— Je n'appartiens à personne.

— Je suis ravi de l'entendre, répondit-il en lui prenant le bras, car je déteste partager.

Elle rit, s'efforçant de lutter contre le pouvoir enivrant de ses paroles.

— Je croyais que ce trait de caractère était le propre des enfants uniques.

— Qu'est-ce qui te fait croire que je ne suis pas fils unique ?

Bon sang ! Elle avait failli se trahir. Elle réfléchit à toute vitesse, mais au fond, elle savait que personne à Adélaïde n'avait mentionné la famille désunie de Judd.

— Oh ! Je ne sais pas… Je me disais simplement que tu avais dû être habitué à partager, puisque tu as grandi ici, entouré de tous tes cousins.

Elle retint son souffle, espérant qu'il se contenterait de sa réponse. A sa grande surprise, il eut un petit rire.

— Oui, je suppose que c'est une conclusion normale.

— Alors, tu es fils unique ? demanda-t-elle, cherchant à découvrir ses sentiments à l'égard de la sœur qu'il n'avait pas vue depuis des années.

Il haussa les épaules d'un air faussement désinvolte.

— C'est compliqué. Mes parents ont divorcé quand j'étais petit, et j'ai été séparé de ma sœur. Elle n'avait qu'un an, à l'époque, et j'en avais six.

— N'est-ce pas un peu étrange ? Que ton père ait gardé ta sœur ?

— Il ne voulait pas de moi, mais ma mère, oui.

Ces mots, prononcés simplement, trahissaient sa douleur. Elle avait envie de protester, de lui dire que son père avait voulu de lui, de toutes ses forces. Mais ce n'était pas à elle de le faire.

— As-tu déjà eu envie de revoir ta sœur ?

— Pourquoi cet intérêt soudain ?

— Oh ! pour rien… Simplement, je suis fille unique, comme je te le disais hier soir, et je l'ai toujours regretté.

— C'est dans la nature humaine de toujours vouloir le contraire de ce que l'on a, n'est-ce pas ?

Il avait adroitement évité de répondre à sa question.

— Peut-être…

Ils marchèrent le long du trottoir à l'ombre des arbres, s'arrêtant de temps à autre pour flâner dans l'une des nombreuses galeries. Enfin, ils traversèrent la rue et s'installèrent en terrasse, sous un parasol, à l'une des tables d'une auberge manifestement très populaire.

Elle détacha ses cheveux, les secoua, et remarqua la lueur d'approbation dans les yeux de Judd. Une douce chaleur l'envahit aussitôt…

— Veux-tu un menu, ou veux-tu que je choisisse quelque chose pour toi ? demanda-t-il.

— Je veux bien que tu commandes pour moi, j'aime à peu près tout.

— Que veux-tu boire ? Du vin ?

— Je préférerais une bière.

— Une bière ?

— Oui… Ne me dis pas que tu fais partie de ces hommes qui trouvent que les femmes ne devraient pas boire de bière !

Il rit.

— Pas du tout ! D'ailleurs, je vais t'imiter.

La serveuse s'approcha d'eux, et ils passèrent leur commande. Ils n'eurent pas à attendre longtemps : elle revint rapidement avec leurs plats et leurs boissons. Anna retint son souffle en voyant la taille de l'assiette que la jeune femme plaçait devant elle.

— C'est le plat « Saveurs d'Allemagne », annonça Judd. Tu ne pouvais pas venir ici et rater ça !

— Je te crois sur parole… mais j'espère que tu as faim, toi aussi.

Elle but une gorgée de bière.

— Hmm… Elle est délicieuse.

Au milieu de leur repas, une famille avec plusieurs enfants passa près de leur table. L'un des enfants se prit le pied dans la bandoulière de son sac à main, qu'elle avait posé par terre, sous sa chaise.

— Oh ! Je suis désolée ! s'écria la mère de l'enfant en se précipitant pour aider Anna à ramasser ses affaires, éparpillées sur le sol.

— Ce n'est pas grave, répondit Anna. C'est ma faute, je n'aurais pas dû laisser la bandoulière dans le passage.

Judd s'était levé pour l'aider. Elle ne vit que trop tard l'enveloppe blanche sur le sol, et son cœur fit un bond dans sa poitrine quand elle le vit la ramasser et lire son propre nom écrit dessus.

Il se rassit, lui rendit ses effets personnels mais garda l'enveloppe dans sa main comme si son contenu était dangereux. La mère et son petit garçon rejoignirent le reste de leur famille, mais Anna le remarqua à peine. Elle ne pouvait détacher les yeux de Judd.

— Tu veux bien m'expliquer ça ? demanda-t-il d'un ton soudain glacial.

Elle prit une profonde inspiration.

— C'est une lettre.

— Je le vois bien. Une lettre qui m'est adressée.

Incapable de soutenir son regard plus longtemps, elle baissa les yeux sur ses genoux, où elle avait joint les mains nerveusement. Ce n'était pas comme cela que les choses auraient dû se passer… Elle aurait voulu lui donner la lettre quand elle se serait sentie prête, capable de prévoir sa réaction, pas dans un lieu public, sans avoir eu le temps de le préparer à la recevoir.

— Oui, dit-elle d'une voix douce.

Elle tressaillit en entendant l'enveloppe se déchirer.

Elle finit par lever les yeux et, le ventre noué, le regarda lire cette lettre qui avait le pouvoir de changer leurs vies. Quand il eut terminé, il replia soigneusement la feuille de papier et la glissa de nouveau dans l'enveloppe, sans rien dire. Un frisson d'effroi la parcourut. Il était trop calme… Elle avait déjà vu Charles dans cet état, et savait que c'était le calme précédant la tempête.

Elle lui posa une main sur le bras, mais il se dégagea de son étreinte comme si elle n'était qu'un insecte agaçant.

— Judd…

Les mots qu'elle s'était apprêtée à dire moururent sur ses lèvres lorsqu'elle croisa son regard et y perçut sa fureur.

— Qui es-tu, et que fais-tu réellement ici ?

# - 4 -

Anna regardait fixement Judd, abasourdie. Elle se sentit blêmir. Elle avait tout fait de travers… Elle aurait dû se contenter de suivre les instructions de Charles, prendre rendez-vous avec Judd et lui dire tout de suite pourquoi elle était là. Elle prit une profonde inspiration.

— Je… Je t'ai dit qui j'étais. Je m'appelle Anna Garrick, et…

Elle s'interrompit un moment, la bouche sèche. Elle s'éclaircit la voix et reprit :

— … et je suis ici parce que ton père veut se rattraper pour ses erreurs passées.

— S'il tient tellement à se rattraper, pourquoi n'est-il pas venu en personne ?

Le visage de Judd s'était durci, et une lueur brillait dans ses yeux bleus.

— Il ne te le dit pas dans sa lettre ?

— Je veux te l'entendre dire. Pourquoi n'est-il pas venu lui-même ? Avait-il trop honte pour me regarder en face, pour regarder la vérité en face ? Ce sont ses accusations stupides et son orgueil qui ont déchiré notre famille !

Elle émit un petit gémissement de protestation.

Ce n'était pas cela du tout… Bien sûr, elle savait que Charles n'avait pas été un ange à l'époque où son couple s'était brisé, mais d'après ce que sa mère lui avait dit, Cynthia n'avait pas été irréprochable non plus. Charles n'était pas le seul responsable de ce qui s'était passé, quoi que la mère de Judd ait pu dire à ce dernier.

— Eh bien ? insista-t-il.

— Il ne va pas bien, son médecin ne l'autorise pas à voyager.

Le diabète dont Charles souffrait depuis des années s'était aggravé, d'une part parce qu'il avait été diagnostiqué tardivement, et d'autre part parce que Charles rechignait à suivre les recommandations de son médecin.

— Comme c'est pratique ! dit Judd avant de boire une gorgée de bière.

A son tour, elle sentit la colère monter en elle.

— Non, ce n'est pas pratique du tout. Ecoute, je ne sais pas ce qu'il te dit exactement dans sa lettre, mais j'ai une idée assez précise de ce qu'il te demande. Il veut te revoir, te connaître avant de…

Sa voix se brisa tant elle était bouleversée.

— Avant de quoi ?

— Avant de mourir.

— Tu tiens à lui ?

La voix de Judd était dépourvue d'émotion.

— Plus que tu ne peux l'imaginer, répondit-elle, s'efforçant de se reprendre. Il ne va pas bien, Judd. Je t'en prie… C'est peut-être ta dernière chance de le connaître. C'est ton père, tu lui dois bien cela…

Il émit un grognement railleur.

— Je lui dois cela ? C'est un peu fort ! Je ne lui dois rien, et je n'ai pas l'impression d'être passé à côté de quelque chose parce qu'il n'a pas fait partie de ma vie. Je ne vois pas pourquoi cela changerait, même s'il a essayé de me dorer la pilule pour m'inciter à retourner en Nouvelle-Zélande.

— Te dorer la pilule ?

Un sentiment d'effroi l'envahit soudain. Quel genre d'offre Charles avait-il bien pu faire à son fils ?

— Tu ne vois vraiment pas de quoi je parle ?

— Si je le savais, je ne te le demanderais pas, répondit-elle d'un ton sec.

— C'est curieux qu'il ne t'ait pas informée de ses intentions, puisque tu es sa précieuse employée et que vous êtes si proches, d'après ce que tu m'as dit toi-même. Puisque tu tiens tellement à lui.

Elle n'aimait pas du tout ses insinuations… Il sous-entendait qu'il y avait quelque chose entre elle et Charles, alors qu'elle l'aimait comme un père. Mais comment aurait-elle pu lui expliquer tout cela maintenant ? Il ne l'aurait jamais crue.

Il se laissa aller en arrière sur sa chaise et la regarda droit dans les yeux.

— Apparemment, ton cher employeur souhaite m'offrir une participation majoritaire dans l'entreprise familiale.

— Pardon ?

Une participation majoritaire ? Comme ça ? Elle en avait le souffle coupé. Comment Charles pouvait-il faire cela à Nicole ? Comment avait-elle pu faire cela à Nicole ? Sa meilleure amie avait une haute idée de la loyauté et de l'honnêteté. Quand elle apprendrait qu'Anna avait été la messagère qui, dans son dos, avait livré à Judd l'entreprise de Charles, Nicole le lui pardonnerait-elle ?

— Et ce n'est pas tout, reprit Judd. Apparemment, il veut aussi me faire cadeau de la maison de famille.

Elle n'en croyait pas ses oreilles.

— Il ne ferait jamais une chose pareille. Tu n'es dévoué ni à Charles ni à Wilson Wines. Tu pourrais aussi bien revendre ta part de l'entreprise à quelqu'un. Charles ne ferait jamais quelque chose d'aussi imprudent !

Charles était-il vraiment prêt à tout risquer pour retrouver son fils ? Nicole en serait anéantie. Elle avait grandi dans cette maison et y vivait encore… Elle avait consacré tout son temps et toute son énergie à l'entreprise familiale… tout cela pour la voir confiée à son frère ? Charles ne pouvait pas être aussi cruel.

Pourtant, Anna savait très bien que Charles était capable d'une telle chose. Il était déterminé à l'excès, et son but était de se réconcilier avec son fils avant de mourir. Quand son médecin lui avait confirmé que le temps lui était compté, il avait entrepris de ramener Judd à ses côtés, par tous les moyens. Il ferait tout ce qui était en son pouvoir, au risque même de blesser la fille qui l'aimait tant.

Depuis qu'il avait reçu une lettre posthume de son ancien associé, Thomas Jackson, devenu ensuite son plus grand concurrent, Charles ne pensait plus qu'à Judd. Elle ignorait ce que disait cette lettre, mais elle était prête à parier que cela avait un rapport avec l'éloignement des deux associés, peu de temps avant que Cynthia ne quitte la Nouvelle-Zélande avec Judd. Anna s'était souvent demandé si Thomas Jackson et Cynthia avaient été amants. Charles avait-il cru que Judd n'était pas son fils ?

Judd lui tendit la lettre, l'arrachant à ses pensées.

— Vois par toi-même.

Les mots se brouillèrent devant ses yeux, et elle dut ciller pour parvenir à lire le contenu de la lettre. Judd avait dit vrai. Charles suppliait le fils auquel il avait tourné le dos vingt-cinq ans plus tôt. Elle savait ce que cela avait dû lui coûter de mettre ainsi des mots sur ses émotions. Il n'avait jamais été démonstratif, et elle eut un choc en lisant ces quelques lignes qui venaient du cœur. Toujours aussi prudent, cependant, il insistait pour que Judd subisse un test ADN pour prouver qu'il était bien son fils. Il avait donc eu des doutes à ce sujet… Tout s'éclaircissait enfin.

Elle finit de lire la lettre, la replia et la rendit à Judd.

— J'ignorais ce qu'il avait en tête. Vas-tu accepter son offre ?

— Il insulte ma mère, après tout ce temps, et tu crois que je vais sauter sur sa proposition ?

Elle ne comprenait pas son raisonnement.

— Comment insulte-t-il ta mère ?

— Il réclame un test ADN ! Il veut la preuve qu'elle ne l'a pas trompé et que je suis bien son fils. Quoi qu'il puisse dire, il n'a pas changé, c'est évident. Il pense encore tout contrôler. Quant à toi…

— Eh bien ?

— Quel est ton rôle dans toute cette histoire ? S'attendait-il à ce que toi aussi, tu me motives à revenir ?

Elle sentit ses joues s'empourprer.

— Je n'aime pas beaucoup tes insinuations !

— Mets-toi à ma place… Tu arrives subitement dans ma famille, tu te gardes bien de nous dire qui tu es ou pourquoi tu es ici, et tu te montres très réceptive à l'attention que je te porte… Apparemment, cela ne t'a pas dérangée que je t'embrasse, hier soir !

— C'était…

Elle s'interrompit. Les mots lui manquaient.

— C'était quoi, Anna ? Cela dépassait le cadre de tes fonctions ?

Elle se mordit la lèvre pour réprimer la remarque cinglante qui lui vint aussitôt à l'esprit et se força à se calmer.

— J'ai fait ce que j'avais à faire, tu as la lettre, tu l'as lue… Maintenant, la balle est dans ton camp.

Elle avait le sentiment d'avoir manqué à ses engagements envers Charles, et cela lui serrait le cœur. C'était la chose la plus importante qu'il lui ait jamais demandé de faire, et elle avait tout gâché.

— Je t'en prie, ne laisse pas ce que j'ai fait influencer ta décision, reprit-elle. Charles voulait que je t'expose franchement les raisons de ma présence ici. C'est moi qui ai choisi de te les cacher.

— Pourquoi ?

— Je savais qu'il voulait te tendre un rameau d'olivier, mais je craignais ta réaction, j'avais peur que tu profites de lui. Sa maladie l'a rendu vieux avant l'âge… Il ne mérite pas de souffrir encore davantage.

— C'est vraiment ce que tu penses ?

— Bien sûr. Ecoute, tu ne le connais pas, tu te souviens probablement à peine de lui… Quoi qu'il ait pu se produire, c'est du passé, et on ne peut rien y changer. Ne peux-tu pas mettre ta rancœur de côté et songer à ce que cela représenterait pour lui de se réconcilier avec toi maintenant ?

Judd la regarda fixement quelques instants. Son expression ne trahissait rien de ce qu'il pensait, et le sentiment d'effroi qu'elle éprouvait s'intensifia.

Mettre sa rancœur de côté ? Anna avait-elle la moindre idée de ce qu'elle lui demandait ? Bien sûr que non ! Ce n'était pas elle qui avait été repoussée par un père qui l'adorait un instant et refusait de la regarder l'instant d'après. Ce n'était pas elle qui avait été transplantée dans une autre famille, un autre monde, et à qui l'on avait répété de s'endurcir. Combien de fois avait-il vu une voiture arriver dans l'allée de la propriété et espéré en dépit de tout qu'il s'agisse de son père ?

Cependant, ce que le petit garçon de six ans qu'il avait été avait espéré de tout son cœur n'était jamais arrivé et, avec le temps, il s'était endurci. Il était devenu un homme fort, un homme qui savait qu'il ne pouvait compter que sur lui-même. Sa première réaction en lisant la lettre de son père avait été d'en faire une boule et de la jeter à Anna en lui disant de la redonner à son expéditeur, mais sa raison l'avait emporté sur ses émotions. Sans même s'en rendre compte, son père venait de lui donner l'opportunité dont il avait rêvé pendant des années : celle d'une revanche. Judd allait se venger, non seulement parce que son père l'avait abandonné, mais aussi pour ce qu'il avait fait à sa mère.

Cynthia lui avait répété un nombre incalculable de fois que son père, après l'avoir arrachée à son pays et aux siens, l'avait délaissée, ignorée, faisant passer tout le reste avant leur relation. Puis, quand elle s'était sentie trop seule et qu'elle avait commencé à passer du temps hors du foyer conjugal, pour se faire des amis et avoir des activités qui combleraient le vide laissé par l'absence de son mari, Charles était devenu un monstre de possessivité, constamment jaloux et persuadé qu'elle le trompait.

Cela s'était terminé par une dispute terrible, au terme de laquelle Charles avait mis son épouse dehors, avec Judd, et c'était la dernière fois que celui-ci avait vu son père. Charles ne lui avait jamais rendu visite, écrit ni même téléphoné. De toute évidence, il s'était désintéressé de lui et de Cynthia, et ce pendant vingt-cinq ans.

Maintenant, Judd avait enfin l'occasion de lui rendre la monnaie de sa pièce, de se venger de tout ce que sa mère et lui avaient enduré. En lui offrant une participation majoritaire dans l'entreprise, Charles lui donnait le bâton pour se faire battre. D'après ce que lui avait dit sa mère, son père faisait passer son entreprise avant sa famille. Judd savait exactement ce qu'il avait à faire pour lui faire le plus de mal possible.

Il avait besoin de temps pour réfléchir, pour échafauder le plan qui commençait à prendre forme dans son esprit, mais une chose était sûre : il ne tarderait pas à accepter la proposition de son père.

Il regarda Anna, ses longs cheveux brillants, ses formes sensuelles… Elle était tellement féminine ! Même maintenant, alors qu'il était furieux, elle parvenait à le troubler. Il éprouva un vif regret.

Les mises en garde de sa mère n'avaient pas atténué son attirance pour Anna, mais la lettre jetait un jour nouveau sur cette histoire. A contrecœur, elle lui avait avoué la véritable raison de sa présence, mais peut-être craignait-elle que son retour dans la vie de son père ne compromette sa place à *elle* et ce qu'elle risquait de gagner à la mort de Charles Wilson.

Charles l'avait choisie comme ambassadrice : il devait donc avoir confiance en elle. Elle-même lui avait dit qu'ils étaient très proches et qu'elle tenait beaucoup à lui. A quel point au juste étaient-ils proches ? Etaient-ils amants, comme sa mère le soupçonnait ? Si tel était le cas, la satisfaction de Judd n'en serait que plus vive quand il l'aurait séduite.

Cependant, pour l'instant, il voulait l'éloigner le plus possible des Masters, pour l'empêcher de nuire.

Il indiqua d'un geste vague les restes de nourriture devant eux.

— As-tu l'intention de terminer ton assiette ?

Elle secoua la tête.

— Non, je n'ai plus faim.

— Dans ce cas, allons-y.

— Au vignoble ?

— Oui, pour récupérer tes affaires. Ensuite, je te conduirai en ville.

— En ville ?

— A l'hôtel. Au risque de te surprendre, je ne veux pas de toi dans ma famille. Ma mère a assez souffert toutes ces années, elle n'a pas besoin de l'affront de ta présence chez elle.

Anna tressaillit et pâlit de nouveau.

— Très bien, répondit-elle d'une voix tendue. Quand me diras-tu si tu acceptes ou non la proposition de Charles ?

— En temps voulu. Tu ne retournes à Auckland que dans quelques jours, n'est-ce pas ?

— Oui, vendredi matin.

— Je te tiendrai au courant d'ici là.

Anna arpentait le balcon de sa chambre d'hôtel, son téléphone portable collé à son oreille.

— Je suis désolée, Charles… J'ai tout gâché. J'aurais dû me contenter de faire ce que tu m'avais dit.

Charles se montra étonnamment philosophe.

— Ce qui est fait est fait, cela ne peut pas être pire que par le passé. Espérons que Judd revienne à la raison avant qu'il ne soit trop tard !

Avant qu'il ne soit trop tard… Elle sentit son cœur se serrer. Charles n'avait pas pour habitude d'être mélodramatique. Elle savait que sa santé se détériorait, mais lui aurait-il caché quelque chose ?

— Je n'arrive toujours pas à croire que tu es prêt à aller jusque-là pour le faire revenir.

— C'est lui l'aîné, Anna, l'entreprise lui revient. Tu le sais aussi bien que moi.

— Et Nicole ? Lui en as-tu parlé ?

— Je ne lui en parlerai que quand je serai sûr que Judd accepte bel et bien de revenir. En attendant, je ne dirai rien, et tu ne dois rien lui dire non plus. Tu me l'as promis, Anna…

Elle soupira.

— Je sais… Je ne dirai rien, mais lui cacher la vérité ne fera que la blesser encore davantage.

— C'est à moi d'en juger.

— Et la maison, Charles… Pourquoi lui donner en plus la maison ? C'est aussi celle de Nicole !

— Et la tienne, lui rappela-t-il d'un ton brusque, mais je fais confiance à Judd pour agir honorablement et vous offrir un toit à toutes les deux. Si je ne le fais pas, cela ne marchera jamais. De plus, il a grandi avec les Masters… Je sais ce qu'ils pensent de cette maison. Judd dirige déjà leur entreprise, alors lui céder la mienne ne suffira peut-être pas, mais personne d'autre ne peut lui offrir cette maison.

— Pourquoi crois-tu avoir besoin de prendre des mesures aussi drastiques pour le faire revenir ?

— Parce que c'est ce qu'il faudrait pour me faire revenir si l'on m'avait fait la même chose.

Anna fut parcourue d'un frisson. Si Nicole ne lui en voulait pas après tout cela, ce serait un véritable miracle… Elle rentra dans sa chambre d'hôtel et referma la porte-fenêtre, mais elle avait toujours aussi froid. Ce que Charles faisait n'était pas bien, elle le savait, mais il était trop tard désormais pour revenir en arrière… L'offre avait été faite. Tout ce qu'elle pouvait espérer, c'était que Judd ait la décence de la refuser.

— Alors tu ne vas même pas prévenir Nicole ? Tu vas lui imposer son frère et lui dire c'est comme ça, et pas autrement ?

— Ce sont mes enfants, mon entreprise et ma maison, c'est ma décision. N'outrepasse pas tes droits, Anna.

Ces paroles la blessèrent profondément.

— Bien sûr, se contenta-t-elle de répondre.

— Judd a dit qu'il te tiendrait au courant d'ici vendredi ?

— Oui.

— Espérons qu'il prenne la bonne décision ! Appelle-moi dès qu'il t'aura contactée.

— D'accord.

— Très bien ! J'attends ton appel avec impatience.

Après avoir raccroché, Anna resta, les bras ballants, à regarder le soleil se coucher sur les collines. Comment tout cela allait-il se terminer ?

# - 5 -

— Je te l'avais bien dit ! s'écria Cynthia, une lueur triomphante dans le regard.

Judd se contenta de hocher la tête. Il avait passé la fin de l'après-midi enfermé dans son bureau, à regarder son agenda pour savoir à qui il pourrait déléguer son travail. Il fallait reconnaître qu'il y avait des avantages à travailler avec ses cousins. Il était sûr de laisser l'entreprise en de bonnes mains.

Dès qu'il eut revu son emploi du temps, il demanda à sa mère de venir le voir. La joie que lui procura la proposition de Charles était palpable : il ne l'avait jamais vue aussi animée.

— Quand leur feras-tu part de ta décision ? demanda-t-elle.

— Vendredi matin. Je serai trop occupé demain pour pouvoir en plus parler à Anna Garrick.

Il éprouva une pointe de désir en prononçant son nom, comme chaque fois qu'il pensait à elle. Il s'était renseigné à son sujet… Elle vivait avec Charles Wilson, ce qui le confortait dans l'idée qu'elle était bien plus que sa secrétaire. La perspective de la ravir à son père était très tentante, mais il devrait faire preuve de finesse pour parvenir à ses fins.

— Combien de temps prendra le test ADN ?

— C'est assez rapide, je crois… Quelques jours, une semaine peut-être.

— Je n'arrive pas à croire qu'il s'abaisse à te demander cela ! Il suffit de te regarder pour savoir que je ne l'ai jamais trompé.

Elle avait pris un ton dramatique, mais il s'abstint de tout commentaire.

— Nous allons enfin récupérer ce que nous aurions dû avoir depuis le début ! renchérit-elle.

— La maison ?

Il aurait dû savoir que c'était ce qui lui importait le plus. Il devait admettre que lui-même était curieux de revoir sa maison d'enfance. Cependant, alors que sa mère semblait vouloir en reprendre possession, lui aurait préféré la démolir… tout comme il comptait démolir Wilson Wines. Il démantèlerait l'héritage de son père petit à petit et, quand il aurait terminé, il reviendrait ici, dans la propriété des Masters, et sa vie reprendrait son cours normal. Sa mère pourrait avoir la maison si elle le souhaitait : cela lui était bien égal.

— Il faudra que je refasse toute la décoration… que je lui redonne sa splendeur d'autrefois !

— Comment peux-tu savoir qu'elle n'est pas en parfait état ?

Cynthia leva les yeux au ciel.

— Judd, voyons, cela fait vingt-cinq ans que j'en suis partie… Il va y avoir du travail, j'en suis sûre. J'avais mis tout mon cœur dans cette maison… Personne ne l'a aimée autant que moi.

— Ne mettons pas la charrue avant les bœufs, d'accord ?

— Bien sûr. Nous devons d'abord remplir les conditions ridicules de ton père. Combien de temps penses-tu rester en Nouvelle-Zélande ?

— Cela ne devrait pas prendre plus d'un mois.

— Tant que ça ?

Il songea à ses plans concernant la délicieuse Mlle Garrick… Un mois ? Il aurait peut-être besoin d'un peu plus de temps : il tenait véritablement à savourer sa victoire…

— Peut-être plus. Nous verrons comment cela se passe.

Quand sa mère eut quitté son bureau, il se laissa aller en arrière dans son fauteuil et, par la fenêtre, regarda le vignoble. Il aimait son travail, et le faisait bien, mais depuis quelques mois, il s'ennuyait, l'absence d'opportunités et de changement l'étouffait. Maintenant, il allait enfin avoir l'occasion d'élargir son horizon, en mettant ses projets à exécution : d'abord démanteler l'empire de son père, puis lui voler sa maîtresse.

Le vendredi matin, Anna se réveilla, extrêmement nerveuse, et prit son téléphone portable, comme elle l'avait fait plusieurs fois pendant la nuit. Elle n'avait eu aucune nouvelle de Judd. Quand allait-il se décider à l'appeler ?

Elle regarda l'heure et se précipita dans la salle de bains. Elle avait mal dormi, et s'était réveillée plus tard que prévu. Dans une demi-heure à peine, un taxi devait passer la prendre pour la conduire à l'aéroport… La veille au soir, elle avait fait ses bagages, il ne lui restait donc plus qu'à prendre une douche et à s'habiller.

Elle était dans le hall de l'hôtel et payait sa note quand, soudain, elle sentit sa présence : Judd était là. Cela signifiait-il qu'elle avait réussi sa mission ? L'accompagnait-il en Nouvelle-Zélande, ou n'était-il venu que pour lui dire de vive voix qu'il refusait la proposition de Charles ?

Elle savait qu'elle devait lui faire face… Elle rassembla tout son courage, se força à sourire, et se tourna vers lui. Dès que ses yeux se posèrent sur lui, une vague de désir la submergea malgré elle. Comment pouvait-elle encore éprouver de l'attirance pour lui alors qu'il avait été si désagréable ? Elle s'était posé cette question de nombreuses fois au cours des deux dernières nuits, chaque fois qu'elle se réveillait après avoir rêvé de lui…

Son expression était impassible, et elle n'avait pas la moindre idée de la décision qu'il avait prise.

— Tu es prête ? demanda-t-il froidement.

— Pas de bonjour ? répliqua-t-elle d'un ton acerbe.

Il se contenta de hausser un sourcil. Elle prit la poignée de sa valise à roulettes et se dirigea vers la porte.

— Je m'en occupe, dit-il en se plaçant devant elle et en lui prenant la valise des mains.

Il franchit la double porte. S'apercevant qu'il se

dirigeait vers une limousine noire, elle s'élança à sa poursuite et s'écria :

— Attends ! J'ai réservé un taxi.

— J'ai annulé ta réservation. Nous irons ensemble à l'aéroport.

— Et ensuite ? demanda-t-elle, n'y tenant plus.

Venait-il à Auckland avec elle ? Le suspense était intenable…

— Ensuite, nous prendrons l'avion ensemble.

— Alors tu acceptes la proposition de Charles ?

Il tendit la valise au chauffeur, puis ouvrit la portière arrière et s'écarta pour la laisser passer. Elle attendit, refusant de monter sans en avoir le cœur net.

— J'accepte de faire un test ADN et quand mon père sera satisfait, oui, j'accepterai son offre.

Elle ne savait pas si elle devait être ravie ou dévastée. Le cœur lourd, incapable de parler, elle hocha la tête et monta dans la voiture. Elle fut un peu soulagée quand Judd s'assit à l'avant, car elle avait besoin de temps pour réfléchir et se préparer à ce qui allait se passer ensuite.

Le trajet jusqu'à l'aéroport fut assez court, et dès qu'ils furent arrivés, elle lui demanda un moment pour appeler Charles.

— Ce ne sera pas nécessaire, dit-il d'un ton doucereux en lui tendant la main pour l'aider à descendre de voiture.

— Pourquoi ?

Elle mit sa main dans la sienne à contrecœur, se préparant à l'avance au frisson qu'elle ne manquerait pas de ressentir. Le simple fait de toucher sa peau faisait battre son cœur un peu plus vite… Un désir violent, primitif, l'envahit aussitôt. Elle retira sa main le plus vite possible, mais la sensation perdura.

— Parce que je lui ai déjà parlé, répondit Judd.

— Tu lui as parlé ? demanda-t-elle d'un ton incrédule.

— C'est si étrange que cela ?

— Eh bien, oui, surtout si l'on considère ta réaction à sa lettre.

— Comme tu l'as dit l'autre jour, le passé est le passé.

Elle le regarda, soupçonneuse, osant à peine croire qu'il pensait ce qu'il disait. Un homme comme Judd Wilson était trop passionné pour faire table rase du passé. Il devait avoir une idée derrière la tête…

— Quoi ? Pas de commentaires ? s'étonna-t-il.

— Comment allait-il ?

— Il avait l'air plutôt en forme, surpris de m'entendre, mais d'un optimisme prudent.

Ainsi, les dés étaient jetés… Elle prit sa valise et se dirigea vers le hall des départs, tandis que Judd allait chercher un chariot pour ses bagages, beaucoup plus nombreux. Il la rattrapa rapidement.

Désormais, le sort en était jeté, et plus rien ne dépendait d'elle. Tout ce qu'elle pouvait espérer, c'était que Nicole lui pardonnerait son rôle dans les intrigues de son père, mais elle doutait que cela s'avère aussi simple.

*
* *

Patrick Evans, le chauffeur et homme à tout faire de Charles, vint les chercher à l'aéroport d'Auckland. Il conduisit lentement, en direction de l'imposante maison de style gothique que Charles avait fait construire avec les plans d'origine de la demeure des Masters. Ils étaient presque arrivés… Les phares de la voiture éclairaient la route principale de Remuera, bordée de camélias.

Quand la maison apparut enfin dans son champ de vision, elle éprouva un vif soulagement. Elle avait eu un choc en découvrant les ruines au sommet de la colline, en Australie. La demeure qui l'avait toujours abritée lui avait soudain semblé moins solide. Bien sûr, il n'y avait aucun risque de feu de brousse en ville, mais bien d'autres choses pouvaient causer la ruine d'une maison… ou d'une famille.

A cause de la durée du vol et du décalage horaire entre Adélaïde et Auckland, la nuit était presque tombée lorsqu'ils s'arrêtèrent devant la maison, mais l'éclairage extérieur la mettait en valeur.

Anna observa Judd, assis à côté d'elle, guettant sa réaction.

— Alors c'est à cela que ça ressemble, dit-il d'un ton grave en regardant le bâtiment de brique. Mes souvenirs étaient… incomplets.

— Apparemment, elle est identique à l'originale, même si elle a été modernisée, bien sûr. En dépit de sa taille, c'est un vrai foyer.

La limousine s'arrêta devant le portique, avec sa tourelle couverte de lierre et la coupole de cuivre.

— C'est ton foyer.

Ce n'était pas une question, mais une affirmation, qu'elle choisit d'ignorer. Elle descendit de la voiture et aida Patrick à sortir les bagages du coffre.

La porte d'entrée s'ouvrit, et Anna se retourna, s'attendant à voir Charles. Or, c'est Nicole qui se tenait sur le seuil. Grande et élégante dans son tailleur noir bien coupé, ses longs cheveux bruns relevés en queue-de-cheval, elle regarda son frère.

— Je n'ai pas cru papa quand il m'a dit que tu venais, dit-elle d'une voix dépourvue d'émotion.

Instantanément, Anna fut sur la défensive. Nicole était généralement très extravertie, impulsive et généreuse. Anna n'avait jamais vu sa meilleure amie aussi froide. Nicole descendit les marches du perron pour la rejoindre.

— Pourquoi ne m'as-tu rien dit ?

Anna tressaillit, et se demanda à quoi Nicole faisait allusion. Que lui avait dit Charles, au juste ? Lui avait-il seulement annoncé le retour de Judd, ou lui avait-il tout expliqué, tout ce qu'il avait promis à son fils ? Quoi qu'il en soit, elle décida de lui dire la vérité.

— Charles m'a demandé de ne pas en parler.

— Et tu lui es plus dévouée qu'à moi ? demanda Nicole d'une voix douce, visiblement blessée.

— Ce n'est pas juste, Nicole…

— Non, tu as raison, mais il y a beaucoup de choses qui ne le sont pas dans toute cette histoire, n'est-ce pas ?

Sa tristesse se lisait dans ses grands yeux marron.

Anna posa une main sur le bras de son amie dans un geste plein de tendresse.

— Tu sais que je t'en aurais parlé si j'avais pu le faire…

Nicole hocha la tête et se tourna vers Judd, qui était resté silencieux jusque-là.

— Alors, frangin… Je présume que c'est le moment de te souhaiter la bienvenue !

Au grand étonnement d'Anna, elle ouvrit les bras et Judd l'étreignit chaleureusement. Puis il s'écarta et fit un pas en arrière.

Judd était stupéfait de constater l'émotion vive qui l'avait saisi en découvrant sa sœur. Elle avait un an lorsqu'il avait quitté la Nouvelle-Zélande, et il ne l'avait jamais imaginée adulte. Toutes ces années gâchées… Là encore, son père était responsable.

— Nous avons du retard à rattraper, déclara-t-il.

A sa grande surprise, Nicole rit.

— Eh bien, c'est vraiment le moins que l'on puisse dire ! Entre… Papa t'attend.

Judd se tourna vers Anna, qui avait assisté aux retrouvailles avec un air grave.

— Tu viens avec nous ? lui demanda-t-il.

— Je pense qu'il vaudrait mieux que je vous laisse tranquilles, tous les trois. Je vous verrai au dîner.

— Ne dis pas de bêtises, Anna, intervint Nicole, tu sais très bien que papa s'attend à ce que tu sois là aussi.

Anna se tourna vers Judd, comme si elle attendait d'avoir son approbation.

— Bien sûr, dit-il.

A en juger par le froid entre elle et sa sœur, cette dernière n'approuvait peut-être pas la proximité d'Anna et de leur père.

Nicole passa son bras sous le sien et, ensemble, ils entrèrent dans la maison qui allait bientôt être la sienne. Une chose était sûre : Charles ne faisait pas preuve de plus de considération pour les femmes que par le passé. De toute évidence, Nicole ne connaissait pas les détails de ses projets. Elle n'aurait probablement pas été aussi chaleureuse si elle avait été au courant… Cependant, c'était un problème dont il s'inquiéterait plus tard. Il fallait d'abord qu'il rencontre l'homme qui l'avait chassé de chez lui vingt-cinq ans plus tôt, et il devait tâcher de paraître poli.

Dans son souvenir, son père était un homme débordant d'énergie ; mais l'homme qui se leva en chancelant lorsqu'ils entrèrent dans le grand salon n'était plus que l'ombre de lui-même. Pourtant, sa faiblesse manifeste ne changea rien à la colère que Judd éprouvait.

— Judd est arrivé, papa, dit Nicole.

— Judd…

Judd s'avança, la main tendue, regardant son père, cherchant à retrouver l'homme dont il se souvenait. Les cheveux noirs de Charles étaient devenus gris ; il se tenait un peu moins droit et était plus corpulent. De toute évidence, il n'était pas en forme, mais une vive lueur d'intelligence brillait encore dans ses yeux bleus, qui ressemblaient tant aux siens. Son père aussi l'observait attentivement, en silence. Quelque chose dans l'apparence de Judd dut satisfaire Charles, car il hocha brièvement la tête, puis lui fit signe de s'asseoir.

Anna traversa la pièce, s'assit sur le canapé à côté de Charles, et lui posa une main sur le bras tandis qu'elle lui murmurait quelque chose à l'oreille. Aussitôt, Judd se sentit gagné par un sentiment de jalousie. Manifestement, il y avait une grande familiarité entre Anna et Charles, une familiarité à laquelle Judd se promit de mettre un terme le plus tôt possible.

— Ne t'en fais pas pour moi, Anna, je vais très bien, dit Charles en lui tenant la main quelques instants avant de la relâcher. Alors… allons droit au but, continua-t-il en se tournant vers lui. Tu sais que je veux la preuve que tu es bien mon fils.

Judd se crispa.

— Je sais que je suis ton fils, je ne peux être le fils d'aucun autre homme.

— Je suis persuadé que c'est ce que ta mère t'a dit, mais tu dois comprendre que j'ai besoin d'en être absolument sûr.

— Je t'ai déjà dit que j'étais d'accord pour faire un test ADN, répondit Judd en prenant sur lui pour rester calme.

Sa mère n'était peut-être pas un ange, mais elle lui avait dit la vérité quant à l'identité de son père, il le savait. Elle ne lui aurait pas menti sur quelque chose d'aussi important.

— Très bien. Nous nous occuperons de ça lundi, et nous aurons les résultats quarante-huit heures plus tard. C'est dommage qu'Anna n'ait pas pu te convaincre de revenir plus tôt, nous aurions pu faire le test avant le week-end…

Judd ne put s'empêcher de demander :

— Pourquoi cette urgence soudaine ? Tu as attendu vingt-cinq ans, deux jours de plus ne devraient pas poser de problème.

Charles lui lança un regard perçant et sourit fièrement.

— Eh bien, en tout cas, tu es aussi direct que moi, n'est-ce pas ?

— Je pense que ça ne sert à rien de tergiverser.

— Effectivement.

Judd se contenta de le regarder fixement, attendant qu'il en vienne au fait. L'atmosphère se fit encore plus tendue et, du coin de l'œil, il vit que sa sœur les observait, lui et son père.

— J'aimerais savoir, moi aussi, dit-elle soudain, avec un léger tremblement dans la voix. Pourquoi maintenant, papa ?

Charles regarda sa fille, les sourcils froncés, l'air réprobateur.

— Ne te mets pas dans tous tes états, Nicole. Je ne rajeunis pas et je ne suis pas non plus en bonne santé, ce n'est pas un secret. Il est temps pour moi de prendre certaines dispositions.

— Pourquoi as-tu mêlé Anna à ça ? Pourquoi l'avoir envoyée faire le sale boulot ? insista Nicole.

— Ça suffit, jeune fille. Je suis encore le chef de famille ; ne conteste pas mon autorité.

Nicole se laissa aller en arrière dans son fauteuil. De toute évidence, elle n'avait soudain plus envie de se battre. Judd éprouva une pointe de regret en songeant à ce qu'elle devait traverser. Il se promit de la dédommager, d'une manière ou d'une autre. Elle méritait quelque chose pour avoir supporté leur père pendant toutes ces années sans personne pour la défendre.

Un mouvement à la porte attira l'attention de tout le monde. Une dame d'âge moyen en uniforme se tint sur le seuil et annonça :

— Le dîner est servi, monsieur.

— Merci, madame Evans, dit Charles, avant de congédier la gouvernante d'un geste discret.

Il reporta son attention sur Judd.

— Nous prenons nos repas à heures régulières, expliqua-t-il. A cause de mon diabète.

Il se leva, refusant l'aide d'Anna, et les précéda dans la salle à manger. Judd eut une étrange impression de déjà-vu dans chaque pièce qu'il traversa. Ses souvenirs de l'époque à laquelle il avait vécu ici étaient flous, mais les vieilles photos qu'il avait vues de la demeure des Masters étaient gravées dans sa mémoire. Cette maison était vraiment la parfaite réplique de l'ancienne maison de sa mère. Il n'y avait rien d'étonnant à ce qu'elle en ait tant voulu à Charles de l'en avoir chassée. En son for intérieur, il se fit une autre promesse : Cynthia reviendrait ici la tête haute.

Rentrée en Nouvelle-Zélande depuis près d'une semaine, Anna avait toutes les difficultés du monde à se concentrer sur son travail. Judd était enfermé avec Charles depuis environ deux heures. Chaque fois que Nicole s'était aventurée hors de son bureau, elle avait regardé la porte fermée de celui de son père d'un air menaçant, et l'atmosphère était passablement tendue.

L'arrivée de la réceptionniste chargée de distribuer le courrier constitua une diversion bienvenue. Anna remarqua une lettre adressée à Charles, portant la mention *Personnel et Confidentiel* et le cachet du laboratoire auquel il s'était adressé pour le test ADN. Elle sentit aussitôt son estomac se nouer.

Elle posa l'enveloppe sur la pile du courrier qu'elle avait déjà ouvert. Charles l'avait toujours autorisée à s'occuper de sa correspondance personnelle comme professionnelle, mais elle était convaincue qu'il voudrait ouvrir cette lettre-là lui-même.

Soudain, la porte du bureau s'ouvrit, et elle sursauta, comme si elle avait été prise à faire quelque chose de mal. Judd remarqua sa réaction et posa sur elle un regard intense, haussant un sourcil interrogateur. Elle l'ignora, ce qu'elle s'efforçait de faire depuis plusieurs jours maintenant. En Australie, elle avait essayé de résister à l'attirance qu'elle éprouvait pour lui parce qu'elle s'était inquiétée de sa réaction quand il apprendrait la vérité. Elle avait maintenant une raison supplémentaire de le faire : dès que les résultats du test ADN auraient confirmé ce qu'ils savaient déjà tous, Judd deviendrait son patron.

Cependant, le simple fait de penser à lui suffisait à la troubler. Etre dans la même pièce que lui, être sous le même toit, était une véritable torture. Depuis le début de la semaine, elle se réfugiait dans le travail, mais sans grande réussite.

— Anna, je veux que tu emmènes Judd voir nos plus gros revendeurs. Ce n'est pas la peine de prendre rendez-vous, prenons-les par surprise et voyons comment nous faisons face à la concurrence.

— Ne préférerais-tu pas t'en occuper toi-même ? suggéra-t-elle.

Elle ne voyait rien de pire que passer le reste de la journée seule avec Judd. Même s'il avait eu un comportement irréprochable depuis leur arrivée en Nouvelle-Zélande, il restait entre eux une tension palpable. Elle était tellement nerveuse qu'elle commençait à se demander si elle n'allait pas prendre une ou deux semaines de congé et partir quelque temps, pour souffler un peu et ne plus penser constamment à lui.

— Tu sais bien que je ne peux pas conduire, et Judd ne trouvera pas son chemin tout seul dans la région.

— Il n'y a pas de problème, intervint Judd, je suis sûr de pouvoir me débrouiller avec un GPS.

— Non, insista Charles d'un ton ferme, j'ai demandé à Anna de t'emmener, et elle va le faire.

Tout le monde la connaît, et cela facilitera les présentations. N'est-ce pas, Anna ?

Elle repoussa son fauteuil, se leva et prit son sac à main.

— Bien sûr, Charles.

— Très bien, c'est réglé !

Charles regarda la pile du courrier sur le bureau.

— C'est pour moi ?

— Oui, j'allais te l'apporter.

Elle vit ses yeux se poser sur la lettre du laboratoire, au sommet de la pile. Il pâlit considérablement.

— Charles ? Tout va bien ?

— Mais oui, arrête de te tracasser pour rien, répondit-il d'un ton brusque. Allez-y, vous deux… et emmène Judd déjeuner dans un endroit agréable. Je ne veux pas vous revoir avant la fin de l'après-midi, vous avez beaucoup à faire.

Se résignant à passer le reste de la journée en compagnie de Judd, elle chercha ses clés de voiture dans son sac à main. Charles prit son courrier et retourna dans son bureau, fermant la porte derrière lui. Judd et elle ne connaîtraient donc les résultats du test que lorsque Charles serait prêt à leur en faire part.

— Tu n'es vraiment pas obligée de me conduire, dit Judd à voix basse.

— Si… Charles veut que je me charge des présentations, et je le comprends.

« Cela ne me plaît pas, mais je le comprends… »

— Tu fais toujours exactement ce qu'il te dit ?

— Oui, pourquoi ne le ferais-je pas ? s'étonna-t-elle, ne voyant pas vraiment où il voulait en venir.

— Pour rien… Je me disais juste que tu aurais pu lui tenir tête un peu plus.

— Il ne m'a jamais demandé quelque chose que je ne voulais vraiment pas faire, si c'est ce que tu sous-entends, dit-elle, soudain sur la défensive.

— Tant mieux ! J'en conclus que cela ne te dérange pas de passer la journée avec moi, dans ce cas. On y va ?

Il lui posa une main au creux des reins pour la guider vers la porte. Elle sentit l'empreinte de sa paume comme si elle était nue, et se hâta de mettre un peu de distance entre eux. Pourtant, dès que le contact fut brisé, elle le regretta et se reprocha sa réaction stupide.

Judd resta silencieux jusqu'à ce qu'ils quittent le parking souterrain, dans sa Lexus rouge.

— Jolie voiture, remarqua-t-il.

— C'est une voiture de fonction, elle a quatre roues et m'emmène là où je dois aller.

— Plutôt chic comme voiture de fonction, pour une secrétaire… Tu dois faire du très bon travail.

Elle n'aimait vraiment pas son ton, ses insinuations, mais elle ne lui donnerait pas la satisfaction de mordre à l'hameçon.

— Charles manifeste sa reconnaissance à tous les employés qu'il apprécie, répondit-elle, choisissant ses mots avec soin.

— A certains plus qu'à d'autres, j'imagine…

De nouveau, il faisait allusion à sa relation avec

Charles. Beaucoup de gens ne la comprenaient pas, et elle avait appris à se protéger des soupçons et des remarques désobligeantes. Elle y avait été contrainte très jeune, quand les enfants de l'école privée où elle était allée grâce à son aide financière avaient découvert qu'elle était la fille de la gouvernante. Grandir avec l'ombre de la relation de sa mère et de Charles planant au-dessus d'elle, et les allusions malveillantes qui allaient de pair, l'avait rendue beaucoup plus coriace qu'elle n'en avait l'air. Ces remarques continuaient de la blesser, bien sûr, mais elle n'avait pas l'intention de donner aux mauvaises langues la satisfaction de s'en apercevoir.

Tandis qu'ils roulaient en direction du siège social, elle commença à énumérer à Judd les principales chaînes auxquelles Wilson Wines fournissait du vin, mais il l'interrompit presque tout de suite :

— Quel est le plus gros concurrent de Wilson Wines ?

— Jackson Importers. Pourquoi ?

— C'est toujours intéressant de savoir à qui l'on est confronté. Parle-moi d'eux.

— L'entreprise a été fondée il y a un peu plus de vingt-cinq ans par Thomas Jackson. Il est mort il y a environ un an, et la compagnie est maintenant dirigée par Nate Hunter. Il a à peu près ton âge, et il travaille pour Jackson depuis qu'il a obtenu son diplôme de commerce à l'université d'Auckland. C'est à peu près tout ce que nous savons de lui… Il a longtemps travaillé pour l'un de leurs services à l'étranger, et est revenu en Nouvelle-Zélande il y a peu pour prendre les rênes de l'entreprise. Personne ne le connaît vraiment, mais ce que nous savons, c'est qu'il a un fort esprit de compétition et que la concurrence est rude. Il a dirigé leurs activités en Europe avec brio, ces dernières années.

— Thomas Jackson… Ce nom me dit quelque chose.

— Ce n'est pas étonnant, Thomas Jackson était le meilleur ami de ton père, ils étaient associés. Ils ont eu un différend, et Charles a racheté la part de Thomas.

— Il devait s'agir d'un sacré différend.

— Je ne sais pas, répondit-elle avec un haussement d'épaules faussement désinvolte, s'efforçant de garder une expression impassible. Cela s'est passé avant ma naissance, et ma mère ne m'en a jamais parlé.

C'était vrai, sa mère ne lui en avait jamais parlé, et Charles non plus ; mais elle avait tiré ses propres conclusions des rumeurs qui persistaient des années après, et n'avait pas eu de mal à faire le rapprochement… Le divorce de Charles et de Cynthia et sa querelle avec Thomas Jackson s'étaient produits exactement à la même époque. Ces incidents, ainsi que le test ADN réclamé par Charles, en disaient long.

Judd avait une expression songeuse, et elle se demanda à quoi il pensait.

— Charles ne t'en a jamais parlé ? finit-il par demander.

— Jamais, et ce n'est pas moi qui aborderais

le sujet. Si tu veux en savoir davantage, il faudra que tu lui demandes toi-même, dit-elle d'un ton un peu brusque.

Il rit.

— Me voilà fermement remis à ma place !

— Je ne voulais pas…

— Ne t'inquiète pas, Anna. Tu as raison, si je veux savoir quelque chose, je me renseignerai moi-même, et c'est bien ce que j'ai l'intention de faire.

Ces mots la rendaient nerveuse. Pourquoi tenait-il à tout prix à fouiller dans le passé ? Cela aurait dû lui suffire de savoir que son père voulait renouer avec lui. Elle savait que la mort de Thomas Jackson avait beaucoup affecté Charles. Elle avait toujours cru que ce dernier se nourrissait de la rivalité entre son ancien collègue et lui, mais maintenant, elle se demandait si, une fois sa colère atténuée, Charles n'avait pas déploré la fin de leur amitié.

Elle se gara sur le parking du plus important client de Wilson Wines, contente de pouvoir enfin descendre de voiture et mettre un peu de distance entre Judd et elle. Connaître l'opinion qu'il avait d'elle n'avait hélas pas eu raison de son attirance pour lui. Chaque fois qu'il était près d'elle, tous ses sens étaient en éveil, une douce chaleur l'envahissait, son parfum l'enivrait… Elle chassa ces pensées de son esprit et se concentra sur ce que Charles lui avait demandé. Elle ferait son travail, même si passer la journée avec Judd était la dernière chose dont elle avait envie.

# - 6 -

Dès qu'elle franchit le seuil de la maison, Anna sentit que l'atmosphère avait changé, l'air vibrait d'une nouvelle énergie. Elle alla dans la cuisine se chercher un verre d'eau, et vit que Mme Evans s'affairait, surveillant plusieurs casseroles sur le feu.

— J'ai raté quelque chose ?

— Non… M. Wilson a simplement demandé un repas très spécial pour le dîner de ce soir. Il a dit qu'il avait quelque chose d'important à annoncer… Il voudrait aussi que tout le monde se mette sur son trente et un. Pourrais-tu le dire à Mlle Nicole quand elle rentrera ?

De toute évidence, la lettre du laboratoire reçue le matin même avait apporté à Charles la preuve tant désirée. Comme engourdie, Anna ne savait que penser de la nouvelle. D'un côté, Charles avait enfin ce qu'il avait toujours voulu, mais d'un autre côté, il n'avait pas encore parlé à Nicole de ses projets… S'il l'avait fait, Nicole, à son tour, en aurait peut-être discuté avec elle. Or, elle l'évitait depuis son retour d'Australie, tant elle lui en voulait de ne pas lui avoir révélé les raisons de son voyage à Adélaïde. Inquiète de ne pas la voir avant le dîner, elle lui envoya un texto : « Ne sois pas en retard ce soir… ton père a quelque chose à nous annoncer, il nous veut tous en grande tenue pour le dîner. »

Nicole répondit rapidement, par une série de points d'interrogation. Anna sentit sa gorge se serrer. Avec le sentiment de se montrer de nouveau profondément déloyale à l'égard de son amie, elle répondit par un : « Désolée, mais je ne sais pas de quoi il s'agit. »

En regagnant sa chambre, elle passa devant la suite de Charles et frappa doucement à la porte avant d'entrer. Il n'était pas dans son petit salon, et elle en conclut qu'il devait se reposer, comme il avait l'habitude de le faire après une demi-journée de travail. Elle n'avait pas envie de le déranger, mais elle devait lui parler de Nicole. Décidant d'attendre qu'il se réveille, elle s'installa sur l'un des canapés confortables.

Au bout d'un moment, le bruit de l'eau dans la pièce à côté l'arracha à sa somnolence. Elle cilla, s'apercevant que la nuit était tombée. Elle se passa une main dans les cheveux : ils étaient tout décoiffés. Elle aurait dû les attacher, aujourd'hui… Elle jeta un coup d'œil à sa montre et vit que l'heure du dîner était presque arrivée. Elle ne pourrait jamais parler à Charles et être prête à l'heure.

Elle retira sa veste froissée, la coinça sous son bras, et commença à déboutonner son chemisier, tout en se dirigeant vers la porte. Elle sortit dans le couloir et se retrouva nez à nez avec Judd.

— Excuse-moi, dit-elle, essayant de passer pour regagner sa chambre. Je suis en retard…

L'expression de Judd, d'habitude impénétrable, refléta d'abord la surprise, puis la colère.

— Je vois ça, dit-il en s'écartant pour la laisser passer.

Soudain, elle comprit ce qu'il imaginait.

— Ce n'est pas…

— Tu ne viens pas de dire que tu étais en retard ? l'interrompit-il en haussant les sourcils.

Sans un mot de plus, elle s'éloigna avec raideur, furieuse, et se réfugia dans sa chambre à l'autre bout du couloir. Elle referma la porte derrière elle et s'y adossa, tremblante. De toute évidence, Judd était persuadé de l'avoir prise en flagrant délit…

Elle se redressa, se dirigea vers la salle de bains et acheva de se déshabiller. Ce que pensait Judd Wilson n'avait absolument aucune importance. D'autant qu'il se trompait. Pourtant, elle aurait préféré ne pas voir cette expression désapprobatrice sur son visage.

Elle prit une douche, puis s'habilla, se maquilla légèrement, et attacha ses cheveux en un chignon élégant. Enfin, elle rejoignit Charles, Judd et Nicole, au moment où ils entraient dans la salle à manger. Malgré le texto qu'elle avait envoyé à Nicole, son amie n'avait pas eu le temps de se changer… ou peut-être avait-elle choisi de ne pas le faire afin de contrarier son père.

— J'ai des nouvelles importantes à vous annoncer, déclara Charles, une pointe d'émotion dans la voix.

Anna s'assit en face de Judd, sentant son regard posé sur elle.

— Quelles nouvelles importantes ? demanda Nicole.

Anna sentit sa gorge se serrer. La scène qui s'annonçait promettait de ne pas être une partie de plaisir… Nicole était très fiable en affaires, mais elle n'était ni calme ni posée dans sa vie privée. Elle était connue pour son impulsivité et son impétuosité, et les projets de son père n'allaient pas lui faire plaisir. Sans se douter de la détresse d'Anna et de l'orage qui se préparait, Charles rayonnait de fierté. Elle ne l'avait pas vu aussi animé depuis longtemps.

Il prit son verre et indiqua Judd d'un geste large.

— Je voudrais porter un toast… à mon fils, Judd. Bienvenue à la maison, où est ta place.

Elle jeta un coup d'œil à Judd, pour constater l'effet que la déclaration de Charles aurait sur lui, mais elle fut déçue : il se contenta de regarder son père et de hocher la tête en levant lui aussi son verre.

— Tu ne te répéterais pas un peu, papa ? demanda Nicole. N'avons-nous pas déjà fait ça vendredi dernier, quand Judd est arrivé ?

— Non, je ne me répète pas du tout. C'est un soulagement pour un vieil homme de pouvoir rassembler toute sa famille… et maintenant que j'ai les résultats du test ADN, j'ai quelque chose à vous annoncer.

Il tapota l'enveloppe posée à côté de son assiette et la tendit à Judd.

— Tout est là-dedans, mon fils, comme je te l'ai promis.

Judd n'avait jamais douté que Charles était son père, et pourtant, un sentiment d'euphorie l'envahit. Le moment dont il avait toujours rêvé était enfin arrivé. Son père lui fournissait l'instrument de sa vengeance ! Demain, il demanderait à son avocat de s'occuper des papiers pour céder ses parts à Nate Hunter, et ferait à ce dernier une offre qu'il ne pourrait pas refuser : une participation majoritaire dans Wilson Wines pour un dollar symbolique.

Il prit l'enveloppe que son père lui tendait.

— Merci.

— Si tu ne veux pas m'appeler papa, dit Charles d'un ton fanfaron, appelle-moi au moins par mon prénom !

— Merci, Charles.

La lueur d'espoir dans les yeux de son père vacilla un peu, mais Judd n'aurait jamais pu appeler cet homme « papa », pas après toutes ces années… Il jeta un coup d'œil à Anna, qui semblait glacée d'effroi, comme si elle attendait, impuissante, que quelque chose de terrible se produise. Il en comprit la raison lorsqu'il regarda sa sœur. Nicole paraissait à la fois désorientée et en colère.

— Qu'as-tu promis à Judd, papa ? demanda-t-elle d'une voix légèrement tremblante, qui trahissait sa nervosité.

— Seulement ce qui lui revient de droit, Nicole.

Elle lança à Judd un regard furibond.

— C'est-à-dire ?

— L'acte notarié de la maison et une participation majoritaire dans Wilson Wines, répondit Charles. Le reste te reviendra à ma mort, comme tu le sais. Et maintenant, savourons le délicieux repas que Mme Evans nous a préparé…

— Une participation majoritaire dans Wilson Wines ? répéta Nicole, incrédule. Papa, que fais-tu ? Judd ne connaît rien à cette entreprise !

— Il a de l'expérience dans l'industrie du vin, et maintenant qu'il est ici, il va pouvoir apprendre comment marche Wilson Wines, répondit Charles d'un ton sans réplique.

— Ce n'est pas juste ! Je me suis entièrement consacrée à Wilson Wines, et tout à coup, tu donnes l'entreprise, comme ça, à un étranger ?

— Judd est ton frère, pas un étranger, répliqua Charles d'un ton sec.

— C'est du pareil au même !

Judd réprima son envie d'intervenir. Quand il aurait mis son plan à exécution, sa sœur serait contente de ne pas le connaître, et elle ne voudrait probablement plus jamais le revoir… Cette pensée lui serra le cœur. Ils avaient tous les deux tellement pâti des décisions tyranniques de leur père… Peut-être trouverait-il quelque chose pour elle à la propriété.

Sa sœur eut un rire sans joie. Anna prit la main de son amie pour la serrer tendrement, mais Nicole la repoussa avec colère.

— Tu ne vaux pas mieux que mon père ! s'écria-t-elle. Je présume que tu étais au courant ?

L'expression d'Anna était éloquente.

— Je n'arrive pas à le croire, reprit Nicole. Trahie par les deux seules personnes que j'aime !

Elle repoussa sa chaise et se leva.

— Je ne peux pas rester ici et écouter un mot de plus. C'est n'importe quoi…

— Nicole, calme-toi et assieds-toi, ordonna Charles. C'est comme cela que les choses auraient dû être depuis le début, tu le sais aussi bien que moi. Je ne t'ai jamais promis Wilson Wines. Attends encore un peu, et tu rencontreras un jeune homme qui te fera tourner la tête. Tu te marieras et tu fonderas une famille, et Wilson Wines ne sera plus qu'un passe-temps pour toi.

Judd ne connaissait peut-être pas sa sœur, mais il voyait bien que ce n'était vraiment pas la chose à dire.

— Un passe-temps ? répéta Nicole d'une voix forte. Je n'arrive pas à y croire… Tu plaisantes ! Wilson Wines est tout pour moi, j'aime cette entreprise, ce travail, tout ce que j'ai appris afin de diriger la compagnie un jour. J'ai vécu sous le même toit que toi toute ma vie, j'ai travaillé à tes côtés tous les jours, j'ai fait tout mon possible pour gagner ton respect, et tu ne me connais pas du tout !

Elle se dirigea vers la porte. Anna se leva pour la suivre.

— Non, laisse-moi tranquille ! dit Nicole en

levant les mains pour l'arrêter, des larmes coulant sur ses joues.

La culpabilité d'Anna se reflétait sur son visage. De toute évidence, elle s'en voulait de ne pas avoir prévenu Nicole de ce que Charles s'apprêtait à faire. Judd lui-même était horrifié de voir que son père pouvait mépriser de façon aussi cavalière le travail de Nicole au sein de Wilson Wines.

— Elle a toujours été un peu nerveuse, déclara Charles tandis que Nicole claquait la porte derrière elle. Elle finira par s'en remettre, tu verras… Elle ne reste jamais fâchée bien longtemps.

— C'est plus qu'une crise de colère, Charles, intervint Anna. Tu ne t'en rends pas compte ? Tu l'as profondément blessée.

Charles la regarda, l'air sincèrement étonné.

— Tu crois ? Non, elle est trop émotive, c'est tout. Elle va finir par se calmer, et elle verra que c'est mieux ainsi. J'ai toujours eu ses intérêts à cœur, tu le sais.

— Vraiment ? insista Anna. Ne crois-tu pas qu'elle considère que sa place au sein de Wilson Wines est menacée, tout comme sa place ici, dans sa propre maison ?

Judd admira la façon dont elle prenait la défense de sa sœur.

— Ne sois pas ridicule, répondit Charles. Elle sera toujours ma fille… D'ailleurs, je l'ai probablement trop gâtée toutes ces années. Elle va devoir s'habituer à l'idée de partager avec Judd maintenant, c'est tout. Allez, rassieds-toi… Mme Evans attend pour nous servir.

— Il faut que je l'appelle, dit Anna, pour être sûre qu'elle va bien…

Charles agita la main dans un geste d'impatience.

— Très bien, vas-y… Fais comme tu veux.

Quand Anna revint, quelques instants plus tard, Charles sonna la petite cloche posée à côté de son verre. Judd regarda Anna se rasseoir, tendue. Sa détresse se lisait sur son visage… Son coup de téléphone à Nicole n'avait pas dû bien se passer.

Elle s'excusa juste après le dessert et quitta la table, les laissant, son père et lui, discuter seul à seul. Cependant, bientôt, Charles montra des signes de fatigue et lui aussi monta se coucher.

Seul ? Judd ne put s'empêcher de se le demander, repensant malgré lui au moment où il avait surpris Anna quittant les appartements de son père. Elle se rhabillait, probablement au cas où elle croiserait quelqu'un dans le couloir… Ce qui était arrivé, puisqu'elle l'avait croisé, lui. Sa main se crispa sur son verre en cristal. Il avait à peine goûté le vin qu'on lui avait servi.

Il pouvait facilement vérifier si Anna était allée réchauffer le lit de son père : il lui suffisait d'aller frapper à sa porte à elle.

Il monta sans réfléchir, ne prenant conscience de sa décision qu'une fois à la porte de la chambre. Il frappa doucement, s'appuyant au chambranle. A son grand étonnement, elle ouvrit.

— Que veux-tu ? lui demanda-t-elle. Jubiler ?

L'espace d'un instant, il resta interdit, mais, se reprenant rapidement, il prit un moment pour admirer la fraîcheur de son visage, la beauté de ses cheveux détachés, qui lui tombaient en cascade sur les épaules. A en juger par la lumière tamisée de la pièce, elle ne portait pas grand-chose sous son peignoir en satin. Peut-être même ne portait-elle rien du tout… Cette pensée le troubla instantanément. Une vague de désir le submergea, qu'il s'efforça de réprimer aussitôt. Elle n'était peut-être pas avec Charles en cet instant même, mais elle avait été en sa compagnie plus tôt dans la soirée. L'image d'Anna sortant de la chambre de son père s'imposa une fois de plus à lui, mais il la chassa de son esprit et poussa un profond soupir.

— Pas du tout, répondit-il. Charles aurait dû s'y prendre différemment.

Elle eut un grognement railleur.

— Tu crois ? demanda-t-elle avec ironie. Tu sais très bien que tu aurais pu lui demander de prendre en considération les sentiments de Nicole avant de faire cette stupide déclaration.

— *Mea culpa* ! dit-il en levant les mains dans un geste d'excuse. Je n'ai jamais pensé qu'il ne lui en avait pas parlé en privé au préalable.

— Eh bien, c'est trop tard, maintenant. Avec un peu de chance, nous pourrons arranger les choses au bureau demain, si Nicole accepte de me parler à ce moment-là. Pourquoi es-tu venu me voir ?

— Je voulais vérifier que tu allais bien. Tu avais l'air contrarié, pendant le dîner.

Elle le regarda, incrédule.

— Contrarié ? Pour rester fidèle à Charles, j'ai trahi celle qui est ma meilleure amie depuis que j'ai cinq ans… Je suis bouleversée !

— Pourquoi l'as-tu fait ? Pourquoi Charles a-t-il tant d'influence sur toi ?

— Tu ne peux pas comprendre.

Elle s'apprêta à refermer la porte, mais il posa une main à plat dessus pour l'en empêcher.

— Dis toujours.

— Ecoute, il est tard, je n'ai pas envie de parler de cela maintenant… Ce qui est fait est fait.

Elle regarda ostensiblement sa main, puis leva de nouveau les yeux vers lui.

— Bonne nuit, Judd.

Il comprit le message et laissa retomber sa main.

— Bonne nuit, Anna, répondit-il alors qu'elle lui fermait la porte au nez.

Il se dirigea vers sa chambre. Rien à faire : elle ne voulait pas parler de sa relation avec Charles. Cela n'avait rien d'étonnant ! Il la laisserait tranquille pour le moment, mais il reviendrait à la charge et finirait par lui arracher la vérité. En attendant, il ferait de son mieux pour exercer une influence sur elle. Quels que soient les sentiments de la jeune femme à l'égard de Charles, l'attirance que Judd éprouvait pour elle était réciproque, il le savait. Sa capitulation serait une bien douce victoire…

***

Le lendemain matin, Anna attendit patiemment l'arrivée de Nicole, mais celle-ci ne se montra pas. Elle lui téléphona plusieurs fois, sans parvenir à la joindre. Charles non plus n'était pas au bureau et, apparemment, Judd aussi était resté cloîtré à la maison. Anna n'aimait pas du tout la tournure que prenaient les événements.

Elle réprima un bâillement et décida de prendre sa pause un peu plus tôt que d'habitude. Un petit café l'aiderait peut-être à tenir jusqu'à l'heure du déjeuner.

Dans la salle du personnel, elle prit une tasse et se dirigea vers la machine à café. Une employée était assise à la table, devant son ordinateur portable. En passant derrière elle, Anna jeta un coup d'œil à l'écran et sourit. La jeune femme se détendait en lisant la page people d'un journal en ligne.

— Alors, quelque chose de croustillant, aujourd'hui ? demanda Anna en s'asseyant à son tour.

— Comme d'habitude… Oh ! Attends ! Regarde ça !

Elle fit pivoter l'ordinateur pour qu'Anna puisse lire elle aussi. Cette dernière parcourait le texte des yeux quand, soudain, un nom retint son attention : celui de Nicole Wilson. Un article racontait que l'on avait vu Nicole dans l'une des boîtes de nuit branchées de la ville, en compagnie d'un très beau parti, revenu depuis peu à Auckland pour prendre les rênes d'une importante entreprise. Son nom n'était pas mentionné, mais il ne pouvait s'agir que d'un seul homme : Nate Hunter. Une photo accompagnait l'article, montrant un homme de dos et Nicole sur la piste de danse de la discothèque.

Sans trop savoir comment, Anna parvint à formuler un commentaire approprié, puis regagna son bureau, son café à la main.

Qu'allait-elle bien pouvoir faire ? Elle devait contacter Nicole et découvrir ce qu'elle avait en tête, mais comment ? Elle chercha le numéro de téléphone de Jackson Importers. Nate Hunter pourrait peut-être lui dire où elle était.

Quelques minutes plus tard, elle raccrochait, passablement contrariée. M. Hunter était indisponible. Elle ne savait pas au juste ce que cela signifiait, mais quelque chose lui disait que Nicole était avec lui. Etant donné l'humeur de cette dernière la veille au soir et son caractère impulsif, cela n'augurait rien de bon.

Maudit Judd Wilson, et maudit Charles ! C'était leur faute. Anna serra les poings et réprima une violente envie de hurler. Puis, poussant un profond soupir, elle composa le numéro de Judd. Ils devaient reprendre le contrôle de la situation avant que cela ne dégénère. Lui saurait quoi faire…

# - 7 -

— C'est grotesque ! Où a-t-elle la tête ?

Anna tressaillit quand Charles arriva furieux au bureau le lundi après-midi, après un week-end exceptionnellement stressant passé à attendre le retour de la fille prodigue. Colère et tension étaient préjudiciables à son état de santé, mais Anna n'avait pas le pouvoir de le calmer. Aux dernières nouvelles, Nicole s'était présentée chez Jackson Importers pour y travailler.

Charles continuait à fulminer :

— Elle fait n'importe quoi ! Et dire qu'elle se demande pourquoi j'ai confié Wilson Wines à Judd !

— Elle est blessée, Charles. Donne-lui un peu de temps, elle reviendra.

— Elle reviendra ? Je ne veux plus d'elle ici, pas maintenant qu'elle a travaillé pour cet insupportable scélérat ! J'ai bien envie de la déshériter complètement !

Anna avait envie de croire qu'il parlait sous l'effet de la colère, mais elle redoutait en fait qu'il soit on ne peut plus sérieux. Charles était très vulnérable à ce qu'il percevait comme une trahison et, dans ce type de situation, sa colère se déchaînait. Quelle que soit l'excuse que Nicole lui donnerait, il ne lui pardonnerait probablement pas de sitôt.

— Et que sommes-nous censés faire en attendant ? continua-t-il. Nous avions besoin d'elle pour aider Judd à entrer en fonction. Maintenant, il va devoir se mettre tout de suite dans le bain.

— Je suis sûr que je vais m'en sortir, dit Judd, interrompant la diatribe de son père. Je sais comment diriger une entreprise, et je connais un peu le milieu du vin.

Elle le regarda et éprouva le désir contre lequel elle avait lutté tout le week-end. Elle avait déjà du mal à lui résister en temps normal, mais ces deux derniers jours, alors qu'elle avait l'impression que tout s'effondrait autour d'elle, Judd était resté solide comme un roc. Elle s'était chargée de contenir la colère de Charles, et Judd avait donné des instructions au responsable des relations publiques de l'entreprise, rappelé à tous les employés de Wilson Wines qu'ils avaient signé un accord de confidentialité. A lui tout seul, il avait empêché la situation de dégénérer complètement. Elle lui en était très reconnaissante et devait bien s'avouer qu'il était extrêmement séduisant quand il prenait les choses en main avec cette décontraction insolente.

Aujourd'hui, il avait tout de l'homme d'affaires puissant, avec son costume bleu marine, sa chemise blanche impeccable et sa cravate. On aurait dit qu'il sortait tout droit des pages d'un magazine de mode, et pourtant son allure soignée ne dissimulait pas complètement son caractère viril.

Soudain, la voix de Charles l'arracha à ses pensées :

— Anna ? Tu écoutes ?

— D… Désolée, bégaya-t-elle. Je rêvassais.

Charles poussa un profond soupir.

— J'ai besoin que tu sois concentrée, jeune fille. Nicole n'étant pas là, c'est toi qui serviras d'assistante à Judd. Il va avoir besoin du soutien de quelqu'un qui connaît Wilson Wines, et tu es la seule à qui je puisse confier ce rôle.

Elle sentit son cœur faire un bond dans sa poitrine.

— Tu veux que ce soit moi l'assistante de Judd ? Mais… et toi ?

— Je suis sûr de pouvoir demander de l'aide à l'une des filles du service du marketing, si besoin est, à la jeune femme rousse qui te remplace quand tu es en vacances, par exemple. Ce n'est pas comme si j'étais là toute la journée, de toute façon… même si cela va probablement devoir changer, maintenant que Nicole est partie.

Soudain, il courba le dos dans son fauteuil, le visage sombre. Elle se précipita à son côté.

— Ça va ? Tu veux que j'appelle le médecin ?

Il secoua la tête.

— Non… Ne t'en fais pas, Anna, je me sens bien. C'est juste que tout cela n'est pas normal. Je retrouve Judd pour perdre Nicole.

Elle résista à l'envie de lui dire qu'elle avait essayé de le prévenir qu'il creusait un fossé entre sa fille et lui. Elle s'efforça au contraire de trouver des paroles réconfortantes, réprimant les reproches amers qui lui brûlaient les lèvres.

— Tu ne l'as pas perdue… Elle finira par revenir, j'en suis sûre.

— En attendant, tu nous as, nous, remarqua Judd. D'ailleurs, je crois que tu devrais rentrer à la maison te reposer, et nous laisser nous occuper de tout, Anna et moi. Nous t'appellerons s'il se passe quelque chose que nous ne savons pas gérer.

A l'idée de se retrouver seule avec Judd dans son bureau, elle fut prise de panique. Pourtant, il avait raison… et elle était prête à tout pour le bien-être de Charles.

Après le départ de celui-ci, elle conduisit Judd dans le bureau de Nicole. Charles leur avait expressément demandé de travailler là et, bien qu'une petite voix dans la tête d'Anna proteste vigoureusement, elle était bien obligée d'admettre l'aspect pratique de la chose. Pour que Judd puisse endosser rapidement les responsabilités de Nicole, il avait besoin d'avoir certains renseignements à portée de main.

A l'heure du déjeuner, il vint la retrouver dans son bureau.

— Je découvre que Nicole avait un voyage d'affaires à Nelson prévu pour jeudi… Je pensais que Wilson Wines importait principalement des vins de marchés étrangers.

— C'est exact, mais Nicole a fait campagne pour introduire à notre catalogue plusieurs vins de Nouvelle-Zélande, en vue de les revendre à quelques négociants privilégiés. Elle estimait que ce serait un bon moyen de rivaliser avec Jackson Importers.

Judd hocha la tête.

— C'est une excellente idée. Alors ce projet en est encore à ses débuts ?

— Oui. Elle est déjà allée visiter plusieurs établissements vinicoles de l'île du Nord, et elle devait aller en visiter d'autres dans l'île du Sud cette semaine.

— Il faut que tu mettes ses billets à mon nom et que tu réserves un aller-retour pour toi aussi.

— Pour moi ?

Il fronça les sourcils, l'air perplexe.

— Il y a un problème ?

— En général, je ne participe pas à ces voyages d'affaires. Mon rôle est plutôt d'apporter mon soutien ici.

— J'ai besoin que tu m'accompagnes.

— Tu pourrais sûrement…

— Tu viens avec moi, Anna. Nous partirons jeudi dans la matinée et reviendrons à Auckland dimanche. L'entreprise pourra se passer de toi quelques jours.

— Mais Charles…

— Charles a une nouvelle assistante, maintenant. Tu te souviens ?

Judd observa attentivement Anna. Il ne s'était pas attendu à avoir l'occasion d'être seul avec elle aussi rapidement, mais il n'avait certainement pas l'intention de laisser passer cette opportunité. Il savourait à l'avance l'idée de l'éloigner de Charles et de l'attirer dans son lit. La réaction impulsive de Nicole tombait à point nommé… Il la remercierait, un jour, probablement quand il donnerait à Nate Hunter une participation majoritaire dans Wilson Wines.

Etant donné la tournure des événements, il avait décidé de ne pas revendre l'entreprise pour l'instant. Bien sûr, il avait toujours l'intention de la démanteler… mais pas tout de suite. Charles ne s'était pas encore remis du choc qu'avait constitué pour lui le coup d'éclat de Nicole, et Judd voulait qu'il se sente de nouveau sûr de lui et invulnérable quand il frapperait. Par ailleurs, séduire sa maîtresse serait beaucoup plus facile, maintenant qu'elle était obligée de travailler avec lui.

Pour l'instant, les affaires étaient le cadet de ses soucis. Tout ce qui l'intéressait, c'était la jeune femme en face de lui… Vivre sous le même toit qu'elle et ne pas pouvoir la toucher, l'imaginer avec son père, avait été une véritable torture au cours des quelques derniers jours. Il n'avait pas été témoin de leurs démonstrations d'affection, mais Anna était constamment auprès de Charles. Chaque fois que Judd en avait eu l'occasion, il avait détourné son attention, allant jusqu'à la frôler volontairement de temps à autre. Il savait que ces contacts la troublaient, car elle s'était trahie en rougissant, mais elle avait chaque fois réussi à remettre de la distance entre eux, avec élégance, ce qui l'avait frustré physiquement autant que mentalement.

Ce voyage dans l'île du Sud était une aubaine. Anna serait son amante avant leur retour, et il aurait ainsi mis à exécution la première étape de son plan pour détruire tout ce que son père aimait.

Le jeudi matin, tous les sens de Judd étaient en éveil tant il était impatient de voir ce que ce voyage d'affaires apporterait. Il avait fait quelques recherches et avait personnellement contacté chacun des établissements qu'Anna et lui allaient visiter, pour expliquer aux directeurs pourquoi c'était lui qui viendrait et non sa sœur.

Indépendamment de l'aspect professionnel de ce voyage, il avait hâte de passer du temps en tête à tête avec la jeune femme. Il repensait souvent au baiser qu'ils avaient échangé le soir de leur rencontre, dans la propriété des Masters. Il lui semblait sentir encore son corps contre le sien, ses seins contre son torse, le goût de ses lèvres… Le simple fait d'y repenser le troublait profondément.

S'arrachant à ses pensées, il entra dans la cuisine de la maison où il se sentait déjà chez lui, et y trouva Anna, debout devant le plan de travail, en train de verser du lait dans un bol de céréales.

— Bonjour ! dit-il. Prête pour notre voyage ?

Elle prit son bol et alla s'asseoir à table.

— Bonjour, répondit-elle enfin, d'une voix un peu rauque, comme si elle venait de se réveiller.

Cependant, son parfum frais et son maquillage parfaitement appliqué prouvaient qu'elle ne tombait pas du lit. De plus, elle était élégamment vêtue, d'un chemisier crème rentré dans un pantalon couleur taupe, avec une large ceinture noire. La matière de son chemisier était fine et vaporeuse, et mettait en valeur ses formes généreuses. En dessous, il apercevait un caraco en dentelle…

Il allait devoir se ressaisir, s'il ne voulait pas passer la journée dans un état d'excitation avancé. Or, la tâche promettait d'être ardue, tant la sensualité d'Anna le troublait.

Elle repoussait machinalement ses céréales dans son bol. De toute évidence, son petit déjeuner ne la tentait pas. Pendant ce temps-là, il se servit une part d'œufs brouillés avec quelques tranches de bacon.

— Tu es sûr d'avoir besoin de moi pour ce voyage ? demanda-t-elle soudain, alors qu'il s'asseyait et prenait la cafetière posée sur la table.

— Je ne t'aurais pas demandé de venir si ce n'était pas absolument nécessaire.

Elle poussa un profond soupir. Sa poitrine se souleva sous le tissu aérien de son chemisier, et il dut se retenir de la toucher.

— Je ne devrais vraiment pas laisser Charles tout seul, surtout maintenant que Nicole est partie…

Cette remarque ne fit qu'accroître la détermination de Judd.

— Il est adulte, et il se débrouillera très bien tout seul. J'ai déjà parlé à Mme Evans ; elle veillera sur lui.

— Ce ne sera pas la même chose, s'entêta Anna.

Non, ce ne serait pas la même chose ! Et s'il parvenait à ses fins, ce ne serait plus jamais la même chose. A l'avenir, si Anna se glissait discrètement dans la chambre de quelqu'un, ce serait dans la sienne.

— Il s'en sortira. Mme Evans dormira ici, et elle a tous les numéros nécessaires en cas d'urgence.

Il la regarda tourner sa cuillère dans ses céréales ramollies.

— As-tu l'intention de manger ça ?

Elle baissa les yeux sur son bol avec une expression de surprise.

— Euh… non, je n'ai pas faim.

— Tu es sûre ? Ils ne servent rien à bord de l'avion.

— Je sais. Ça va aller.

— Ça n'a pas l'air.

De nouveau, elle soupira.

— Ecoute, je n'aime pas prendre l'avion, c'est tout, mais ça va aller.

— Si tu es si anxieuse que cela, je peux te tenir la main pendant toute la durée du vol… Ne t'inquiète pas, Anna, je vais prendre bien soin de toi, dit-il d'un ton lourd de sous-entendus.

— Ce ne sera pas nécessaire. D'ailleurs, c'est probablement la perspective de passer plusieurs jours avec toi qui m'angoisse.

Elle se leva et alla poser son bol sur le plan de travail. Il se mit debout à son tour et lui barra le chemin alors qu'elle s'apprêtait à passer à côté de lui.

— Pourquoi, je me le demande ?

Il dessina le contour de sa lèvre inférieure du bout du doigt.

— Se pourrait-il que tu aies hâte de réitérer le baiser que nous avons échangé à Adélaïde ?

— N… Non, bien sûr que non ! protesta-t-elle.

— Vraiment ? demanda-t-il d'une voix douce. Y penses-tu, parfois ?

Elle secoua la tête, et il se pencha légèrement vers elle.

— Moi, oui…

Il laissa retomber sa main.

— … et j'attends la prochaine fois avec impatience.

— Il n'y aura pas de prochaine fois, dit-elle d'un ton catégorique en le poussant pour sortir de la pièce.

Il la regarda s'éloigner avec un petit sourire de satisfaction. Les quelques jours à venir s'annonçaient très intéressants…

Anna monta l'escalier quatre à quatre pour regagner sa chambre. Là, elle referma la porte derrière elle avec énergie, comme si un obstacle matériel avait le pouvoir de changer quelque chose à ce qu'elle éprouvait pour Judd Wilson. Une main posée à plat sur la poitrine, elle sentait son cœur battre la chamade.

« Il me taquine, c'est tout… Il s'amuse, comme

un chat avec une souris. Je n'ai aucune envie qu'il m'embrasse de nouveau ! »

« Menteuse », lui murmura une petite voix dans sa tête. Elle s'efforça de la faire taire et entreprit de vérifier qu'elle avait tout ce dont elle avait besoin pour le voyage. Elle n'avait dans ses bagages que des vêtements quelconques, pratiques, rien de décolleté ou de suggestif. Il n'y aurait rien dans son apparence qui pût tenter Judd Wilson.

Ces derniers jours, sa présence ne l'avait pas laissée indifférente… C'était le moins que l'on pût dire. Elle avait toujours porté les vêtements les plus classiques possible, et pourtant, elle l'avait surpris à plusieurs reprises à la dévorer du regard.

A cette pensée, un petit gémissement plaintif lui échappa. Elle ne pouvait le nier : il lui faisait un effet presque incontrôlable.

C'était purement physique… Il était viril et extrêmement séduisant, voilà tout. Il fallait vraiment qu'elle sorte davantage, qu'elle rencontre de nouvelles personnes. A son retour, elle accepterait peut-être de sortir avec ce collègue qui lui proposait tout le temps de l'emmener boire un verre. Peut-être serait-elle alors insensible aux charmes de Judd, à son magnétisme irrésistible. Elle se promit de s'en occuper dès son retour.

# - 8 -

Anna était épuisée quand Judd et elle regagnèrent leur hôtel à Nelson, le jeudi soir. Ils avaient atterri à l'aéroport peu après 14 heures, avaient sauté dans leur voiture de location, et étaient allés visiter deux vignobles. Cela s'était bien passé. Le rêve de Nicole devenait réalité… Anna sentit son cœur se serrer, regrettant que son amie ne soit pas là pour voir son idée se concrétiser. Cependant, il n'y avait rien à faire : Nicole leur avait bien fait comprendre qu'elle se désintéressait de Wilson Wines, de son père et, par conséquent, de Judd et d'Anna. Cette dernière était profondément blessée que son amie ait coupé les ponts aussi brutalement, mais elle devait respecter sa décision.

Lasse, elle se frotta les yeux, avec le sentiment de n'avoir aucun contrôle sur son existence. Soudain, une main se referma sur son bras.

— Ça va ?

Judd… C'était toujours Judd. Il était toujours là, à ses côtés, dans sa tête. Dans le courant de la semaine, sans vraiment s'en rendre compte, elle avait pris l'habitude de se reposer sur lui, sur son sens du commandement inébranlable. Même Charles avait commencé à s'en remettre à lui, ce qu'Anna n'aurait jamais cru possible. Elle devait se ressaisir. Elle rouvrit les yeux et regarda ostensiblement sa main posée sur son bras.

— Tu peux me lâcher, je ne vais pas tourner de l'œil, dit-elle d'un ton acerbe.

— Bien sûr que non. Tiens, voici la clé de ta chambre, elle est attenante à la mienne. J'ai pensé que nous pourrions manger ici ce soir et revoir les offres dont nous avons discuté avec John et Peter aujourd'hui.

— Et je présume que nous sommes obligés de faire ça ce soir ?

— Ce serait une bonne chose de régler le plus tôt possible tout problème éventuel. Tu n'es pas d'accord ?

— Si, dit-elle, résignée. J'aimerais simplement me rafraîchir un peu avant de manger.

— Pas de problème ! Je vais commander et faire monter notre repas dans ma chambre. Viens quand tu es prête.

Viens quand tu es prête… Très drôle ! Pourquoi pas jamais ? Cependant, elle savait qu'elle ne pouvait pas vraiment faire autrement que de dîner et de travailler avec lui. Elle le devait bien à Charles. Des rumeurs avaient déjà commencé à circuler dans la semaine, selon lesquelles Jackson Importers aurait approché au moins trois des plus importants fournisseurs européens de Wilson Wines. Ils avaient des contrats d'exclusivité avec ces fournisseurs, mais ils arrivaient tous à expiration. Nicole le savait très bien… Etait-elle à l'origine de cette tentative visant à couler son propre père ?

Elle s'arracha à ses sombres pensées.

— Très bien. Donne-moi une heure, dit-elle.

— Rien ne presse, prends ton temps.

— Merci.

Passer une heure toute seule lui ferait le plus grand bien.

Quand elle entra dans sa chambre, elle regarda autour d'elle. Elle songea que la pièce était simple mais confortable, puis elle entra dans la salle de bains et découvrit le Jacuzzi bordé de carreaux blancs. Elle eut un petit grognement de plaisir. Elle se fit couler un bain, se déshabilla rapidement et se glissa dans l'eau.

Elle avait perdu la notion du temps quand elle entendit des petits coups assourdis à la porte de communication. Elle sortit de l'eau à contrecœur et s'enveloppa dans une serviette. Un rapide coup d'œil au réveil posé sur la table de chevet lui indiqua qu'elle avait bel et bien eu son heure de répit.

— J'arrive ! cria-t-elle, tout en se séchant.

Elle ouvrit sa valise, enfila des sous-vêtements propres, puis retourna dans la salle de bains pour mettre de la crème et se brosser les cheveux. Elle n'allait pas faire l'effort de se remaquiller, alors qu'elle espérait se coucher, et se coucher seule, le plus tôt possible. De retour dans la chambre, elle choisit un sweat-shirt ample couleur taupe et un corsaire noir, et décida que cela irait très bien.

Un autre coup à la porte la fit sursauter. Elle

ouvrit et regretta aussitôt de ne pas avoir laissé à Judd quelques secondes pour s'écarter. De toute évidence, il avait pris une douche et s'était changé, lui aussi. Le parfum de son eau de Cologne vint lui chatouiller les narines… Ses cheveux mouillés paraissaient encore plus noirs que d'habitude, et il s'était rasé. Il avait enfilé un jean et un T-shirt noir moulant qui mettait en valeur ses larges épaules et son torse puissant.

— Cela valait la peine d'attendre, dit-il d'une voix douce en la regardant d'un air approbateur.

— Qu'as-tu commandé à manger ? demanda-t-elle en se baissant pour passer sous son bras.

Sa chambre était exactement comme la sienne, mais son lit était encore plus grand… Elle sentit sa gorge se serrer et détourna les yeux.

— J'ai choisi des entrées différentes, répondit Judd, et un plat principal pour deux. Nous pouvons partager les entrées, ou en manger une chacun, c'est comme tu veux.

L'idée de partager avec lui était un peu intimidante, mais elle se rappela qu'ils étaient là pour travailler et tester les vins.

— Partageons, répondit-elle avec une désinvolture feinte.

La soirée était étonnamment douce, et les plats couverts de cloches sur le chariot près de la porte-fenêtre exhalaient une odeur appétissante. La table était dressée pour deux sur le balcon, et la douce lueur d'une bougie blanche éclairait la scène. C'était un cadre un peu trop romantique… Elle aurait dû insister pour dîner au restaurant de l'hôtel.

Elle s'assit, et Judd plaça les deux entrées sur la table, entre leurs assiettes. Elle remplit leurs verres d'eau pendant que lui servait le pinot gris qu'ils avaient goûté l'après-midi même.

— Alors, par quoi commençons-nous ? demanda-t-elle, soudain affamée.

— Avec ce vin-là, je crois que nous devrions manger les nouilles aux crevettes, répondit-il en soulevant le couvercle du premier plat.

Après avoir savouré les crevettes, puis les moules, et enfin le trio de viandes du plat principal, elle eut l'impression d'avoir mangé de quoi nourrir une armée entière.

— La nouvelle Syrah devrait avoir beaucoup de succès, tu ne crois pas ? remarqua Judd en se laissant aller en arrière sur sa chaise.

— En effet ! C'est un vin de plus en plus populaire ici. Obtenir l'exclusivité de sa distribution est un beau coup… Charles va être ravi.

Charles, encore et toujours Charles ! pensa Judd. Son père ne cessait de s'immiscer entre Anna et lui.

— Pourquoi est-ce si important pour toi d'avoir son approbation ?

— C'est mon patron, répondit-elle simplement, tournant la tête vers les lumières de la marina qui longeait l'hôtel.

— Il est plus que cela pour toi, n'est-ce pas ?

Elle soupira.

— Oui. Il a toujours été là pour moi et pour ma mère. Sans lui, je ne sais pas où j'en serais aujourd'hui. J'ai une dette envers lui.

Il n'était pas sûr de comprendre… De toute évidence, elle aimait Charles, mais quelle était la nature de cet amour, au juste ?

— C'est quelqu'un, dit-il, laissant transparaître un peu de sa frustration.

Elle secoua la tête.

— Tu ne le connais pas, pas vraiment.

— La faute à qui ? demanda-t-il d'un ton lourd de sous-entendus. Ecoute, ne parlons pas de mon père… Parlons d'autre chose.

Elle réprima un bâillement.

— Je suis désolée, je crois que j'ai besoin de sommeil. Je ne dors pas bien, depuis quelque temps, et nous devons nous lever tôt, demain…

— Bien sûr.

Elle se leva. Il devait reconnaître qu'elle avait l'air fatigué, mais même avec les yeux cernés, elle était extrêmement séduisante. Il avait aimé dîner avec elle, avait trouvé son avis sur les vins qu'ils avaient goûtés précieux, et sa compagnie étrangement apaisante. Rien de tout cela n'avait cependant atténué son désir de voir la soirée se terminer sur une note plus sensuelle…

Alors qu'elle lui disait bonne nuit, il tendit le bras et caressa une mèche de ses cheveux entre ses doigts. Elle entrouvrit les lèvres, comme si elle s'apprêtait à protester, mais resta silencieuse. Il s'approcha d'elle.

— Tu ne te demandes jamais ? demanda-t-il d'une voix grave.

— Quoi donc ? murmura-t-elle dans un souffle, les yeux posés sur ses lèvres.

Il se pencha légèrement vers elle.

— Comment ce sera quand nous nous embrasserons de nouveau.

— Qu'est-ce qui te fait croire que nous nous embrasserons de nouveau ?

— Cela arrivera, crois-moi. Tu n'as pas envie de savoir si ce qui s'est passé la première fois va se reproduire ? Si ce sera aussi fabuleux ?

Elle cilla, prise au dépourvu, et prit une profonde inspiration. Il se pencha et caressa ses lèvres avec les siennes, d'abord doucement puis, voyant qu'elle ne le repoussait pas, avec un peu plus de fougue. Il lui posa une main sur la nuque pour l'attirer vers lui.

La sensation que lui procura ce baiser était encore plus intense que la dernière fois… Il lui passa un bras autour de la taille et la serra contre lui pour lui faire sentir la force de son désir pour elle. Il sentait la chaleur qui émanait de son corps, sa douceur… Il en voulait encore plus, il la voulait tout entière, maintenant.

Elle écarta les lèvres, et leur baiser se fit plus profond. Elle l'embrassa avec la même fougue que lui, cramponnée à son T-shirt, ses hanches contre les siennes. Il avança le bassin en avant pour plaquer son érection tout contre son sexe. Elle poussa un gémissement rauque, et ses mamelons se durcirent contre son torse. De toute évidence, un seul baiser ne suffirait pas… Il la désirait comme il n'avait jamais désiré rien ni personne.

Anna essaya de refouler le désir qui la submergeait, mais en vain. Judd continuait à l'embrasser, et elle lui rendait son baiser avec la même fougue. Elle savait qu'elle aurait dû le repousser avant qu'il ne soit trop tard, mais au fond, elle savait qu'il était déjà trop tard. Ce qui allait se passer maintenant était inévitable. Rien, pas même le fait qu'elle s'était juré de ne jamais coucher avec son patron, n'aurait pu l'empêcher de céder à ce désir qui l'embrasait tout entière. Déjà, à Adélaïde, elle avait éprouvé pour lui une attirance irrépressible. Elle voulait le connaître mieux, le connaître de toutes les façons possibles.

Elle fit glisser ses mains sur les muscles puissants de son torse, jusqu'à la ceinture de son pantalon, puis elle souleva son T-shirt et passa les mains en dessous, brûlant du désir de sentir sa peau sous ses paumes. Pourtant, ce n'était pas suffisant… Elle voulait encore plus.

Judd s'écarta un peu et lui retira son sweat-shirt, l'exposant à ses regards. Il eut un grognement approbateur et enfouit le visage au creux de son cou, déposant une pluie de baisers sur sa peau brûlante. Il avait refermé une main sur son sein et, avec son pouce, le caressait à travers la dentelle de son soutien-gorge. Puis il inclina la tête et, sans cesser de l'embrasser, descendit entre ses seins, écarta son soutien-gorge et referma la bouche sur son mamelon. Elle avait l'impression que ses jambes allaient se dérober… Elle se cramponna à lui et se cambra pour s'offrir plus pleinement.

— Comme c'est bon… mais ce n'est pas encore assez, murmura-t-il tout contre sa peau.

— Pas assez ? répéta-t-elle dans un souffle.

— Non… Je veux te goûter tout entière.

Il se redressa, la prit par la main et l'entraîna jusqu'à son lit. Elle le regarda enlever ses chaussures et son T-shirt en silence, puis elle s'approcha de lui et défit sa braguette, effleurant son sexe en érection du bout des doigts. Il lui saisit le poignet et lui fit poser la main à plat sur son sexe.

— C'est plus que je ne peux en endurer pour l'instant, grommela-t-il en finissant de se déshabiller. Tu sens l'effet que tu me fais ?

Les mots lui manquaient… Elle avait l'impression que tout son corps s'embrasait. Judd passa les mains dans son dos et dégrafa son soutien-gorge, qui tomba à ses pieds. Il l'observa pendant un moment qui lui sembla durer une éternité. Elle commençait à se sentir un peu mal à l'aise, quand il leva de nouveau les yeux pour les plonger dans les siens.

— Tu es tellement belle…

Du bout du doigt, il dessina le contour de son mamelon, qui se durcit encore davantage. Puis il déboutonna son pantalon et le lui enleva, entraînant avec lui sa petite culotte. Il s'agenouilla alors devant elle, fit glisser ses mains sur ses cuisses, et s'arrêta une seconde avant de la caresser intimement.

— Tu es brûlante, murmura-t-il avant de poser sa bouche sur son sexe.

Il la caressa avec sa langue, lentement, comme s'il la savourait. Elle s'agrippa à ses épaules, submergée de plaisir, et laissa échapper un cri de satisfaction.

Judd se releva et l'attira sur le lit, s'allongeant au-dessus d'elle. Il était magnifique… La force de son corps, ses muscles puissants, les reflets cuivrés de sa peau, son extrême virilité : tout en lui était parfait. Il prit un préservatif et l'enfila.

— Je suis désolé, dit-il en venant se placer entre ses cuisses, ce sera violent et rapide cette fois, mais je te promets de prendre davantage mon temps la prochaine fois…

Il s'introduisit lentement en elle.

— … et celle d'après, et la suivante, ajouta-t-il dans un souffle.

Elle bascula le bassin en avant et s'accorda à son rythme, cramponnée à ses bras, les jambes nouées autour de son bassin. Tout son corps répondait à la façon farouche dont il la possédait, et ses muscles commençaient déjà à se contracter, annonçant l'arrivée d'un orgasme violent. Soudain, elle fut secouée de spasmes délicieux… Judd la pénétra une dernière fois, tous ses muscles se contractèrent, et il jouit avec elle.

Enfin, il s'effondra entre ses bras, haletant. Au bout de quelques minutes, il se retira et roula sur le côté. Puis il écarta une mèche de cheveux de son visage.

— Je reviens tout de suite, déclara-t-il.

Elle se contenta de hocher la tête, trop épuisée pour parler. Plongée dans une exquise torpeur, elle resta allongée sur les draps. Elle avait peine à croire ce qui venait de se passer entre eux…

Judd revint de la salle de bains, se glissa dans le lit à son côté et la prit dans ses bras. Il tint sa promesse, et fit durer le plaisir encore plus longtemps la fois suivante, et celle d'après.

L'aube commençait à poindre quand Anna se réveilla. Elle était allongée dans les bras de Judd, une jambe enroulée autour de la sienne, comme si elle ne pouvait pas être assez proche de lui. La dernière fois qu'ils avaient fait l'amour, elle s'était assise à califourchon sur lui, et ils s'étaient écroulés, ivres de plaisir, là où ils étaient.

Elle ne s'était jamais sentie aussi proche d'un autre être humain. Au lit, Judd était un tout autre homme. Il n'y avait plus rien en lui de la tension qui la rendait toujours anxieuse, au bureau. Rien n'était venu s'immiscer entre eux : ni le passé, ni l'avenir… Seul l'instant présent importait.

Elle dégagea prudemment sa jambe des siennes et se redressa. Il bougea à peine dans son sommeil. Il dormait si profondément, semblait tellement détendu, qu'il paraissait beaucoup plus accessible que d'habitude, moins impitoyable.

Elle l'observa et se demanda ce qui allait se passer ensuite. Elle ne regrettait pas de s'être abandonnée entre ses bras, car il était tout simplement irrésistible. Cependant, maintenant qu'ils avaient couché ensemble, elle ne savait pas où ils en étaient. Elle ne voulait surtout pas avoir avec lui le genre de relation que sa mère avait eue avec Charles : ceux-ci avaient peut-être été proches, mais sa mère n'avait jamais eu la sécurité du mariage, comme elle l'aurait souhaité. Anna était furieuse quand elle songeait que sa mère s'était contentée de si peu.

Charles et Donna avaient été amants, mais il y avait toujours eu une sorte de barrière entre eux, que ni lui ni elle n'avaient franchie. Anna avait toujours eu le sentiment que sa mère avait renoncé à son idée du bonheur pour cette vague relation. Donna avait peut-être été mue par le besoin d'apporter à sa fille une bonne éducation… ou peut-être n'avait-elle pas été prête, après la mort de son mari, à mettre de nouveau son cœur à nu.

Anna avait cinq ans quand son père était mort subitement, et que Charles avait offert à sa mère un poste de gouvernante. Anna avait donc grandi sous le toit de Charles, et elle n'avait manqué de rien matériellement. Pourtant, elle avait toujours voulu plus, avait toujours voulu avoir la force que procurait un lien profond avec quelqu'un.

Judd était le genre d'homme dont elle s'était toujours imaginée tomber amoureuse un jour. Il était beau, intelligent, riche, mais ce n'était pas tout :

au cours de la semaine qui venait de s'écouler, elle avait pris conscience de bon nombre de ses qualités.

Pouvait-elle avoir tout ce qu'elle voulait avec Judd ? Avait-il les mêmes envies qu'elle, les sentiments qu'elle éprouvait pour lui étaient-ils réciproques ? Elle réprima un rire sans joie. Seigneur ! Elle était pitoyable. Ils venaient de passer la nuit ensemble, et elle s'imaginait déjà remontant l'allée centrale d'une église... Elle ne savait même pas s'ils étaient faits pour s'entendre dans d'autres domaines. Tout ce qu'elle savait, c'était que dès qu'elle avait posé les yeux sur lui, elle l'avait désiré comme elle n'avait jamais désiré un homme.

Sa colère contre elle l'avait profondément blessée, mais depuis leur arrivée en Nouvelle-Zélande, les choses avaient changé. Elle avait découvert des facettes de sa personnalité qu'elle n'avait pas soupçonnées, et la nuit dernière... la nuit dernière avait tout changé. Maintenant, elle était sûre de vouloir un avenir avec lui. Qu'en était-il de lui ?

Un sentiment de culpabilité l'envahit soudain. *Quid* des relations de Judd avec sa sœur ? Et de ses relations à elle avec Nicole ? Nicole qui pensait déjà qu'Anna était passée à l'ennemi en acceptant de représenter Charles en Australie. Si Nicole savait qu'elle envisageait maintenant d'avoir une liaison avec Judd, elle serait encore plus blessée, encore plus en colère. L'amitié de toute une vie pouvait-elle être détruite pour un homme qu'elle connaissait depuis si peu de temps ?

Et Charles ? Comment réagirait-il à tout ceci ? Il

les avait encouragés à passer du temps ensemble, mais auraient-ils son approbation s'ils avaient une vraie relation ?

Bien sûr, encore fallait-il que Judd soit dans le même état d'esprit qu'elle. Oserait-elle seulement lui poser la question ? Il y avait tellement en jeu, tellement de choses qui pourraient être gâchées si cela tournait mal… Son travail, ses relations avec les personnes auxquelles elle tenait le plus, presque tout ce qu'elle avait, y compris la maison dans laquelle elle avait vécu toute sa vie : elle risquait de tout perdre.

De nouveau, elle regarda Judd. Encore maintenant, elle brûlait du désir de le toucher. Comme malgré elle, elle se blottit contre lui et ne put réprimer un élan de joie quand il la serra dans ses bras.

Pour l'instant, il la désirait, tout comme elle le désirait. Loin de ses fréquentations habituelles, des rumeurs du bureau, de Charles, elle ne pouvait résister à la tentation. Les choses changeraient quand ils retourneraient à Auckland, et d'ailleurs, elle ne ferait rien d'inapproprié sous le toit de Charles, mais pour le moment… pour le moment, elle allait se rendormir dans les bras de Judd. Elle s'inquiéterait des conséquences plus tard.

# - 9 -

Judd sentit Anna se refermer à mesure que l'heure du départ approchait. Cela avait commencé le matin du dernier jour de leur séjour, quand elle avait suggéré de manger au restaurant de l'hôtel, au lieu de prendre le petit déjeuner dans leur chambre, comme ils l'avaient fait jusque-là.

Evans les conduisait maintenant vers la maison et, même si Anna était assise juste à côté de lui, il avait l'impression qu'elle était à des années-lumière de là.

Dès qu'ils furent arrivés, Evans déposa leurs bagages dans l'entrée, puis ressortit pour garer la voiture. Judd se tourna alors vers Anna.

— Vas-tu passer la nuit avec moi ? lui demanda-t-il.

— Judd…

Elle secoua la tête, évitant de croiser son regard.

— Pourquoi pas ?

Un sentiment de doute l'envahit malgré lui. Etait-ce parce qu'ils étaient chez son père ? Ou parce qu'elle comptait passer la nuit avec Charles ? Il réprima un élan de colère. Elle avait été sienne pendant trois nuits, trois nuits qui n'avaient pas suffi à assouvir le désir qu'il éprouvait pour elle. Il n'avait pas l'intention de la partager maintenant, et surtout pas avec son père.

— Ce ne serait pas correct, c'est tout, dit-elle en prenant sa valise.

Elle commença à monter l'escalier.

— Nous pourrions être discrets, se surprit-il à dire, même si tu risques d'avoir du mal à te retenir de crier quand je…

— Arrête… s'il te plaît, arrête.

Sa voix tremblait légèrement, et ses joues étaient cramoisies.

— Je veux juste te donner du plaisir, Anna… C'est tout.

Elle plongea ses yeux noisette dans les siens et, l'espace d'un instant, il crut l'avoir persuadée, mais elle secoua de nouveau la tête et continua à monter.

Au pied de l'escalier, il la regarda s'éloigner, profondément frustré. Laissant son sac là où il était, il tourna les talons, alla dans le salon et se servit un verre de cognac. Il en but une longue gorgée, savourant la sensation de l'alcool fort dans sa gorge.

Anna l'avait peut-être refusé ce soir, mais il espérait que ce serait la dernière fois. Elle était devenue une drogue pour lui, et il n'avait pas l'intention de se défaire de la dépendance qu'elle avait créée. Il vida son verre d'un trait, puis regagna sa chambre et son lit désespérément vide.

Le lendemain matin, il l'observa alors qu'elle racontait à Charles leur voyage, omettant, bien sûr, ce que lui considérait comme le plus important.

Elle était calme et distante maintenant, alors qu'au lit, dans ses bras, elle était avide et généreuse, deux qualités qu'il appréciait au plus haut point chez une amante. Après leur première nuit ensemble, ils avaient cessé de réserver deux chambres distinctes. Ils avaient passé leurs journées à visiter différents établissements et leurs nuits à se découvrir.

Il avait eu du mal à se retenir de la toucher lors de leurs rendez-vous professionnels, surtout quand il avait vu d'autres hommes la regarder, fascinés par son charme, sa beauté, son intelligence et sa douceur. Elle était merveilleuse, et il avait dû se faire violence pour ne pas crier sur tous les toits qu'elle était sienne… du moins, jusqu'à ce qu'ils reviennent chez Charles.

Il avait mis longtemps à s'endormir, la veille, seul dans son grand lit. Il l'avait dans la peau, il devait bien se l'avouer… Il la désirait en ce moment même, alors qu'elle faisait le bilan de leur voyage.

Il remua sur sa chaise, gêné par une érection naissante. Ce mouvement attira l'attention d'Anna, qui le regarda d'un air interrogateur. Il se contenta de sourire, les yeux légèrement plissés. Elle rougit aussitôt, trahissant son trouble. Il regarda ostensiblement ses seins, et vit qu'elle retenait son souffle avant de se détourner pour continuer son compte rendu.

— Tu vois, Charles, reprit-elle, l'un dans l'autre, Nicole était sur la bonne voie.

— Eh bien, elle n'y est plus, grommela Charles.

Alors, vous êtes tous les deux convaincus que c'est une bonne idée ?

Judd se leva.

— Notre clientèle mérite l'exclusivité des vins néo-zélandais de qualité supérieure. Nous serions stupides de ne pas la leur fournir… et si nous ne le faisons pas, j'imagine qu'un de nos concurrents le fera.

— Jackson Importers, tu veux dire ? demanda Charles d'un ton brusque. Nous ne pouvons pas les laisser nous prendre des parts de marché. Quand pourrons-nous distribuer ces vins ?

Tandis qu'Anna répondait à Charles, Judd se rassit et l'observa de nouveau. Elle avait vraiment tout pour plaire : elle était intelligente, belle, terriblement séduisante… et elle était sienne. Elle avait simplement besoin qu'il le lui rappelle.

Plus tard dans la journée, après le départ de Charles, Judd fit venir Anna dans son bureau.

— Ferme la porte derrière toi, dit-il quand elle entra.

Elle obtempéra.

— Il y a un problème ? demanda-t-elle.

— Et comment !

— De quoi s'agit-il ? C'est au sujet des nouveaux vins ?

— Non. Viens ici.

Elle fronça les sourcils, soucieuse, et s'approcha. Dès qu'elle fut assez près, il lui saisit le poignet et l'attira vers lui, puis il lui posa une main sur la nuque et l'embrassa avec fougue, comme il avait eu envie de le faire depuis la veille. Cela ne faisait qu'une journée qu'ils n'avaient pas fait l'amour, et il était déjà rongé par le manque.

Elle s'écarta brusquement de lui.

— Arrête ! Et si quelqu'un entrait ?

— J'ai demandé à ce que tous nos appels soient mis en attente. Personne ne viendra nous interrompre, mais si ça t'inquiète vraiment…

Il traversa la pièce et verrouilla la porte. Anna se tourna vers lui.

— Qu'est-ce que tu fabriques, au juste ?

Il sourit.

— Ce que j'ai envie de faire depuis que nous sommes rentrés.

Il la plaqua contre le bureau, la hissa dessus, releva sa jupe stricte sur ses cuisses et se plaça entre ses jambes.

— Puisque tu ne veux pas passer la nuit avec moi, je vais devoir me débrouiller, murmura-t-il en enfouissant la tête au creux de son cou pour l'embrasser et la mordiller à la fois.

Elle fut parcourue d'un frisson de désir.

— Mais nous sommes au bureau, les gens vont le savoir, protesta-t-elle sans conviction.

Alors même qu'elle prononçait ces mots, elle détacha sa ceinture et défit la fermeture Eclair de son pantalon. Il frissonna de plaisir quand elle fit glisser son boxer pour refermer la main sur son sexe en érection.

— Personne n'en saura jamais rien, à part nous, grommela-t-il tout contre sa bouche.

Il écarta sa culotte et la caressa lentement. Elle gémit et il l'embrassa de nouveau, faisant danser sa langue avec la sienne. Elle se cambra contre lui, essayant désespérément de le forcer à la prendre sauvagement, mais il voulait faire durer le plaisir, prolonger un peu le supplice…

Au cours des derniers jours, elle lui était devenue nécessaire, et il avait eu du mal à dormir sans elle la nuit précédente. Il voulait qu'elle le désire de toutes ses forces, qu'elle ait besoin de lui, pour qu'elle n'envisage plus de dormir sans lui.

Il déboutonna lentement son chemisier, effleurant au passage ses seins gonflés de désir.

— Judd, je t'en prie… Fais-moi l'amour.

— Chaque chose en son temps.

Au fond, il savait qu'il ne pourrait pas continuer à se maîtriser ainsi bien longtemps. Il mourait déjà d'envie d'être en elle…

Il se pencha et souffla doucement sur ses mamelons, satisfait de les voir se dresser contre son soutien-gorge. Il s'aperçut que celui-ci fermait sur le devant. Avec un sourire avide, il le dégrafa et le laissa s'écarter sur ses seins. Il avait l'impression de peler un succulent fruit défendu…

Elle était là, sur le bureau, les cheveux étalés en désordre sur ses documents, le chemisier ouvert et sa belle peau lumineuse exposée à son regard avide.

Il se pencha pour prendre l'un de ses mamelons dans sa bouche et le caresser du bout de la langue.

En dessous de lui, elle se tortillait et gémissait, basculait le bassin pour l'avancer contre sa main.

Elle lui faisait perdre la tête… C'était de la folie de la prendre ici, comme cela, sur le bureau. C'était aussi le fantasme absolu… Il n'y tenait plus, elle allait avoir ce qu'elle voulait. Il prit un préservatif dans la poche de son pantalon, l'enfila, lui retira sa culotte et lui écarta les cuisses.

Elle poussa un gémissement rauque lorsqu'il la pénétra, un cri guttural qui l'excita encore davantage. Il mêla ses doigts aux siens et lui maintint les mains au-dessus de la tête. Alors qu'elle levait les jambes et les nouait autour de sa taille, il la pénétra de nouveau, regardant ses yeux s'embuer tant elle était ivre de plaisir. Soudain, elle se mordit la lèvre inférieure, et il sentit ses muscles se contracter autour de son sexe. Il se pencha pour l'embrasser, et les spasmes qui la secouaient l'entraînèrent avec elle, lui arrachant un orgasme d'une telle violence qu'il eut peine à se retenir de crier.

Enfin, il s'effondra sur elle, haletant, en nage, sa chemise collée à son dos. L'incongruité de la situation le frappa soudain, et il ne put réprimer un éclat de rire.

— Nous devons avoir une de ces allures, depuis le pas de la porte !

— Je n'arrive pas à croire que nous ayons fait ça, dit-elle en dégageant ses doigts des siens et en le repoussant doucement. Je ne pourrai plus jamais regarder personne en face au bureau, maintenant…

— Ce ne sera pas nécessaire. Rentrons et passons le reste de la journée à la maison…

— C'est impossible, nous avons trop de choses à faire.

Il s'écarta pour la laisser se lever et défroisser ses vêtements. Elle se pencha pour ramasser sa culotte et l'enfila rapidement.

Il se rhabilla, remit sa chemise dans son pantalon et réajusta sa cravate.

— Voilà ! Maintenant, personne ne saura jamais ce qui s'est passé à part nous.

— Les gens se poseront quand même des questions, dit-elle d'un air dubitatif. Je m'étais juré de ne jamais…

— De ne jamais quoi ?

— De ne jamais m'exposer aux ragots.

Il fronça les sourcils.

— Qu'est-ce qui te fait croire que nous allons être le sujet de ragots ?

Avait-elle peur que Charles entende parler de leur liaison ? Tant mieux si c'était le cas ! Judd irait jusqu'à faire courir la rumeur lui-même si cela lui permettait d'avoir Anna pour lui tout seul.

— C'est dans la nature des gens, c'est tout… Cela a été dur pour moi, au début, de travailler ici, quand ma mère était encore en vie. Tout le monde savait qu'elle avait travaillé pour Charles avant de se marier et de s'en aller, et quand nous sommes venues vivre avec lui après la mort de mon père, les rumeurs sont allées bon train.

— Comment se fait-il que vous soyez venues vivre avec lui ? demanda-t-il en s'appuyant au bureau.

Seigneur ! Le simple fait de repenser à ce qu'ils venaient de faire suffisait à le troubler.

— Par un concours de circonstances… Mes parents avaient pris de mauvaises décisions financières, et ils n'ont pas eu de chance… Mon père est mort dans un accident du travail. Il se rendait à un rendez-vous quand un camion-citerne a crevé devant lui… Il n'a pas pu s'arrêter à temps et l'a heurté de plein fouet. Il est mort sur le coup. C'est arrivé si brusquement… Ma mère était une femme au foyer heureuse, et, du jour au lendemain, elle est devenue mère célibataire sans revenus. Charles l'a contactée et lui a proposé son aide, et quand il s'est aperçu de la situation dans laquelle elle se trouvait, il lui a offert un travail et un toit pour nous deux. Je n'avais que cinq ans, j'étais trop jeune et trop protégée pour me rappeler tout cela par la suite. Tout ce dont je me souviens, c'est que l'on m'a emmenée vivre dans une grande maison où j'avais une camarade de jeu.

Judd commençait à comprendre.

— Alors tu as grandi avec Nicole ?

— Oui, nous avons toujours été comme des sœurs. Charles m'a envoyée dans les mêmes écoles qu'elle. Il a fait beaucoup plus pour moi et pour ma mère que ce que nous étions en droit d'attendre. Je lui dois beaucoup.

— Alors, ta mère et lui… étaient proches ?

— Amants, tu veux dire ? demanda-t-elle sans

détour. Seulement occasionnellement, d'après ce que j'ai cru comprendre. Un jour, après avoir été malmenée particulièrement méchamment à l'école, j'ai demandé à ma mère quelle était la nature de leurs relations. Elle a été honnête et m'a expliqué qu'ils étaient comme deux compagnons. Elle a peut-être été un peu trop honnête, mais elle voulait que je comprenne… Apparemment, l'une des conséquences du diabète de Charles a été une lutte constante contre l'impuissance. Il en souffre depuis des années, et il en souffrait probablement déjà bien avant que ta mère et toi alliez vivre en Australie. Enfin… tu sais, malgré leur proximité, ma mère est toujours restée une employée, pour Charles. Quand j'étais plus jeune, j'étais furieuse de voir qu'elle le laissait profiter d'elle, comme cela… Maintenant, je sais qu'elle a fait ce choix pour que nous soyons toutes les deux à l'abri du besoin.

— Alors Charles et toi…

— Charles et moi, quoi ?

— Vous n'avez jamais été amants ?

Une expression horrifiée passa sur le visage d'Anna.

— Non ! Jamais… Comment as-tu pu imaginer une chose pareille ? Il a toujours été comme un père pour moi, ni plus, ni moins.

— Alors, le soir où je t'ai vue sortir de sa suite, à moitié déshabillée…

— Je voulais le voir pour lui parler de Nicole ! Je me suis endormie sur le canapé, dans son salon, et quand je me suis réveillée, je me suis rendu compte qu'il était tard, et je me suis dépêchée de retourner dans ma chambre pour me préparer pour le dîner. Je n'arrive pas à croire que tu aies pensé cela de moi !

Elle traversa la pièce et ouvrit la porte.

— Je serai dans mon bureau pour le reste de la journée, si tu as besoin de moi.

L'immense soulagement qu'il éprouva en découvrant qu'Anna et Charles n'étaient pas amants lui fit tourner la tête. Le dévouement dont elle faisait preuve pour lui était un dévouement filial, rien de plus. Il se rendit compte à quel point il l'avait blessée avec ses insinuations, et se sentit sincèrement et profondément désolé. Il devait se rattraper.

— Anna ?

Elle hésita.

— Oui ?

— Je suis désolé, j'ai tiré des conclusions hâtives. Laisse-moi me faire pardonner… Passe la nuit avec moi et je te prouverai à quel point je m'en veux.

Elle secoua la tête énergiquement.

— Non. Quoi que tu puisses penser de moi, je ne manquerai pas de respect à Charles comme ça.

Sans un mot de plus, elle sortit d'un air digne. Il la regarda s'éloigner dans le couloir, puis retourna à son bureau remettre de l'ordre dans ses papiers. Elle n'avait pas vraiment accepté ses excuses, mais au moins elle ne l'avait pas repoussé définitivement. Il était temps qu'il change de stratégie. Une chose restait sûre : il la voulait pour lui tout seul, quelles que soient les conséquences.

Anna passa le reste de la journée dans un état d'agitation extrême. Allait-elle marcher sur les traces de sa mère ? Vivrait-elle ce que Donna avait vécu avec Charles ? Ce dernier n'avait-il toujours eu qu'à claquer des doigts pour que Donna soit sienne, comme Judd le faisait avec elle ? Elle s'était répété que leurs ébats au cours de leur voyage d'affaires avaient été une parenthèse, que sa vie reprendrait son cours normal dès qu'ils seraient rentrés à Auckland, mais lorsqu'il avait posé ses mains sur elle dans son bureau, elle avait été incapable de lui résister.

Elle était encore tellement troublée par ce qui s'était passé qu'elle avait peine à se concentrer. C'était la première fois de sa vie qu'elle ne parvenait pas à dire non à un homme. Elle avait toujours choisi ses partenaires sexuels avec le plus grand soin, s'était toujours montrée convenable… Il n'y avait rien de convenable dans la liaison qu'elle entretenait avec Judd. Leur relation était extrêmement sensuelle, charnelle, délicieuse. Même maintenant, elle le désirait de nouveau… Pourtant, cette fois, sa raison l'avait emporté sur ses pulsions : elle avait refusé de passer la nuit avec lui, par respect pour Charles.

Elle ne pouvait lutter contre ce qu'elle ressentait. Charles n'avait aucune obligation de tenir vis-à-vis d'elle le rôle de père quand elle était jeune ni de la laisser vivre sous son toit après la mort de sa mère. Pourtant, il l'avait fait, il avait été un roc pour elle. Aujourd'hui, c'était à son tour d'être là pour lui. Pour toutes ces raisons, elle ne pouvait pas coucher avec son fils sous son propre toit.

Elle était blessée que Judd ait pu croire que Charles et elle étaient amants. Cette seule pensée la fit frissonner. Cela ne lui aurait jamais traversé l'esprit, et cela n'aurait jamais non plus traversé celui de Charles, elle en était convaincue. Comment Judd avait-il pu imaginer une chose pareille ? Qu'est-ce qui avait bien pu lui donner cette idée ?

Ou qui ? Un doute l'envahit soudain. Quelque chose clochait, mais elle n'arrivait pas vraiment à savoir quoi. Mais elle avait tellement de choses en tête qu'elle chassa bien vite cette pensée de son esprit.

Les quelques jours qui suivirent furent chargés. Elle accueillit cette activité avec joie, s'occupant de recontacter les établissements qu'elle avait visités avec Judd et de rédiger des contrats d'exclusivité afin de les leur envoyer. Cependant, quatre des six établissements en question répondirent en disant qu'ils avaient reçu une autre proposition et qu'ils avaient décidé de l'accepter.

Quatre coups de téléphone plus tard, Anna avait l'estomac noué. Apparemment, Jackson Importers avait conquis les entreprises que Judd et elle pensaient avoir convaincues. Elle redoutait le moment où elle devrait annoncer la nouvelle à

Judd et à Charles. Comme elle s'y était attendue, ce dernier se mit dans tous ses états.

— Comment ose-t-elle ? Je n'arrive pas à croire que ma propre fille me vole des clients !

— Je regrette d'avoir à te le faire remarquer, dit Judd, mais c'était son idée, au départ. De toute évidence, les dirigeants de ces établissements sont fidèles à Nicole plus qu'à Wilson Wines. C'est ma faute, j'aurais dû le prévoir.

— Ta faute ? N'importe quoi ! Elle fait cela pour me contrarier.

— Peut-être, mais peut-être aussi qu'elle ne fait que mener à bien une excellente idée avec son nouveau patron. L'avais-tu félicitée d'avoir eu cette idée ?

Anna était abasourdie. Que se passait-il ? Judd prenait-il vraiment fait et cause pour Nicole ? Jusqu'à présent, ils avaient à peine parlé d'elle. Elle s'était dit qu'il éprouvait pour sa sœur la même animosité que Charles, et qu'il évitait soigneusement de parler d'elle. Elle ne s'était certainement pas attendue à l'entendre la défendre.

— Bien sûr que non, répondit Charles, elle ne faisait que son travail, et elle le faisait correctement.

— Un peu plus que correctement, il me semble, dit Judd d'un ton critique.

Charles avait souvent été strict avec sa fille. Il l'avait protégée et avait pris ses responsabilités très au sérieux. Etre le père d'une belle jeune femme impétueuse lui avait donné l'impression de devoir se montrer ferme, de mettre la barre très haut et de ne pas trop la complimenter pour éviter les débordements.

Par ailleurs, il avait toujours été très pris par son travail, ce qui n'avait certainement pas aidé. Anna savait que Nicole s'était entièrement consacrée à Wilson Wines dans l'espoir de gagner l'approbation de son père, mais cela n'avait fait qu'intensifier les tensions entre eux. Le fait d'être père et patron à la fois avait toujours mis Charles mal à l'aise et, craignant de faire du favoritisme, il avait été particulièrement dur avec sa fille. De plus, son attitude désuète à l'égard des femmes sur son lieu de travail avait été une source d'irritation constante pour Nicole.

Charles l'avait tellement étouffée qu'elle s'était souvent plainte à Anna de ce que ses opinions n'avaient aucun poids pour lui. Il aimait sa fille, Anna en était absolument convaincue, mais il n'avait jamais su le lui montrer. Pire, il avait souvent aggravé les choses par des propos malheureux. Au fil des ans, Anna s'était déjà demandé s'il n'avait pas encouragé leur amitié pour qu'elle joue le rôle d'intermédiaire entre eux deux, car elle les comprenait et pouvait faire passer certains messages sans blesser personne.

— Eh bien, tu vas simplement devoir faire mieux qu'elle, mon fils. Je sais que tu en es capable. Montrons à Jackson Importers ce que nous avons dans le ventre ! Oublions cette histoire de clients néo-zélandais…

— Et les établissements qui ont décidé de signer avec nous ?

— Nous nous servirons d'eux pour tester le marché. Ce ne sera peut-être qu'un feu de paille. Si cela vaut la peine, nous en reparlerons. En attendant, pourquoi ne pas développer notre gamme de vins californiens ?

Quand leur conversation fut terminée, Anna retourna dans son bureau pour dresser une liste de contacts potentiels pour Judd, d'après les directives de Charles. Elle relevait ses e-mails lorsque arriva dans sa boîte de réception un message qu'elle ne s'attendait pas à recevoir : Nicole venait de lui écrire. Avec l'impression d'être observée, elle ouvrit et parcourut rapidement le message. Son amie voulait la voir. Elle lui donnait rendez-vous dans un restaurant sur le front de mer à 13 heures, soit d'ici une dizaine de minutes. Anna pourrait être à l'heure si elle partait sur-le-champ.

Elle réfléchit, se mordillant la lèvre inférieure. Nicole lui manquait terriblement, mais son amie ayant fait le choix de rejoindre Jackson Importers, elles étaient maintenant dans des camps adverses. Pourtant, comment aurait-elle pu refuser de voir sa meilleure amie, quand celle-ci le lui demandait ?

Les reproches que Nicole lui avait faits avant de partir lors de cette horrible soirée l'avaient profondément blessée, principalement parce qu'elle savait qu'elle les méritait. Elles avaient toujours été si proches… En dépit de son dévouement pour Charles, elle aurait dû trouver un moyen de prévenir

Nicole de ce qui l'attendait. De toute évidence, Charles aurait été farouchement opposé à ce qu'elle la revoie, mais, revigorée par le soutien de Judd pour sa sœur, elle prit sa décision et répondit : « Je serai là. »

# - 10 -

Assis dans son bureau, Judd prit conscience qu'il était heureux. Prendre la direction de Wilson Wines s'était avéré être exactement le défi dont il avait besoin. La pression exercée sur eux par Jackson Importers lui donnait envie de réussir. Et, étrangement, offrir Wilson Wines à Nate Hunter sur un plateau d'argent était une idée qui avait perdu de son attrait.

Il secoua la tête, pensif. Qu'étaient devenues la hargne qui l'avait animé toutes ces années et la volonté de rendre à son père la monnaie de sa pièce ? Il devait être en train de se ramollir.

Bien sûr, il y avait toujours le problème de la maison… Sa mère ne cessait de lui envoyer des e-mails, pour lui demander quand elle pourrait venir et commencer les travaux de décoration. Il l'avait fait patienter jusque-là, mais il ne pourrait plus la retenir bien longtemps. Comment Charles réagirait-il à la présence de son ex-femme sous son toit ? C'était une autre histoire… Judd avait remarqué que son père se fatiguait davantage, au cours de la semaine qui venait de s'écouler. Les demi-journées qu'il passait au travail avaient un effet néfaste sur sa santé mais, avec l'entêtement qui le caractérisait, il avait écarté les inquiétudes de Judd et s'était contenté de rire quand ce dernier lui avait suggéré de ne travailler que trois ou quatre jours par semaine en attendant de se sentir mieux. Son père était particulièrement têtu, trait de caractère que Judd partageait avec lui, il devait bien le reconnaître.

Il jeta un coup d'œil au rapport qu'Anna avait déposé sur son bureau plus tôt dans la matinée, et toutes ses pensées se tournèrent vers elle. Elle aussi était très têtue. Il avait été ravi d'apprendre qu'elle n'était pas la maîtresse de son père, même si elle refusait toujours de dormir avec lui sous le toit de Charles…

Il feuilleta de nouveau le rapport. Quelque chose clochait… Il manquait une page. Ce type d'erreur n'était vraiment pas le genre d'Anna. Peut-être était-elle rongée par la frustration, elle aussi. Peut-être pourrait-il la persuader de passer sa pause déjeuner à l'hôtel, avec lui…

Le sourire aux lèvres, il se leva et se dirigea vers le bureau d'Anna. Il jura tout bas en constatant qu'elle n'y était plus. Apparemment, il l'avait ratée de peu… Par la fenêtre, il vit sa voiture rouge sortir du parking. Il devrait trouver la page manquante du rapport tout seul.

Il se pencha sur l'ordinateur. Elle avait laissé son logiciel de messagerie ouvert, ce qui ne lui ressemblait pas non plus. Il s'apprêtait à fermer la fenêtre, quand le nom de sa sœur retint son attention.

Il cliqua sur l'e-mail et le lut, puis passa dans les messages envoyés pour lire la réponse d'Anna. Sans prendre le temps de chercher la page du rapport dont il avait besoin, il retourna prendre ses clés de voiture dans son bureau.

Il avait cru que Nicole leur avait volé des clients en se servant de ses anciens contacts, mais se pouvait-il que la réalité soit tout autre ? Et si c'était Anna qui, depuis le départ, communiquait à sa sœur des informations pour couler Wilson Wines ?

Il refusait de le croire. Elle faisait preuve d'une telle loyauté envers Charles… mais elle avait aussi défendu Nicole avec véhémence. Elle était plus proche de sa sœur qu'il ne le serait probablement jamais, hélas. Il devait vérifier par lui-même ce qu'elles tramaient.

Le trajet jusqu'au restaurant où Nicole avait donné rendez-vous à Anna ne fut pas long. Il trouva facilement une place pour se garer et, tandis qu'il se dirigeait vers le restaurant, il aperçut la voiture d'Anna garée non loin de là. Il aurait pu l'attendre là et la questionner à son retour, mais il avait envie de les observer ensemble.

Il entra dans le restaurant, les repéra tout de suite, assises au fond de la salle, et s'installa à une table d'où il pourrait les voir sans être vu.

— J'ai déjà commandé pour nous deux, dit Nicole alors qu'Anna s'asseyait en face d'elle.

— Merci…

— Oh ! Anna ! Ne me regarde pas comme ça, je t'en prie…

— Comme quoi ?

— Comme si tu ne savais pas si j'allais te sauter à la gorge ou te prendre dans mes bras !

— Eh bien, tu étais assez en colère après moi la dernière fois que nous nous sommes vues, répondit Anna avec un sourire hésitant.

Nicole sourit à son tour et tendit le bras sur la table pour poser sa main sur la sienne. Anna se détendit aussitôt. Elle retrouvait enfin sa meilleure amie, celle qu'elle connaissait et aimait depuis l'âge de cinq ans. D'une façon ou d'une autre, elles parviendraient à arranger les choses, elles se réconcilieraient…

Le serveur arriva avec deux salades César. Quand il se fut éloigné, Anna regarda intensément son amie.

— Comment vas-tu ?

Nicole avait un peu maigri et avait les traits tirés.

— Ça va. C'est… compliqué, en ce moment.

— A qui le dis-tu ! Pourquoi es-tu allée travailler pour Nate Hunter ? Ton père est dans tous ses états.

— Il flippe complètement, hein ? demanda Nicole avec son effronterie habituelle, avant qu'une lueur de regret ne passe dans ses yeux expressifs.

— On peut dire ça comme ça…

— Comment va-t-il ? On m'a dit qu'il n'avait pas l'air en forme. Cela m'inquiète, mais je ne peux décemment pas décrocher mon téléphone et l'appeler…

— Il va bien. Toute cette histoire l'a un peu fatigué, mais Judd reprend les rênes avec compétence… même si j'imagine que ce n'est pas ce que tu as envie d'entendre.

— Cela ne m'étonne pas. C'est le fils prodigue. Même si j'ai toujours été là et que lui a toujours été absent, jamais je ne pourrai rivaliser avec lui, tu sais.

Elle eut un sourire amer.

— Ton père t'aime, Nicole.

— Je sais, mais ce n'est pas la même chose… Je n'ai jamais pu combler le vide que Judd a laissé en partant, et maintenant, il est de retour.

Anna sentit son cœur se serrer. Nicole se trompait, elle en était sûre… Charles aimait autant ses deux enfants, mais il avait pris l'habitude d'être tellement sévère avec sa fille qu'il ne savait pas comment lui montrer la nature de ses sentiments pour elle. Cependant, elle comprenait tout à fait que Nicole puisse être blessée de voir son père prodiguer à Judd l'affection qu'elle attendait de lui.

— Alors tu ne reviendras pas parmi nous tout de suite ?

Nicole la regarda, l'air hagard, et secoua la tête.

— Je… Je ne peux pas.

— Comment ça, tu ne peux pas ? Bien sûr que tu peux ! Ta place est auprès de nous, ta carrière est avec nous. Reviens… s'il te plaît.

— Non… Ce n'est pas aussi simple, plus maintenant.

— Pourquoi ? Qu'y a-t-il ?

De nouveau, Nicole secoua la tête.

— Je ne peux pas en parler pour l'instant. Peut-être plus tard, qui sait ? Je voulais simplement te voir et te dire que je regrette les choses horribles que je t'ai dites. J'étais bouleversée et j'avais besoin de m'en prendre à quelqu'un…

— Alors nous sommes de nouveau amies ?

— Bien sûr ! Tu m'as tellement manqué…

— Toi aussi, tu m'as manqué.

Elles terminèrent leur repas en discutant de tout et de rien. Pour une raison obscure, Nicole évitait les questions qu'Anna lui posait au sujet de Nate Hunter, et Anna n'avait quant à elle pas du tout envie de parler de ses sentiments pour Judd.

Quand l'heure fut venue de retourner travailler, Anna se sentait beaucoup mieux. Passer un peu de temps avec Nicole lui avait fait du bien.

— Je suis vraiment contente que tu m'aies envoyé cet e-mail, dit-elle en se levant et en prenant son amie dans ses bras pour lui dire au revoir.

— Et moi, je suis contente que tu veuilles encore me voir. Je ne te mérite pas, tu sais…

— Bien sûr que tu me mérites, et bien plus encore ! Je vais régler la note, d'accord ? Tu m'inviteras la prochaine fois.

— Tu es sûre ?

— Qu'il y aura une prochaine fois ? Evidemment…

— Je ne parlais pas de ça, voyons ! répondit Nicole en riant.

Anna fut profondément soulagée d'avoir enfin réussi à faire sourire son amie. Elle la regarda sortir du restaurant, puis se dirigea vers la caisse pour payer. A son grand étonnement, la note avait déjà été réglée.

— Il doit y avoir une erreur, dit-elle au serveur.

Une voix qu'elle aurait reconnue entre mille s'éleva derrière elle :

— Non, il n'y a pas d'erreur. Je me suis dit que découvrir ce que tu manigançais valait bien un déjeuner.

Judd la prit par le bras et l'entraîna dehors, sur le parking.

— Que fais-tu là ? demanda-t-elle, soudain prise de panique, sans trop savoir pourquoi elle-même.

— Je te retourne la question !

— Nicole m'a demandé de déjeuner avec elle, c'est tout.

— C'est tout ? C'est intéressant de voir que la semaine où nous perdons un nombre considérable de clients au profit de Jackson Importers, tu la retrouves pour déjeuner. Tu es sûre que vous ne discutiez pas de nos clients, par hasard ?

— Bien sûr que non ! s'écria-t-elle, indignée. Je ne ferais jamais une chose pareille ! Je ne sais pas pourquoi tu as une si piètre opinion de moi, et je m'en moque, mais arrête tes insinuations. Elles sont toutes infondées.

— Alors que faisiez-vous ensemble ?

— Nous sommes amies ! Nous l'avons toujours été. Avons-nous besoin d'une raison supplémentaire ?

— J'ai cru comprendre que votre amitié avait été brisée à cause de moi.

— Ne t'imagine pas avoir un impact aussi important sur la vie des autres ! Comme je te le disais, nous nous connaissons depuis très longtemps, Nicole et moi. Il faudrait bien plus que quelqu'un comme toi pour mettre à mal de façon durable notre amitié. Ecoute, si tu ne peux pas me croire, pourquoi ne pas me renvoyer, tout simplement ? D'ailleurs, ce ne sera pas la peine ! Je démissionne ! Je ne peux pas travailler pour quelqu'un qui ne me témoigne aucune confiance.

Elle se dégagea de son étreinte et se dirigea vers sa voiture, tremblant de colère à l'idée que Judd puisse la croire capable de saboter délibérément Wilson Wines.

Elle entendit ses pas derrière elle et plongea la main dans son sac pour prendre ses clés de voiture, cherchant à tout prix à lui échapper. Elle n'avait pas l'intention de lui montrer à quel point ses accusations l'avaient blessée, tout comme elle avait été blessée qu'il la soupçonne d'être la maîtresse de Charles.

— Anna, attends !

Elle ne voulait pas attendre, elle voulait mettre le plus de distance possible entre eux, avant qu'il ne voie les larmes qui lui montaient aux yeux.

Bon sang ! Où étaient passées ses fichues clés ? Au moment même où elle les trouvait, une main se referma sur son bras.

— Anna, arrête ! Je suis désolé, j'ai tiré des conclusions hâtives…

— C'est ta spécialité, on dirait, répliqua-t-elle avec amertume, refoulant ses larmes.

— Que puis-je dire ? Je suis de nature méfiante.

Il sourit et, malgré elle, elle se sentit fondre. Tout le problème était là : il lui suffisait d'un sourire pour faire tomber ses défenses.

— Il faut que je retourne au bureau. Lâche-moi, s'il te plaît.

Elle regarda fixement sa main posée sur son bras.

— Pas encore… Je veux m'excuser convenablement. J'ai été stupide et très injuste envers toi. Pour ma défense, je peux seulement dire que c'est à cause de tout ce qui s'est passé à Adélaïde.

— Tu peux tout de même comprendre pourquoi je n'ai pas dit la vérité dès le début ? Tu aurais pu me mettre dehors… C'est d'ailleurs plus ou moins ce que tu as fait après avoir lu la lettre de Charles.

— Je te comprends, maintenant, et comme je te le disais, je suis désolé d'avoir laissé ce qui s'est passé fausser mon image de toi.

— Très bien, j'accepte tes excuses. Laisse-moi partir, maintenant.

— Ah, Anna ! Tu es si pressée de t'en aller ?

Il s'approcha d'elle, et, immédiatement, elle sentit un trouble intense s'emparer d'elle. Il était comme une drogue pour elle, dont elle ne pouvait plus se passer. Elle s'était accoutumée à sa présence, à ses baisers, à ses caresses…

— Arrête, s'il te plaît.

Elle laissa tomber son sac et leva les mains comme pour se protéger, mais cela ne l'arrêta pas,

pas même quand ses mains se trouvèrent piégées entre son torse puissant et ses seins. Il était si près qu'elle voyait les éclats d'argent qui donnaient à ses yeux bleus cette teinte si particulière. Son cœur se mit à cogner dans sa poitrine.

— Que j'arrête quoi ? demanda-t-il d'une voix grave.

— Ne m'embrasse pas.

— Tu as peur de moi, Anna ?

— Non, j'ai peur de moi, avoua-t-elle.

— Je te protège.

Il l'embrassa avec une douceur infinie. Son baiser était comme une promesse, la promesse de beaucoup plus, peut-être même d'un avenir ensemble qui ne serait plus menacé par les ombres du passé. Elle tremblait quand il la relâcha, et tout son corps réclamait plus que cette seule étreinte.

Il se pencha pour ramasser son sac à main et le lui tendit, puis il ouvrit la portière et attendit qu'elle s'installe au volant.

— Ça va aller ?

— Bien sûr, répondit-elle, s'efforçant de se ressaisir.

— On se voit au bureau.

— Judd… Comment as-tu su où j'étais ?

Il fronça les sourcils et répondit :

— Il manquait une page au rapport que tu m'as donné ce matin. Je suis allé dans ton bureau pour te la demander, et j'ai vu que tu avais laissé ta messagerie ouverte…

Malgré sa méfiance évidente, il ne l'avait donc

pas espionnée. Et il l'avait écoutée, vraiment écoutée. Cette pensée lui redonna espoir. Elle hocha la tête, claqua la portière et démarra. Judd la regarda s'éloigner.

Judd se rendit directement dans le bureau d'Anna lorsqu'il arriva à Wilson Wines. Il ferma la porte derrière lui et annonça de but en blanc :

— A propos de ta démission…

Elle leva les yeux vers lui, surprise.

— Ma démission ?

— Oui… Tu as démissionné, tu te souviens ?

— Ah, oui, c'est vrai…

— Eh bien, note que je la refuse.

— C'est noté, répondit-elle avec un petit sourire. Bien… Maintenant que nous sommes d'accord là-dessus, je peux me remettre au travail ?

— Non.

— Non ? Pourquoi ?

— Parce que tu me manques, répondit-il simplement.

— Je te manque ? Mais nous nous voyons tous les jours !

— Et cela te suffit ? Vraiment ? Dis-moi, Anna, comment dors-tu la nuit, en sachant que je suis à l'autre bout du couloir et que je te désire, probablement comme tu me désires.

Il vit sa gorge se contracter.

— Qu'y a-t-il ? Tu ne trouves pas tes mots ?

Il traversa la pièce et s'assit en face d'elle, de l'autre côté du bureau.

— Ce qu'il y a entre nous est plutôt intense… Tu n'es pas d'accord ?

— Physiquement, oui, répondit-elle, manifestement à contrecœur.

— Ne crois-tu pas que nous devrions voir où cela nous mène ? Réaliser tout notre potentiel ?

A son grand étonnement, une lueur triste passa dans ses yeux. Quand elle parla, sa voix était plate :

— Non, je ne crois pas. Dis-moi, Judd, qu'entends-tu par potentiel ?

— Tu plaisantes ? Tu veux dire que tu as eu la même complicité sexuelle avec tous les hommes avec lesquels tu as couché ?

— Nous y voilà ! s'écria-t-elle, levant les bras dans un geste de désespoir. Avec combien d'hommes crois-tu que j'aie couché ?

— C'est important ?

— Non, mais tu insinues continuellement que j'ai une vie dissolue. D'abord, tu m'accuses de coucher avec ton père, puis tu supposes que je donne à Nicole des informations confidentielles…

Elle secoua énergiquement la tête.

— Je n'aurai pas de relation avec toi, quelle qu'elle soit, tant que tu ne me feras pas confiance !

— Tu as raison, dit-il, décidant de changer de tactique.

Il avait toujours imaginé le pire à son sujet. Au début, cela avait en partie été sa faute à elle, mais il devait bien reconnaître qu'il avait préféré rester sur ses gardes parce que c'était plus facile que de se demander pourquoi il la désirait tant. Il avait espéré que ce qu'il éprouvait pour elle passerait avec le temps, comme cela avait été le cas avec ses précédentes conquêtes. Après tout, il ne projetait pas de rester en Nouvelle-Zélande toute sa vie…

Cependant, à peine cette pensée lui eut-elle traversé l'esprit que tout en lui se révolta. Pour une raison obscure, il avait cessé de considérer sa relation avec Anna comme une aventure sans lendemain. Les choses avaient changé, sans vraiment qu'il s'en aperçoive…

Sa voix l'arracha à ses pensées :

— Bien sûr que j'ai raison. Alors, tu es d'accord pour que nous n'ayons aucune relation en dehors du travail ?

— Non, je ne peux pas, Anna.

— Pardon ?

— Je ne peux pas. Ce que je peux faire, si tu es d'accord, c'est apprendre à te faire confiance, apprendre à mieux te connaître, et te prouver que je mérite que tu me donnes cette chance. Est-ce que tu veux bien essayer, au moins ?

Il regarda les émotions passer sur son visage.

— Tu veux que j'essaie de te laisser me faire confiance ? Tu m'as profondément blessée, Judd. Après m'avoir fait l'amour…

Elle s'interrompit un instant, s'éclaircit la voix et reprit :

— … comment as-tu pu me croire assez légère pour passer du lit d'un homme à celui d'un autre ?

— J'avoue que l'idée que tu puisses faire ça me rendait fou.

Elle haussa la voix, contrariée.

— Mais je ne suis pas comme ça !

— Je sais, Anna.

— Très bien… Je veux bien te donner ta chance, mais à une condition.

— Laquelle ? demanda-t-il, sachant déjà ce qu'elle allait répondre.

— Je ne coucherai pas avec toi, du moins pas tout de suite. Nous pouvons apprendre à nous connaître comme toutes les personnes normales.

— Nous avons brûlé les étapes, c'est vrai.

— Et je veux que tu me promettes de ne pas essayer de me persuader du contraire. Je ne peux pas te résister… Prouve-moi que je peux te faire confiance, et ne te sers pas de cet aveu contre moi.

L'idée ne lui plaisait pas particulièrement, mais il acquiesça néanmoins d'un signe de tête.

— D'accord, concéda-t-il à contrecœur. Dans ce cas, sortons ensemble ce soir. Ce sera un bon début… Je t'attendrai dans l'entrée à 19 heures.

Elle allait avoir ce qu'elle voulait. Jusqu'à ce qu'elle capitule, chaque seconde serait un supplice, mais il savait qu'elle serait bientôt sienne de nouveau. Et quand ce serait le cas, quels que soient alors ses plans concernant son père, elle resterait à ses côtés.

# - 11 -

Anna, nerveuse, faisait les cent pas dans l'entrée. C'était son troisième rendez-vous avec Judd depuis le jeudi précédent, quand ils avaient décidé de ralentir un peu les choses et d'apprendre à se connaître. Pour l'instant, c'était un supplice. Judd se comportait en parfait gentleman, et cela la rendait folle.

Aujourd'hui, il avait prévu un pique-nique, et lui avait dit de s'habiller en conséquence. Elle avait opté pour un corsaire en jean, un pull-over fin rose pâle, et une paire de chaussures plates bleu marine.

Charles arriva dans l'entrée.

— Vous sortez encore ? demanda-t-il.

— Oui, répondit-elle, nous allons faire un pique-nique, aujourd'hui.

Il rit.

— Il faut reconnaître qu'en plus d'avoir pris la direction de l'entreprise rapidement, il n'a pas perdu de temps avec toi ! Je savais bien que t'envoyer le chercher en Australie était une bonne idée…

Ces mots la firent frissonner. Avait-il cherché depuis le début à les pousser dans les bras l'un de l'autre ? Elle détestait avoir l'impression d'être manipulée.

Avant qu'elle n'ait eu le temps de répondre, Judd descendit l'escalier. Extrêmement séduisant comme à son habitude, il portait un jean et un pull-over à col roulé gris. Elle cilla et détourna le regard. Elle ne pouvait pas se permettre d'avoir ce genre de pensées. Il avait accepté ses conditions, elle ne pouvait pas revenir dessus maintenant.

— Me voici !

Il lui sourit, une lueur malicieuse dans les yeux. Il manigançait quelque chose, elle le savait. Toutes les fibres de son corps réagirent à sa présence tandis qu'il s'approchait et lui passait un bras autour des épaules.

— Nous serons probablement partis toute la journée… Ça va aller ? demanda-t-il à son père.

— Bien sûr ! répondit Charles. Il y a toujours quelqu'un dans le coin si j'ai besoin de quoi que ce soit.

Elle l'observa attentivement, et un sentiment d'inquiétude l'envahit soudain. Il avait très mauvaise mine…

— Tu es sûr que ça va ? demanda-t-elle. Nous pouvons remettre notre sortie à plus tard, si tu veux…

— Arrête de te faire du souci, Anna. Je suis assez grand pour me débrouiller tout seul. Allez… Passez une bonne journée, ne vous en faites pas pour moi !

— Tu l'as entendu, dit Judd en l'entraînant vers la porte.

Quand ils furent seuls dehors, il ajouta :

— Les employés de la maison ont nos numéros de téléphone. Je leur ai dit de m'appeler en cas d'urgence.

— Alors tu es d'accord avec moi… Il n'a pas l'air bien ces jours-ci, n'est-ce pas ?

— Non. En début de semaine, j'ai essayé de le convaincre de faire moins d'heures, mais il est têtu comme une mule.

— C'est de famille.

Un sourire se dessina sur les lèvres de Judd.

— C'est indéniable.

Tandis qu'ils remontaient l'allée devant la maison, elle regarda autour d'elle mais ne vit pas la voiture.

— Nous y allons à pied ? Je devrais peut-être changer de chaussures…

— Non, non, ne change rien, tu es parfaite. Nous allons seulement jusqu'aux courts de tennis.

— Jusqu'aux courts de tennis ? Dans ce cas, il faut vraiment que je change de chaussures !

— Non, nous n'allons pas jouer.

Perplexe, elle continua à marcher à son côté. Soudain, elle entendit le bruit de pales fendant l'air, et elle aperçut dans le ciel un hélicoptère noir, qui descendit lentement et se posa sur l'un des courts, à l'extrémité de la propriété.

Elle se tourna vers Judd, stupéfaite.

— Tu avais dit que nous allions pique-niquer !

— C'est bien ce que nous allons faire, mais pas dans le coin.

Il l'entraîna jusqu'à l'hélicoptère, ouvrit la portière

et lui donna la main pour l'aider à monter. Puis il prit place à côté d'elle et lui tendit un casque.

Elle eut un haut-le-cœur quand l'appareil décolla, avant de prendre la direction du port.

— Je ne t'ai pas dit que je n'aimais pas voler ? demanda-t-elle, se cramponnant à son siège.

Judd prit sa main dans la sienne, l'obligeant à lâcher le siège.

— Si, tu me l'as dit, mais j'espérais te distraire pendant le trajet.

Il porta sa main à ses lèvres et y déposa un baiser. Aussitôt, une vague de désir la submergea. Oui, il réussirait à la distraire s'il s'y prenait de cette façon…

Elle risqua un coup d'œil à travers la vitre. Judd lui caressa le poignet, attirant son attention. Il plongea ses yeux bleus dans les siens.

— Fais-moi confiance, Anna. Tant que tu seras avec moi, il ne t'arrivera rien.

Elle hocha la tête. Il continua à lui murmurer des paroles apaisantes et, bientôt, elle perdit la notion du temps. Enfin, l'hélicoptère commença à descendre, et elle sentit de nouveau son estomac se nouer. Judd serra sa main dans la sienne avec tendresse.

— Tu t'en sors très bien, dit-il. On croirait que tu as fait cela toute ta vie.

— J'en doute, mais c'est gentil de le dire, parvint-elle à répondre.

Elle éprouva un profond soulagement lorsqu'ils furent de nouveau sur la terre ferme. Judd ouvrit la portière et descendit, puis il se tourna vers elle pour l'aider.

— Garde la tête et les bras baissés, dit-il.

Elle courba le dos et sortit. Le vent lui fouettait le visage et les cheveux. Judd l'entraîna vers un bâtiment vitré, non loin de l'endroit où ils avaient atterri. Derrière eux, l'hélicoptère décolla et s'éloigna.

— Il va revenir nous chercher, n'est-ce pas ? demanda-t-elle.

Judd rit.

— Bien sûr ! Chaque chose en son temps…

Elle regarda autour d'elle. L'habitation devant eux semblait être la seule du lieu, et il n'y avait aucun bateau amarré dans la petite baie.

— Où sommes-nous ?

— Près de l'île Kawau. J'ai entendu parler de cet endroit, et je me suis dit que cela devait être paisible. Bon, allons voir ce qu'il y a au menu !

Elle le suivit à l'intérieur de la maison. Il y avait un spacieux salon-salle à manger et une cuisine bien équipée. Elle visita les lieux, découvrit une salle de bains, petite mais luxueuse, dont la baie vitrée donnait sur le bush, et une chambre, dont elle referma précipitamment la porte. Elle ne voulait pas penser à cette pièce et à ce qu'elle pourrait y faire avec Judd.

Elle le rejoignit dans la cuisine. Il avait sorti une bouteille de champagne du réfrigérateur, ainsi qu'une assiette d'antipasti.

— Allons savourer ça dehors, dit-il. Tu veux bien prendre les verres ?

Elle prit deux coupes à champagne sur une étagère au-dessus de l'évier, et le suivit sur la large terrasse de bois, face à la baie.

— C'est magnifique, dit-elle en s'asseyant à côté de lui sur les marches.

Il écarta une mèche de cheveux de son visage.

— C'est un endroit merveilleux pour faire connaissance, sans que rien ni personne ne vienne nous déranger.

Il déboucha la bouteille de champagne et remplit les coupes du liquide doré et pétillant. Elle en but une gorgée.

— Hmm… du champagne français ! C'est délicieux.

Il ne répondit pas. Elle plongea ses yeux dans les siens, et le silence se prolongea. Il la regardait intensément, les lèvres légèrement entrouvertes, comme s'il s'était apprêté à dire quelque chose mais que les mots lui avaient manqué. Il finit par ciller, rompant le charme qui ne les avait unis que trop brièvement, et porta sa coupe de champagne à ses lèvres.

— Oui, il est très bon, dit-il en reposant son verre et en prenant une olive farcie. Les Français sont vraiment doués.

Ils restèrent silencieux un moment, savourant le champagne, la nourriture, le cadre… Puis elle se tourna vers lui.

— As-tu des souvenirs de ton père avant ton départ pour l'Australie ? lui demanda-t-elle.

Il soupira et, l'espace d'un instant, elle se demanda si elle avait abordé un sujet tabou.

— J'ai quelques souvenirs, finit-il par répondre. J'avais six ans quand nous sommes partis… Je me souviens de lui comme d'un homme énergique et très occupé. J'attendais toujours son retour du travail avec impatience, le soir, et quand il était en déplacement, je cochais les jours sur un calendrier. Il était très pris, mais arrivait toujours à me consacrer du temps.

— Cela a dû être dur pour toi de partir.

— Dur ?

Il eut un rire sans joie.

— J'étais anéanti. Ma mère était triste et en colère, et personne n'avait la moindre chose à dire en sa faveur, en Australie. Ma vie a été bouleversée du jour au lendemain. Je ne me suis jamais vraiment remis du fait qu'il nous ait abandonnés, ma mère et moi.

— Ce n'est pas étonnant que tu n'aies pas eu spontanément envie de renouer avec lui.

— En effet… Je sais qu'il y a toujours plusieurs façons de voir les choses, mais j'ai beaucoup de mal à comprendre ou à pardonner le fait qu'il m'ait rejeté comme il l'a fait.

Il fronça les sourcils, l'air sombre.

— Mais il cherche à te retrouver, maintenant, et tu es là, tu travailles avec lui… Tu dois bien lui avoir pardonné…

L'expression de Judd s'éclaira.

— Oui, je travaille avec lui, maintenant.

Quelque chose dans son ton la troubla, et elle s'aperçut qu'il n'avait pas admis avoir pardonné à son père. Avant qu'elle ait eu le temps d'ajouter quoi que ce soit, il lui sourit, se leva et lui tendit la main.

— Viens, allons nous promener sur la plage.

Elle prit sa main et fit taire ses inquiétudes.

Lorsqu'ils revinrent de la plage, ils rentrèrent dans la maison chercher le reste du déjeuner dans le réfrigérateur. Judd leur servit une autre coupe de champagne sur la terrasse, tandis qu'elle préparait deux sandwichs de pain ciabatta au camembert et au jambon de Parme. Elle ouvrit le sien, y ajouta quelques tomates séchées qui restaient des antipasti et mordit dedans avec gourmandise.

— Hmm… C'est délicieux !

— Ça en a l'air, dit Judd. Je peux goûter ?

— Bien sûr, dit-elle en lui tendant son sandwich.

Au lieu de le prendre, il se pencha et passa le bout de sa langue sur sa lèvre inférieure.

— Oh oui, c'est exactement ce que j'aime…

Elle sentit ses joues s'empourprer. C'était elle qui avait décidé qu'il n'y aurait plus rien de physique entre eux, et il avait respecté sa décision, au point de la rendre folle… folle de lui.

— Tu en veux encore ? demanda-t-elle dans un souffle.

— Avec plaisir…

Elle prit un petit morceau de jambon entre le pouce et l'index et le lui tendit. Il referma la bouche sur ses doigts. Un frisson de plaisir la parcourut…

— Encore ? demanda-t-elle.

Il lui posa une main sur la nuque et l'attira vers lui.

— Oui, dit-il simplement, avant de l'embrasser.

Son baiser était doux, enjôleur, et elle se sentit fondre. Il la prit par la taille et la serra contre lui. Soudain, elle eut envie d'être encore plus près de lui. Elle noua ses bras autour de son cou, pressa sa poitrine contre son torse puissant, mais cela ne suffisait pas…

Elle détacha ses lèvres des siennes.

— Judd ? Tu sais, la condition que je t'ai imposée ? Pour que nous ne…

— Hmm, fit-il en enfouissant le visage au creux de son cou.

— J'ai été un peu dure, et je…

— Anna ?

— Oui ?

— Tais-toi et embrasse-moi.

Elle s'exécuta. Il la souleva et la guida pour qu'elle s'asseye à califourchon sur lui, glissant ses mains sous son pull pour lui caresser le dos. Elle l'imita et griffa doucement son torse… Elle sentit ses muscles se contracter sous ses doigts et le repoussa doucement sur le sol. Judd retira son pull, exposant son torse à ses caresses. Elle se pencha et déposa un baiser au creux de sa gorge, passant le bout de sa langue sur sa peau brûlante. Il était tellement beau, son parfum était tellement enivrant… Elle voulait savourer chaque seconde, profiter de l'avoir ainsi à sa merci. Elle dessina le contour de ses muscles du bout des doigts, déposa une pluie de baisers entre ses pectoraux… Lentement, elle défit sa ceinture, déboutonna son jean, et passa la main sur son sexe à travers son boxer. Sa bouche suivit bientôt ses mains… Elle tira sur son jean et il souleva légèrement son bassin pour lui permettre de l'enlever. Elle fit glisser son boxer sur ses cuisses, exposant sa puissante érection. Elle pencha alors la tête et le goûta du bout des lèvres.

C'était tellement bon… Elle referma la bouche sur lui, sans cesser de le caresser avec sa langue. Il lui passa une main dans les cheveux, appuya doucement sur sa tête pour la maintenir tout contre lui, l'encourageant à continuer.

Elle referma une main sur son sexe et le caressa, le prenant de plus en plus profondément dans sa bouche, accentuant la pression de sa langue. Elle le sentit trembler et accéléra la cadence, le caressant de plus en plus fermement, de plus en plus vite… Enfin, avec un cri rauque, il jouit. Elle éprouva un délicieux sentiment de puissance : elle était peut-être faible face à lui, mais il l'était tout autant face à elle, elle s'en rendait compte maintenant.

Epuisé, Judd resta allongé sur la terrasse. Elle remonta le long de son corps, embrassant son torse, puis elle se blottit contre lui et lui caressa le ventre.

— Quand tu changes d'avis, tu changes vraiment d'avis, toi !

— Je n'aime pas faire les choses à moitié, répondit-elle.

— Dans ce cas, tu ne verras pas d'objection à

ce que nous rentrions pour examiner toutes les possibilités qui s'offrent à nous ?

Sans répondre, elle se leva et lui tendit la main. Il la prit dans la sienne et se leva à son tour, remit son boxer, remonta son jean sur ses hanches, mais le laissa déboutonné. Elle n'avait jamais vu d'homme aussi sexy… Ses cheveux étaient ébouriffés, ses yeux pétillants. Ses muscles étaient parfaitement dessinés, il était fort, mais pas trop… et il la regardait comme si elle était la seule femme au monde. Il incarnait tout ce dont elle avait toujours rêvé.

Il prit la bouteille de champagne et leurs coupes, et ils rentrèrent dans la maison.

La nuit était tombée quand l'hélicoptère vint les chercher. Anna ne s'était jamais sentie aussi comblée, à tous points de vue. Judd et elle avaient fait l'amour, mangé, s'étaient baignés, avaient fait l'amour de nouveau… Si elle avait pu revivre une journée encore et encore, elle aurait choisi celle-là. Il était temps pour elle de regarder les choses en face, et de s'avouer ce qu'elle éprouvait vraiment : elle était amoureuse de Judd Wilson.

# - 12 -

Quand Judd se réveilla le lundi matin, il pleuvait des cordes et le vent soufflait en rafales. L'automne était arrivé, et, avec lui, Anna avait capitulé. La nuit précédente, c'était elle qui était venue le trouver, transgressant la règle qu'elle s'était fixée de ne pas coucher avec lui sous le toit de Charles. Curieusement, il n'avait pourtant pas éprouvé le sentiment de satisfaction auquel il s'était attendu lorsqu'elle s'était glissée, nue, entre ses draps.

Quelque chose avait changé au cours de la journée qu'ils avaient passée en tête à tête, quelque chose qui rendait sa présence à ses côtés parfaitement naturelle… quelque chose dont il ne voulait pas s'occuper pour l'instant.

« J'y penserai plus tard », se dit-il en se levant et en se dirigeant, pieds nus, vers sa salle de bains.

Quand il en ressortit, après avoir pris sa douche, Anna n'était plus dans la chambre. Il descendit et la trouva dans la cuisine, calme et imperturbable, comme à son habitude. Elle discutait avec Charles.

— Bonjour, dit-il avec un sourire.

Pour son plus grand plaisir, elle rougit.

— Bonjour.

— Tu as bien dormi ?

Il ne pouvait résister à la tentation de la taquiner. Il était bien placé pour savoir qu'elle n'avait presque pas dormi de la nuit…

— Oui, répondit-elle, merci.

Elle porta sa tasse de café à ses lèvres, ces lèvres qui lui avaient fait des choses insensées la veille… Il s'efforça de chasser ces pensées de son esprit. Pour l'instant, il devait se concentrer sur Wilson Wines. Il avait l'impression d'être à la croisée des chemins : il était venu ici dans l'intention de détruire tout ce pour quoi son père avait toujours travaillé, mais il se surprenait maintenant à hésiter.

Imprimer une nouvelle orientation à Wilson Wines lui plaisait… Cependant, était-il prêt pour cela à renoncer à la vengeance qu'il avait toujours rêvé d'assouvir ? Confronté à ce dilemme, il devrait pourtant bientôt prendre une décision.

En outre, sa mère ne cessait de lui envoyer des e-mails, pour lui demander quand elle pourrait enfin venir. Il n'avait vraiment pas besoin de cette complication en ce moment. La colère de Cynthia contre Charles n'avait fait que s'accroître au fil des ans, et Judd n'était pas du tout pressé de les voir de nouveau réunis sous le même toit.

Il jeta un coup d'œil à son père, assis à l'autre bout de la table. Le vieil homme paraissait sombre et fatigué. Judd était persuadé qu'il causerait sa mort prématurée s'il mettait ses plans à exécution, et cette pensée lui serra le cœur. Au fil du temps, Charles avait gagné son respect, en particulier pour son sens aigu des affaires. Wilson Wines ne réalisait peut-être pas tout son potentiel, mais les affaires allaient quand même très bien dans ces temps difficiles.

Judd en voulait encore à son père de la façon dont il avait géré sa vie personnelle et dont il les avait traités, sa mère et lui, mais il éprouvait désormais aussi de la compassion à l'égard du vieil homme. Il avait vu à quel point il pouvait être affecté par ce qu'il considérait comme un manque de loyauté de la part de quelqu'un qu'il aimait… Même si Charles avait tiré des conclusions hâtives par le passé, même s'il s'était mépris sur le compte de Cynthia en la soupçonnant de l'avoir trompé, ses doutes avaient dû l'ébranler.

Diriger seul son entreprise, puisque c'était à peu près à cette période-là que son associé et lui s'étaient séparés, et voir son couple se briser avait dû constituer de terribles épreuves pour lui. De plus, d'après Anna, il souffrait déjà, à l'époque, de problèmes de santé dus à son diabète. Rien de tout cela ne justifiait ce qu'il avait fait, bien sûr, mais prendre en compte ce contexte permettait de remettre les choses en perspective.

Judd regarda de nouveau Charles, qui se beurrait une tartine d'une main tremblante. Il détourna les yeux, envahi par un vif sentiment d'inquiétude. Il ne voulait pas que la santé de son père se détériore encore par sa faute.

Le fracas de couverts tombant dans une assiette le rappela à la réalité. Anna poussa un cri. Charles était penché sur le côté sur sa chaise, encore plus livide qu'auparavant, les yeux fermés, respirant péniblement.

— Vite ! dit Judd à Anna. Appelle une ambulance…

Elle se rua hors de la pièce tandis qu'il se précipitait au côté de son père, défaisait sa cravate et le premier bouton de sa chemise avant de l'allonger sur le sol. Sa peau était froide et moite de sueur, et Judd éprouva un profond sentiment d'angoisse.

Charles perdit et reprit connaissance plusieurs fois, n'entendant pas la voix de Judd, qui lui parlait sans cesse dans l'espoir de le garder conscient.

Quand l'ambulance arriva enfin, Anna donna aux infirmiers la liste des médicaments de Charles, et Judd commença seulement à comprendre à quel point la santé de son père était fragile.

— Je vais monter avec lui dans l'ambulance, dit-il alors qu'on mettait Charles sur une civière.

Anna hocha la tête et lui pressa tendrement la main.

— Je te retrouve à l'hôpital… Je dois passer quelques coups de téléphone, prévenir tout le monde que nous ne serons pas au bureau.

— Merci.

Il suivit les infirmiers, qui lui indiquèrent un siège à l'avant de l'ambulance. Bien que le trajet jusqu'à l'hôpital d'Auckland soit en réalité assez court, il lui sembla durer une éternité.

Une fois à l'hôpital, il dut attendre que le personnel médical rende son verdict. Anna arriva enfin, pâle et inquiète, mais son visage s'éclaira un peu quand elle le vit. Dès qu'il l'aperçut, lui-même se détendit. Il la prit dans ses bras et trouva un véritable réconfort dans cette étreinte.

— Comment va-t-il ? demanda-t-elle en s'écartant légèrement de lui.

— On ne sait pas encore…

Une soudaine activité à la porte des urgences attira son attention. Il tourna la tête dans cette direction et vit sa sœur entrer.

— Où est-il ? Je veux le voir !

Anna intervint avant qu'il n'ait eu le temps de répondre :

— Les médecins s'occupent de lui.

— Que s'est-il passé ? demanda Nicole en se tournant vers lui, ses yeux lançant des éclairs.

— Il s'est écroulé alors que nous prenions le petit déjeuner.

— Je croyais que ta présence ici était censée lui faire du bien, pas le rendre malade ! répliqua-t-elle d'un ton sec avant de fondre en larmes.

Judd était tenté de lui faire remarquer que Charles ne se serait peut-être pas à ce point surmené si elle n'était pas partie comme elle l'avait fait, mais il se ravisa, car il voyait bien qu'elle était aux prises avec ses propres démons.

Une infirmière s'approcha d'eux.

— Monsieur Wilson, vous pouvez aller voir votre père, maintenant.

Judd tendit la main à Anna, mais elle secoua la tête.

— Non… Vas-y avec Nicole, elle a plus besoin de le voir que moi.

Il haussa les épaules négligemment et se tourna vers sa sœur.

— Tu viens ?

— Evidemment ! C'est mon père.

Ils suivirent l'infirmière. Charles avait repris connaissance, mais il semblait très mal.

— Que fait-elle ici ? demanda-t-il d'une voix râpeuse, regardant fixement Nicole avec une expression de surprise et de colère mêlées.

Judd sentit sa sœur se raidir à son côté.

— Je suis venue voir comment tu allais, mais de toute évidence, tu es en pleine forme. Tu n'as pas besoin de moi ici, ajouta-t-elle avec dignité, blessée.

Elle quitta la chambre. Anna chercha à l'intercepter dans le couloir, mais Nicole l'ignora, se dirigeant droit vers la sortie.

— Etait-ce vraiment nécessaire ? demanda Judd en prenant place au chevet de son père.

— Elle nous a trahis. Elle a pris la décision de nous quitter, elle n'a plus sa place ici. Souviens-t'en, mon fils.

A peine Charles eut-il prononcé ces mots que ses yeux se fermèrent de nouveau.

Judd était amer. « Elle nous a trahis… » Oui, tout comme Charles l'avait trahi, lui, en le bannissant avec sa mère. Il avait peine à croire qu'il avait été prêt à pardonner à son père, à peine une heure plus tôt. Cet homme ne méritait ni son pardon ni sa compassion. Il suffisait de voir la façon dont il venait de traiter sa fille… Il l'avait chassée avec la même aisance qu'il les avait chassés, sa mère et lui, des années plus tôt. Bientôt, l'inquiétude qu'il avait éprouvée céda la place à la colère familière et à la détermination à mettre à exécution son plan initial.

Anna mit de l'ordre dans les papiers qu'elle avait rassemblés et les plaça dans son porte-documents afin de les apporter à la maison le soir même et d'en discuter avec Judd. Ils se relayaient à l'hôpital aux heures de visite ; il y était aujourd'hui, pendant qu'elle travaillait.

Charles était tombé dans le coma peu après son admission à l'hôpital, et il était entre la vie et la mort depuis maintenant cinq jours. Elle ne savait pas s'il s'en sortirait ni, le cas échéant, quand il pourrait sortir, mais elle s'était déjà renseignée auprès de cliniques privées pour lui assurer les soins dont il aurait besoin si, par bonheur, il finissait par rentrer chez lui.

Judd rendait visite à Charles consciencieusement, mais elle était sûre qu'il y avait de nouveau de la distance entre le père et le fils. Quelque chose s'était produit le jour où Charles était entré à l'hôpital, quelque chose qui avait dressé entre eux une barrière intangible. Judd refusait d'aborder le sujet, et Nicole aussi s'était retranchée dans le silence. Anna ne pouvait rien faire d'autre qu'être là et, en ce qui concernait Judd, elle avait décidé que cela signifiait qu'elle devait être dans son lit la nuit et à ses côtés le jour.

Il faisait déjà nuit, et la pluie martelait le pare-brise tandis qu'elle rentrait à la maison. Elle était épuisée… Elle avait besoin d'un bain bien chaud et relaxant, suivi d'un bon dîner et peut-être d'un film. Ce programme tenterait-il Judd ? Un bain ensemble serait exactement la distraction dont ils avaient besoin après cette dure semaine. Elle se détendait déjà un peu à cette seule idée…

Dès qu'elle pénétra dans la maison, elle sentit que l'atmosphère était différente.

Elle se dirigea vers l'escalier, mais s'arrêta net en entendant une voix vaguement familière la saluer du premier palier.

— J'aurais dû me douter que vous viviez ici, déclara Cynthia d'un ton méprisant.

— Cynthia ? Je ne savais pas que vous veniez, balbutia Anna, stupéfaite.

— Je suis sûre que Judd ne juge pas nécessaire de tout vous dire, ma chère, répliqua Cynthia en descendant l'escalier.

Elle s'arrêta sur la dernière marche, forçant Anna à lever la tête vers elle.

— J'espère que Mme Evans vous a bien installée ?

— Mme Evans ? Ah, oui, la gouvernante… Elle va devoir nous quitter quand je serai de retour ici définitivement, vous savez… Elle n'a pas la moindre notion des convenances.

— Comment ça, quand vous serez de retour ici définitivement ?

— Quand mon ex-mari sera mort, bien sûr. Je suis venue dès que j'ai appris qu'il était souffrant. C'est bien triste pour vous tous, mais il fallait s'y attendre.

— La santé de Charles s'améliore tous les jours, répondit Anna d'un ton ferme. Je ne vois pas ce qui vous fait croire qu'il est mourant, et je ne suis pas sûre qu'il apprécierait de vous savoir ici.

— Il me semble que vous oubliez un élément essentiel, dit Cynthia avec un sourire narquois.

Son attitude glaçait Anna.

— Ah oui, quoi donc ?

— Cette maison est à Judd, maintenant, et bientôt, il m'en fera cadeau.

Sans un mot de plus, Cynthia passa à côté d'elle d'une démarche élégante et se dirigea vers le salon. Anna monta dans sa chambre se changer et s'éclaircir les idées. La maison était à Judd, maintenant… Bien sûr… Comment avait-elle pu l'oublier ? Avait-il prévu d'y faire venir sa mère depuis le début ? Qu'adviendrait-il de Charles, quand il serait assez en forme pour quitter l'hôpital ?

Elle prit une douche rapide et enfila des vêtements plus confortables, un pantalon noir et une tunique, noire également, mais ornée de fils d'argent. Après s'être légèrement remaquillée, elle se sentit en mesure d'affronter la femme impeccable qui attendait en bas. Tout en prenant sa douche, elle s'était persuadée que Cynthia se trompait, et que Judd n'avait jamais eu l'intention de lui offrir la maison.

Cependant, quelque chose lui disait que ce n'était pas complètement impossible. Les doutes qu'elle avait eus au cours des quelques derniers jours refirent surface, et elle repensa à ce que Judd lui avait dit au sujet de l'obsession de sa mère pour l'ancienne demeure des Masters.

Elle prit une profonde inspiration pour se donner du courage, descendit l'escalier et se dirigea vers le salon, le ventre noué.

Cynthia était assise dans un fauteuil, un verre de vin à la main, l'air désapprobateur.

— Il va falloir que je modernise bien des choses, remarqua-t-elle. Charles a vraiment laissé cette maison se détériorer.

Anna se crispa. Charles était loin d'avoir laissé la maison se détériorer, bien au contraire, il avait toujours fait le nécessaire pour qu'elle reste confortable.

— C'est un foyer, répondit Anna, choisissant ses mots avec soin. Charles a toujours jugé important que l'on s'y sente à l'aise.

— Vous vous y êtes certainement sentie à l'aise, n'est-ce pas ? Je présume que vous étiez mieux ici que là où vous viviez avant, votre mère et vous… Dites-moi, comment va cette chère Donna ?

— Ma mère est morte il y a quelques années, répondit Anna, mal à l'aise.

Elle était persuadée que Cynthia n'avait jamais appelé sa mère sa chère Donna du temps où elle l'avait connue.

— Je suis désolée de l'apprendre, répondit Cynthia.

Elle but une gorgée de vin.

— Pourtant, vous êtes encore là, reprit-elle. Comment cela se fait-il ?

— Charles m'a dit que je pourrais vivre ici aussi longtemps que je le souhaiterais.

— Mais ce n'est plus à lui de vous offrir cela…

Cynthia secoua la tête d'un air faussement compatissant.

— Vous devriez commencer à chercher un autre logement, même si je doute que vous trouviez quelqu'un d'aussi… accueillant que Charles.

— Je ne crois pas que ce soit à vous de me dire où je dois vivre, répliqua Anna d'un ton sec, sentant la colère monter en elle. Judd ne me mettra jamais dehors.

— Ah ! Alors comme ça, le chaton a des griffes ! Comme c'est charmant…

Cynthia rit, ce qui acheva d'agacer Anna.

— … mais vous serez peut-être moins encline à défendre Judd quand vous saurez ce qu'il projette depuis le début. Posez-vous la question : avec tout ce qu'il a à Adélaïde, pourquoi serait-il revenu ici, sinon pour se venger ? Ce n'est pas comme si Charles avait un jour été un père pour lui… Vous semblez choquée ! Pauvre petite… Je suppose que Judd vous a mise dans son lit et que vous êtes tombée amoureuse de lui.

Elle secoua la tête.

— Il ne fait que vous utiliser, vous savez. En

dépit de tout, Judd ressemble beaucoup à Charles. Il ne vous épousera pas. Pensez-vous vraiment être digne d'un endroit comme celui-ci alors que votre mère ne l'a jamais été ? Mon fils ne tardera pas à vous congédier… Ne préféreriez-vous pas sauver la face et partir avant qu'il ne vous le demande ?

Les paroles de Cynthia firent à Anna l'effet d'un uppercut. La tête lui tournait…

— Judd ne ferait jamais une chose pareille, dit-elle avec raideur.

N'est-ce pas ? Le cœur lourd, elle serra les poings, enfonçant ses ongles dans ses paumes. Elle ne savait pas grand-chose de Judd, en dehors de ce qu'il avait bien voulu lui montrer. Elle le savait déterminé et parfois impitoyable. Se pouvait-il que Cynthia dise la vérité ? Elle ne pouvait pas le croire, ne voulait pas le croire. Elle l'aimait, il ne pouvait pas être ce genre d'homme…

Un frisson d'effroi la parcourut. Son intuition lui dictait de protester, mais hélas, le discours de Cynthia sonnait juste… Cette dernière n'avait fait que formuler la pire crainte d'Anna : celle de n'être jamais payée de retour par l'homme qu'elle aimait.

# - 13 -

Judd était épuisé lorsqu'il descendit de voiture et se dirigea vers la maison. Il sourit en pensant qu'il se sentait maintenant chez lui dans cette maison, qu'il avait d'abord considérée comme l'instrument de sa vengeance. Peut-être était-ce dû à la jeune femme qui l'attendait à l'intérieur... Il savait qu'Anna avait déjà quitté son bureau et qu'elle serait contente d'avoir des nouvelles de Charles.

Il avait l'impression d'être hypocrite en restant au chevet de son père à l'hôpital. La santé de Charles continuait de se détériorer.

La journée avait vraiment été éprouvante. Il avait hésité à tâter le terrain auprès de Nate Hunter, avait d'abord remis en cause ses projets, mais, étant donné la façon dont Charles avait traité Nicole quand elle était venue le voir à l'hôpital, il avait fini par se décider à passer à l'action. Il avait passé une bonne partie de la matinée à essayer de prendre rendez-vous avec Nate Hunter, mais celui-ci semblait insaisissable. Judd avait refusé de laisser un message à sa secrétaire, pensant que Nicole risquait de l'intercepter. Il aurait peut-être plus de chance demain...

Il songea aux papiers qui se trouvaient dans son porte-documents. Il n'avait pas osé les laisser dans son bureau, de crainte qu'Anna tombe dessus. Tout devait être parfaitement orchestré… Elle serait mécontente, mais il espérait que leur relation naissante n'en pâtirait pas. Sa place était à ses côtés, maintenant ; elle s'en rendait sûrement compte.

Il s'était attendu à être satisfait à l'idée que ses projets allaient enfin se réaliser, mais il se sentait étrangement las. Sans doute était-il simplement fatigué… Entre les nuits qu'il passait avec Anna, les journées chargées au travail et éprouvantes à l'hôpital, il n'était certes pas au mieux de sa forme.

Il ouvrit la porte d'entrée et entendit des voix de femmes dans le salon. Il posa son porte-documents par terre. Il n'avait nulle envie d'avoir de la visite, mais il se força à sourire par politesse et entra dans le salon.

Il s'arrêta sur le seuil, stupéfait.

— Maman ?

Sa mère se leva et tendit les bras vers lui. Instinctivement, il alla vers elle et l'embrassa.

— Mon garçon… Tu m'as manqué.

— Que fais-tu ici ?

Elle fit la moue.

— Eh bien ? Je ne t'ai pas manqué, moi ?

— Bien sûr que si…

Il n'avait pas du tout envie de s'occuper de sa mère maintenant. Ses projets concernant Wilson Wines devaient être mis à exécution prudemment, et il ne pouvait pas se permettre de se laisser distraire.

Il se tourna vers Anna. Elle était pâle, se tenait très droite, et ses beaux yeux noisette étaient assombris par une émotion qu'il ne parvenait pas à définir. Il éprouva aussitôt une farouche envie de la protéger… Elle allait bien lorsqu'il l'avait vue au bureau, avant d'aller à l'hôpital, ce qui signifiait que quelque chose l'avait contrariée depuis. Qu'avait bien pu faire sa mère pour la bouleverser à ce point ?

— Tout va bien, au bureau ? demanda-t-il.

— Oui, répondit Anna. J'ai des papiers à te donner, quand tu auras un moment.

— Vous devez tout de même pouvoir mettre le travail de côté pour ce soir ! intervint Cynthia. Je viens juste d'arriver, et je veux tout savoir sur ce qui s'est passé depuis que tu es ici, Judd.

Anna se leva.

— Je vais vous laisser, dit-elle. J'ai plein de choses à faire.

— Tu peux rester, protesta Judd, se demandant pourquoi elle semblait si pressée de s'en aller.

Sa mère lui prit le bras.

— Ce serait agréable de dîner tous les deux, tu ne trouves pas ?

Non, absolument pas… Quelque chose clochait, et il ne savait pas ce que c'était.

— Nous nous verrons tout à l'heure, alors, dit-il à Anna. Si tu es sûre de ne pas vouloir te joindre à nous…

Elle eut un sourire en coin.

— Oh ! j'en suis sûre. Passez une bonne soirée. Je laisserai les papiers dans ta chambre.

Les yeux plissés, perplexe, il la regarda sortir et refermer la porte derrière elle sans un bruit. Il se sentit soudain plus abattu que jamais…

— Tu aurais dû me prévenir de ton arrivée, dit-il à sa mère tandis qu'ils s'asseyaient.

— Je voulais te surprendre.

Il sentit la colère monter en lui. Le surprendre ? Il devait s'agir d'une plaisanterie ! La situation était tellement délicate, il y avait tant de choses en jeu ; être surpris était bien la dernière chose dont il avait besoin.

— C'est réussi, répondit-il d'un air contrit. Combien de temps comptes-tu rester ?

— Une semaine… peut-être plus, si cela s'avère nécessaire.

— Plus ? ne put-il s'empêcher de répéter.

— Qu'y a-t-il, Judd ? Tu sais ce que nous avions prévu…

— Oui, et je sais aussi que tu étais censée attendre que je te dise de venir.

— J'ai appris que ton père était gravement malade… pas par toi, d'ailleurs.

— Il est malade, maman, pas mort.

— Eh bien, quoi qu'il en soit, dit-elle avec désinvolture, si tu veux qu'il soit au courant de ta vengeance, tu n'as plus beaucoup de temps devant toi. Il faut que tu mettes ton plan à exécution et que tu me cèdes la maison… C'est bien ce que tu as l'intention de faire, n'est-ce pas ?

C'était effectivement ce qu'ils avaient prévu, mais il n'avait pas envie d'acquiescer. Toute sa vie, il avait eu le sentiment de ne pas avoir sa place dans la demeure des Masters. Or, curieusement, il se sentait chez lui ici…

Au cours du dîner, il orienta la conversation vers la famille de sa mère, sans toutefois parvenir à faire abstraction de l'absence d'Anna à table. Quand ils eurent terminé leur repas, il s'excusa, prétextant des affaires urgentes à régler, et alla dans l'entrée chercher son porte-documents.

Il fut surpris de voir une pile de bagages assemblés à côté de la porte d'entrée. Ils n'étaient pas là quand il était arrivé, un peu plus tôt dans la soirée, et ne pouvaient donc pas être à sa mère. Soudain, il entendit du bruit dans l'escalier et se retourna. Anna se tenait là, un sac de voyage à la main.

— Qu'est-ce que c'est que ça ? demanda-t-il en indiquant les bagages d'un geste vague.

Dehors, une voiture donna un coup de Klaxon.

— Mes affaires, répondit-elle. Je déménage. Ce doit être M. Evans…

Elle passa à côté de lui, ouvrit la porte et prit l'une des valises.

— Merci de m'avoir avancé ma voiture, dit-elle à l'homme à tout faire, qui montait les marches du perron. J'espère que tout va rentrer dans le coffre…

— Comment ça, tu déménages ?

— Je déménage, c'est tout.

Elle se tourna vers Evans et lui montra la pile de bagages.

— Il y a tout ça…

— Attends un peu ! s'écria Judd. Où vas-tu, et surtout, pourquoi t'en vas-tu ?

Anna secoua la tête.

— Je crois que tu le sais. Dis-moi, es-tu vraiment revenu pour assouvir ta vengeance contre ton père ? Avais-tu l'intention de donner cette maison à ta mère depuis le début ?

Il ne répondit pas, conscient que son silence le discréditait à ses yeux. Elle paraissait tellement triste… Il aurait fait n'importe quoi pour dissiper son expression douloureuse.

— Tu t'es toujours imaginé le pire à mon sujet, reprit-elle d'une voix un peu voilée, mais moi, je n'ai jamais pensé que tu étais capable de faire une chose pareille, de te montrer aussi calculateur. Mais manifestement, je me suis gravement trompée sur ton compte. En fait, je ne te connais vraiment pas…

Evans avait pris ses derniers bagages et l'attendait maintenant à côté de la voiture. Anna passa la porte. Judd avait envie de la retenir, de l'empêcher de partir, mais il savait qu'il n'en avait pas le droit. Il avait bel et bien prévu, dès le départ, de faire cadeau de cette maison à sa mère, de même que son intention avait bel et bien été de nuire le plus possible à Charles. Pour l'instant, cependant, plus rien de tout cela ne comptait… La femme à laquelle il s'était tant attaché le quittait.

Une colère sourde monta en lui. C'était la première fois qu'il perdait le contrôle d'une situation… Tout lui semblait s'effondrer autour de lui. Il se frotta les yeux, incapable de chasser de son esprit l'expression désespérée d'Anna.

La voix de sa mère l'arracha à ses pensées :

— C'est mieux comme ça, Judd…

Il fit volte-face.

— Mieux comme ça ? Qu'est-ce qui te fait dire ça ?

— Elle a la folie des grandeurs. Tu le sais, n'est-ce pas ? Après tout, regarde ce que sa mère a fait pour Charles… Rien ! Elle n'était qu'une maîtresse pratique et une gouvernante passable. De toute évidence, Anna a accédé à la fortune de Charles en couchant avec lui, comme sa mère.

Cynthia fit un pas vers lui et lui saisit le bras avec une force qui le surprit.

— Crois-moi, Judd. Tu es mieux sans elle.

Il regarda fixement la main de sa mère, comme une serre sur son bras, symbole de l'emprise qu'elle avait toujours eue sur lui. Tandis que ses paroles résonnaient dans sa tête, des paroles qu'il savait fausses, il se demanda ce qu'elle avait bien pu lui dire d'autre de faux ou de déformé pour le manipuler.

— Tu lui as dit ?

— Pour la maison ? Bien sûr. Il fallait qu'elle le sache, Judd. Elle n'avait plus sa place ici.

— Elle était ici chez elle !

Sa mère pâlit considérablement.

— Je n'aime pas beaucoup tes sous-entendus, Judd.

— Que tu les aimes ou non, c'est encore mon nom qui est sur l'acte notarié de cette maison.

— Ce n'est qu'un détail ! Tu sais ce que cet endroit représente pour moi…

— Oui, je sais que, pour toi, cette maison est plus importante que tout.

Il se sentit soudain profondément abattu. L'obsession de Cynthia pour cette propriété allait trop loin… De toute évidence, elle considérait que cette maison lui était due, pour tout ce qu'elle avait perdu plus jeune, et pour tout ce qu'elle avait enduré au cours de son mariage avec Charles. C'était malsain, et Judd s'en voulait de ne pas s'en être rendu compte plus tôt.

Sa mère s'était toujours montrée sous son vrai jour. User de subterfuges n'était pas son style, et pour cette raison, il avait toujours supposé qu'elle était honnête avec lui. Cependant, il s'apercevait maintenant que, si elle ne mentait pas à proprement parler, ses récits des événements qui l'avaient profondément touchée étaient déformés par son amertume. S'en apercevoir le rendait furieux, d'autant plus qu'il aurait dû en prendre conscience plus tôt.

Elle serait toujours sa mère, et il l'aimerait toujours, mais en cet instant, il n'appréciait pas beaucoup la personne qu'il avait en face de lui. Il avait besoin de mettre un peu de distance entre eux, avant que sa colère ne déborde et qu'il dise quelque chose qu'il serait amené à regretter par la suite.

Son instinct lui dictait de rejoindre Anna, mais

il n'avait pas la moindre idée de l'endroit où elle était allée. D'ailleurs, elle n'aurait probablement pas été d'humeur à l'écouter, même s'il avait su où la trouver. Il se libéra de l'étreinte de sa mère.

— Ecoute, il est tard, dit-il, et j'ai du travail… Nous nous verrons demain matin, et nous discuterons de ton retour.

— De mon retour ? Mais je viens juste d'arriver…

— Nous en reparlerons demain matin, dit-il d'un ton ferme.

Sans un mot de plus, il prit son porte-documents et monta l'escalier.

Anna se demandait combien de temps encore elle pourrait supporter cela. Travailler avec Judd, malgré les sentiments qu'elle éprouvait pour lui, tout en sachant à quel point il était en fait impitoyable, la tourmentait. Elle avait à peine dormi du week-end. Le motel bon marché dans lequel elle après pris une chambre le vendredi soir donnait sur une rue très passante, et le bruit incessant de la circulation mêlé au tapage des clients d'un bar non loin de là l'avait réveillée en sursaut plus d'une fois.

Quand elle avait quitté la maison, le vendredi soir, elle était trop bouleversée pour réfléchir calmement à l'endroit où aller. Elle avait erré sans but un moment, puis avait fini par se garer devant ce motel, pensant qu'elle y passerait une nuit avant de trouver un appartement en ville. Cependant, le week-end s'était écoulé dans une sorte de brouillard, entre les visites à l'hôpital, chronométrées pour éviter de tomber sur Judd, et le temps qu'elle avait passé à se morfondre, abattue de s'être montrée assez stupide pour tomber amoureuse d'un homme aussi froid que lui.

Après s'être répété toute sa vie qu'elle méritait mieux que ce dont sa mère s'était contentée, elle était tombée dans le même schéma, s'amourachant d'un homme dont elle ne serait jamais l'égale, d'un homme qui ne lui offrirait jamais plus que son lit et un travail.

Elle regrettait de ne pouvoir faire taire ses sentiments, comme Judd semblait capable de le faire. Il était arrivé au travail le matin même, professionnel comme à son habitude. Tout en se dirigeant vers son bureau pour lui apporter son courrier, elle se répéta qu'elle aurait dû s'en réjouir.

Il était au téléphone quand elle entra. Elle posa les lettres sur son bureau et s'apprêtait à repartir quand il lui prit la main pour la retenir. Elle tressaillit et essaya de se libérer de son étreinte, mais sans succès. Le contact de ses doigts sur sa peau était un véritable supplice… Combien de fois ces mêmes doigts avaient-ils caressé tout son corps pour lui donner du plaisir ? Elle réprima un gémissement plaintif, bouleversée par le souvenir de leur passion et de la trahison de Judd.

Enfin, il raccrocha et la relâcha.

— Va chercher ton sac, nous allons à l'hôpital, dit-il d'un ton sans réplique.

Elle sentit son estomac se nouer.

— Charles va bien ?

— Il est sorti du coma et demande à nous voir, tous les deux.

Le trajet jusqu'à l'hôpital lui sembla durer une éternité, probablement parce qu'elle était mal à l'aise, seule avec Judd dans sa voiture. Elle n'avait que trop conscience de sa présence à son côté, de ses mains crispées sur le volant, de sa mâchoire contractée, et de son parfum, ce parfum qui lui rappelait insidieusement les nuits qu'ils avaient passées ensemble.

Elle poussa un soupir de soulagement quand il se gara enfin devant l'hôpital, et elle fit tout pour maintenir une certaine distance entre eux tandis qu'ils se dirigeaient vers l'unité de soins intensifs.

— Seulement un à la fois et seulement cinq minutes, leur annonça l'infirmière.

— Vas-y la première, dit Judd en se tournant vers Anna. Je sais à quel point tu tiens à lui, à quel point tu t'es inquiétée…

Elle chercha un double sens à ces mots, mais à en juger par son expression, il n'y en avait pas. Elle se contenta de hocher la tête et entra dans la chambre de Charles. Il ouvrit les yeux en l'entendant approcher et un sourire trembla sur ses lèvres.

— Oh ! Charles ! s'écria-t-elle en se laissant tomber sur la chaise à côté de son lit, les larmes aux yeux. Je me suis fait tellement de souci pour toi…

— Ah, Anna ! Tu te tracasses encore ?

Elle lui prit la main et fut surprise par sa force lorsqu'il lui rendit son étreinte.

— Bien sûr, répondit-elle, tu sais bien que je ne serais pas moi-même si je ne me tracassais pas !

Il soupira, et son sourire s'élargit.

— C'est vrai ! Comment ça se passe, entre toi et mon fils ? Avant ce petit incident, je commençais à espérer qu'il y avait quelque chose de spécial entre vous.

Anna n'avait pas envie de parler d'elle et de Judd.

— Ce n'était pas un petit incident, Charles. Il faut vraiment que tu prennes davantage soin de toi. D'ailleurs, j'ai déjà prévu d'engager une aide-soignante quand tu rentreras à la maison…

Sa voix se brisa quand elle prit conscience de ses paroles. Si Cynthia parvenait à ses fins, jamais Charles ne retrouverait la maison qu'il aimait tant. Il n'aurait en fait nulle part où aller… La nouvelle anéantirait ses chances de guérison. Elle devait trouver un moyen de convaincre Judd de laisser son père finir sa vie dans la maison qui était la sienne depuis plus de trente ans. L'idée la bouleversait, mais elle retint ses larmes. Même malade, Charles était fin : si elle ne se maîtrisait pas, il s'apercevrait que quelque chose n'allait pas…

Il émit un grognement railleur, l'arrachant à ses pensées.

— Peuh ! Les infirmières ! Cela ne fait que quelques heures que j'ai repris connaissance, et je ne les supporte déjà plus… Mais tu n'as pas répondu à ma question. Que se passe-t-il entre Judd et toi ?

— Nous faisons du bon travail ensemble.

— Vous faites du bon travail ensemble, répéta

Charles. Vous avez eu une querelle d'amoureux, hmm ? J'espère vraiment que tout finira par s'arranger entre vous… Je sais que je n'ai pas été un modèle en matière d'engagement à long terme, et que je n'ai pas traité ta mère aussi bien qu'elle le méritait… Elle m'a toujours soutenu, tu sais, elle est restée à mes côtés et m'a aimé même si je ne le méritais pas. Elle méritait mieux que ce que je lui ai offert, mais je n'étais pas capable de faire plus.

Anna sentit des larmes lui brûler les yeux.

— Maman était heureuse, Charles…

— Ah ! Tu joues toujours le rôle de médiatrice… Tu mérites mieux que ce que j'ai donné à ta mère, Anna. Ne l'oublie pas.

Du coin de l'œil, elle vit l'infirmière lui faire signe.

— Ecoute, dit-elle à Charles, mes cinq minutes sont écoulées, et je ne veux pas prendre sur le temps de Judd. Nous en reparlerons plus tard.

Bien plus tard, voire jamais. Elle se pencha pour lui déposer un baiser sur la joue.

— C'était cinq minutes très rapides, grommela Charles.

— Je reviendrai demain ?

— Ce soir. Reviens ce soir.

— Si je peux, promit-elle. Et obéis aux infirmières tant que tu es ici, d'accord ?

Il marmonna une réponse.

Elle croisa Judd à la porte, mais prit soin de ne pas le frôler, ce qu'il remarqua, à en juger par son expression.

— Je t'attends en bas, dit-elle.

Elle avait bien besoin de prendre l'air…

— Assieds-toi, dit Charles en indiquant la chaise à côté de son lit.

Judd s'exécuta. Il était soulagé de voir son père de nouveau alerte, sans vraiment savoir pourquoi. Etait-ce parce qu'il voulait que Charles ait pleinement conscience de sa vengeance ?

— Eh bien, tu n'as rien à dire ? lui demanda ce dernier en riant.

— Je suis content de voir que tu vas mieux, répondit Judd avec raideur.

Charles eut un grognement ironique.

— Je ne mérite probablement pas plus. Etre confronté à sa propre mortalité a un avantage : cela donne envie de réparer les dégâts que l'on a causés dans sa vie… et crois-moi, j'en ai causé pas mal !

— Le plus important est la façon dont on s'y prend, dit Judd, s'efforçant de garder un ton neutre.

Son père avait-il l'intention de s'excuser ? Croyait-il que dire « je suis désolé » suffirait pour tout arranger ?

— C'est pour ça qu'il faut que je te parle. Il faut que tu saches la vérité à propos de ta mère et de moi.

— J'en sais suffisamment.

— Non, tu ne sais pas la moitié de ce qui s'est vraiment passé. J'admets que c'est ma faute si notre mariage s'est soldé par un échec. Je savais dans quoi je m'aventurais en épousant quelqu'un de beaucoup plus jeune que moi, je savais que ta mère méritait mieux que ce que j'avais à lui offrir.

Charles soupira et se tut un moment. Judd remua nerveusement sur sa chaise, attendant que son père dise ce qu'il avait à dire. L'attente fut de courte durée.

— Je ne vais pas tourner autour du pot, mon garçon, reprit bientôt Charles. Je n'étais pas assez viril pour ta mère. Ne sois pas gêné… Je sais que les enfants n'ont pas envie d'entendre parler de la vie sexuelle de leurs parents, continua-t-il en faisant la grimace, mais je te promets de rester correct. Que sais-tu du diabète ?

— Pas grand-chose.

— Pendant des années, on ne me l'a pas diagnostiqué. C'est en partie pour cette raison que je suis ici aujourd'hui… Quoi qu'il en soit, l'une des conséquences du diabète est l'impuissance. J'avais trente-cinq ans quand j'ai épousé ta mère, et je commençais déjà à avoir des problèmes de santé. Quand je l'ai rencontrée, elle n'avait que dix-neuf ans, et elle était très belle… J'aurais décroché la lune pour elle. J'aurais donné n'importe quoi pour la garder, mais quand j'ai commencé à avoir des problèmes, j'ai eu honte. Je ne voulais pas en parler, ni à elle, ni à mon meilleur ami, ni à un médecin… Je me suis réfugié dans le travail. Quand Nicole est née, ta mère et moi ne faisions presque plus l'amour. J'ai continué à travailler, pour que Cynthia ne manque de rien… Elle avait la maison, elle vous avait, ta sœur et toi. J'espérais en dépit de tout que cela lui suffirait. Elle n'était pas heureuse, mais je ne savais pas quoi faire pour y remédier. Ta mère et mon meilleur ami s'étaient toujours bien entendus, et Thomas semblait vouloir lui remonter le moral à tout prix. Je suis devenu jaloux… J'ai commencé à les soupçonner d'avoir une liaison, de m'avoir trahi tous les deux. Un jour, je suis rentré du travail plus tôt que prévu… Thomas avait déjà quitté le bureau, et je l'ai trouvé avec ta mère. Il la tenait dans ses bras. Je les ai accusés de toutes sortes de choses, et je n'ai rien écouté lorsqu'ils ont essayé de s'expliquer. En fait, elle était profondément malheureuse et il la consolait, mais ce n'est pas ce que j'ai cru, à l'époque. J'ai perdu beaucoup de choses, ce jour-là… ma femme, mon meilleur ami, mon fils.

— Tu n'étais pas obligé de nous chasser, dit Judd avec amertume. Elle ne t'avait pas trompé, si ?

— Non, reconnut Charles d'une voix voilée, elle ne m'avait pas trompé, mais elle m'avait fait croire le contraire. Elle m'avait dit que tu étais le fils de Thomas, que Thomas et elle étaient amants depuis des années, et qu'il la comblait, lui. Elle savait exactement comment me faire le plus de mal possible. Tu connais la suite… J'étais furieux. Je lui ai dit de partir et de t'emmener avec elle. Je lui ai dit que je ne voulais plus jamais vous revoir. Quand Thomas a appris ce que j'avais fait, il a essayé de me raisonner, mais les mensonges de Cynthia me rongeaient. Je n'ai pas voulu l'écouter, et nous ne nous sommes plus jamais reparlé. Il est mort il y a un peu plus d'un an… Il avait demandé à ses avocats de me faire parvenir une lettre, s'il venait à mourir avant moi, une lettre dans laquelle il me disait que j'avais été stupide, qu'il n'avait jamais posé la main sur Cynthia de sa vie. J'ai compris que, s'il disait la vérité, j'avais perdu vingt-cinq ans, consumé par une haine que je n'aurais jamais dû éprouver. Il fallait que je découvre la vérité, mais j'ai eu besoin de l'avertissement de mon médecin pour me décider à te contacter, à reconnaître que j'avais eu tort. Cela n'a pas été facile, pour moi…

Judd était sans voix. Tout ce que son père venait de lui raconter se tenait. Instinctivement, même si cela lui coûtait de l'admettre, il savait que sa mère était capable de raconter un mensonge de cette ampleur. Mais pourquoi l'avoir fait durer si longtemps ? Pourquoi avoir détruit son mariage ? N'avait-elle jamais songé à ce que Judd ressentirait en étant abandonné par son père, à ce que Nicole vivrait en grandissant sans mère ?

— Judd…

Charles lui tendit la main. Judd la prit dans la sienne.

— Je veux que tu saches que je suis sincèrement désolé, mon fils. Je regrette tellement tout ce que je t'ai fait endurer… J'ai été stupide, inflexible et trop orgueilleux. Je ne pourrai jamais rattraper ce que j'ai gâché, mais maintenant que tu connais toute la vérité, j'espère que tu auras à cœur de me pardonner, et que nous pourrons repartir sur de nouvelles bases…

Contre toute attente, Judd sentit des larmes lui monter aux yeux. Tout ce dont il avait toujours rêvé venait de se produire : son père voulait se racheter et se réconcilier avec lui. Charles estimait avoir gâché ces vingt-cinq dernières années, mais qu'en était-il de Judd ? L'amertume que lui avait inspirée son père avait été aussi destructrice que la colère de Charles envers Cynthia et Thomas Jackson.

— Est-ce pour cela que tu m'as donné la maison et une participation majoritaire dans l'entreprise ? Pour te racheter ? Tu croyais vraiment que cela suffirait ?

Charles hocha la tête.

— Je l'espérais… Je savais que tu étais déjà à la tête du domaine des Masters, il fallait que je t'offre quelque chose pour te faire revenir ici, où est ta place. Je pensais qu'une fois que tu serais là, nous pourrions de nouveau apprendre à être père et fils.

Judd avait failli tout gâcher, il avait failli détruire tout ce pour quoi son père avait travaillé si dur.

— Je te remercie de m'avoir dit tout ça. Cela fait beaucoup après tout ce temps… Je t'en ai voulu presque toute ma vie.

— Je comprends. M'en veux-tu encore ?

— Oui, mais j'ai surtout des regrets. Je voudrais que les choses soient différentes.

— Elles peuvent l'être. Nous pouvons faire en sorte qu'elles le soient.

— Oui, répondit Judd en pressant la main de son père avec tendresse. Oui, papa, c'est possible…

Quand Judd la rejoignit, Anna s'était à peu près remise de ses émotions, du moins en apparence. Il était resté au chevet de son père un peu plus longtemps qu'elle ne s'y était attendue.

— Comment l'as-tu trouvé ? lui demanda-t-elle tandis qu'ils se dirigeaient vers la voiture.

— Il est coriace, je suis sûr qu'il va s'en tirer.

— L'infirmière t'a-t-elle dit quand il pourrait sortir ? En supposant qu'il ait un endroit où aller, bien sûr…

Bon sang ! Elle aurait probablement pu s'y prendre un peu mieux, mais c'était trop tard, maintenant… Ses mots restèrent suspendus dans l'air entre eux, comme un défi invisible.

— Qu'est-ce qui te fait croire que ce ne sera pas le cas ?

Elle le regarda fixement, incrédule.

— Tu plaisantes, n'est-ce pas ? Cynthia et Charles sous le même toit ? Elle ne voudra jamais !

— Ce qu'elle veut ou ne veut pas n'a pas d'importance, dit-il d'un ton ferme alors qu'ils arrivaient à la voiture.

— Elle semble penser le contraire.

— Eh bien, on pense beaucoup de choses, et ce n'est pas pour cela que ces choses sont vraies.

Le caractère énigmatique de ses propos la poussa à insister :

— Essaies-tu de me dire que Cynthia m'a menti, vendredi soir ? Que tu n'as jamais eu l'intention de mettre Charles à la porte pour installer ta mère dans cette maison qu'elle considère comme la sienne ?

— Je n'essaie pas de dire quoi que ce soit. Charles aura un endroit où aller quand il sortira de l'hôpital, et c'est tout ce qui importe pour l'instant.

Elle se tut, contrariée par ses réponses évasives. Ils approchaient du bureau lorsqu'elle reprit la parole :

— Je vais chercher un autre travail. Je ne peux plus travailler avec toi, maintenant que je sais ce dont tu es capable.

— C'est ta décision, mais crois-tu vraiment que le moment soit bien choisi pour démissionner ? Sans Charles et sans Nicole, beaucoup de choses reposent sur toi…

— Ce n'est pas juste, tu ne peux pas t'attendre à ce que je continue à travailler avec toi maintenant que nous…

— Maintenant que nous quoi, Anna ?

— Rien. J'attendrai que Charles aille mieux pour démissionner. C'est tout ce que je peux te promettre pour l'instant.

L'idée de quitter Wilson Wines, le seul emploi qu'elle ait jamais eu, la terrifiait. Pourtant, elle ne pouvait pas continuer ainsi… Elle ne pouvait pas continuer à travailler pour Judd, à le voir tous les jours, à le désirer à chaque instant.

# - 14 -

Judd avait la tête qui tournait. La dernière chose dont il avait besoin était qu'Anna démissionne. Au contraire, il avait besoin qu'elle revienne vivre sous le même toit que lui, mais il savait qu'il aurait beaucoup à faire avant qu'elle ne l'envisage.

Cependant, il avait autre chose en tête, pour l'instant. Tout ce qu'il avait cru en grandissant était remis en cause… Jamais il n'aurait pu imaginer que la version de son père puisse différer à ce point de celle que sa mère lui avait toujours racontée. Il était maintenant en proie à des doutes affreux, car les propos de Charles sonnaient juste.

Il ne parvenait pas à se concentrer sur son travail. Il passa voir Anna dans son bureau et lui annonça qu'il rentrait à la maison.

— Appelle-moi si tu as besoin de moi.

— Ce ne sera pas le cas, répondit-elle sans ménagement.

Il se contenta de lui adresser un sourire narquois, alors qu'il avait envie de se pencher par-dessus son bureau et de l'embrasser avec fougue. Pourtant, cela devrait attendre… Pour l'instant, il avait des problèmes urgents à régler.

Un quart d'heure plus tard, il s'engageait dans l'allée et regardait l'imposante demeure en pierre. Ce n'était qu'une maison… Elle était tellement convoitée ! Et à quel prix ?

Tandis qu'il se garait près de la porte d'entrée, il aperçut une camionnette et fronça les sourcils en voyant ce qui était écrit sur la portière.

Un décorateur ? Il secoua la tête, incrédule, descendit de voiture et entra. La voix de sa mère lui parvint depuis le salon, ainsi que celle d'une autre femme. Quand il ouvrit la porte, les deux femmes le regardèrent.

— Judd, tu rentres de bonne heure ! s'écria sa mère, rayonnante. Quelle excellente surprise ! Tu vas pouvoir me dire ce que tu penses de ça…

Devant elle étaient étalés plusieurs nuanciers. Elle prit quelques échantillons et les lui tendit.

— Ces couleurs-là seront parfaites ici, tu ne crois pas ?

— Non, je ne crois pas, répondit-il d'un air sombre avant de se tourner vers la décoratrice. Je suis désolé, mais ma mère vous a fait perdre votre temps. Nous n'avons pas besoin de vos services pour l'instant. Je vais vous raccompagner.

La femme semblait interloquée, mais elle rassembla néanmoins ses affaires rapidement, tout en leur jetant des coups d'œil inquiets. Cynthia resta silencieuse, avec un air de défi, ses sourcils noirs froncés. Elle ne se mettrait jamais en colère devant une étrangère, mais elle bouillait intérieurement, il en était sûr. S'il y avait bien une chose qu'elle détestait, c'était d'être contrecarrée dans ses projets.

Peu lui importait qu'elle soit en colère ! Ce n'était rien comparé à l'état dans lequel il était, lui. Quand il revint dans le salon après avoir reconduit la décoratrice à la porte, il était passablement tendu.

— Comment as-tu pu me faire ça, et devant une parfaite étrangère, en plus ? s'écria sa mère dès qu'il eut refermé la porte derrière lui.

— Tu vas trop vite en besogne, répondit-il calmement.

Etrangement, face à sa fureur, il sentait sa propre colère s'apaiser.

— Pour l'instant, cette maison est encore à moi.

— Ne t'avise pas de me dire que tu as changé d'avis après tout ce temps ! Cette maison me revient de droit. Je suis sûre que c'est cette arriviste d'Anna Garrick qui t'a mis ces idées en tête… C'est le genre de fille qui te fera perdre la raison avec des faveurs sexuelles et qui te mènera par le bout du nez toute ta vie.

— Est-ce que c'est ce que tu as essayé de faire avec Charles ? demanda-t-il d'un ton narquois.

A peine eut-il prononcé ces mots que sa mère lui donna une gifle retentissante. De sa vie, elle n'avait jamais levé la main sur lui. Il toucha sa joue brûlante et plongea les yeux dans les siens.

— Maintenant que tu t'es défoulée, tu pourrais peut-être répondre à ma question ?

— Comment oses-tu ?

— Non, maman… toi, comment as-tu osé me

mentir pendant toutes ces années ? Quel genre de mère ment au sujet de l'identité du père de son fils et prive délibérément un enfant de son père ?

— Tout ce que j'ai fait, je l'ai fait pour toi, Judd… Je t'aime.

— Es-tu vraiment capable d'aimer quelqu'un d'autre que toi, d'aimer autre chose que cette maison ?

— Tu ne comprends pas…

— Je crois que si, au contraire ! Je comprends que tu étais jeune et stupide quand tu as rencontré Charles et que tu as vu en lui une chance de voir renaître la gloire passée des Masters, ce dont tu rêvais depuis toujours.

Il secoua la tête, dépité.

— Pourquoi lui as-tu menti, maman ? Pourquoi l'as-tu laissé nous chasser ? Voulais-tu à ce point le faire souffrir ?

— Nous nous sommes éloignés l'un de l'autre peu à peu… Après la naissance de Nicole, ton père s'est complètement désintéressé de moi en tant que femme. Il a commencé par dire qu'il devait travailler tard, puis les fausses excuses se sont succédé, jusqu'à ce que nous ne dormions même plus dans la même chambre.

Judd connaissait sa mère mieux que quiconque, et il savait que cela avait dû être profondément blessant pour elle de perdre l'attention de Charles. Pour une femme qui semblait si forte, elle accordait une grande importance au regard des autres et était en fait plutôt fragile.

— Pourquoi lui avoir menti au sujet de Thomas Jackson ?

— Tu es au courant ?

— J'ai entendu la version de Charles, maintenant je veux entendre la tienne. La vérité, cette fois…

Sa mère se mit à arpenter la pièce, s'arrêtant de temps en temps pour tripoter machinalement un bibelot.

— Tu n'imagines pas ce que c'était… Charles avait si fière allure lorsqu'il est venu nous rendre visite à la propriété, la première fois ! Et il était fou de moi, c'était évident. La différence d'âge ne m'inquiétait pas, il était tellement charismatique, tellement énergique… Il m'a promis monts et merveilles ! Il me donnait l'impression d'être au centre du monde. Puis il a commencé à devenir distant… Je ne savais ni quoi faire ni vers qui me tourner. Je n'avais pas de famille ici. Il était tout pour moi, et soudain, il ne voulait plus de moi ! J'ai voulu le rendre jaloux, le forcer à me désirer de nouveau. Alors je me suis tournée vers quelqu'un d'autre, pour lui montrer que si je ne l'intéressais plus, lui, un autre homme voudrait de moi.

— Mais son meilleur ami… ? A quoi pensais-tu ?

— Je ne pensais pas, c'est évident. Thomas voyait bien que Charles et moi nous éloignions de plus en plus l'un de l'autre. Il nous aimait tous les deux et voulait faire quelque chose pour nous aider à traverser cette mauvaise passe. A ma grande honte, j'ai profité de son amitié et je m'en suis servie contre lui. A ce stade, je voulais seulement blesser

Charles, à n'importe quel prix. Je ne me rendais pas compte que j'allais faire souffrir tout le monde autour de moi… Quand Charles m'a menacée de me renvoyer seule en Australie, j'ai été prise de panique. Je ne pouvais pas vous perdre tous les deux, Nicole et toi, en même temps que je perdrais ma maison et mon mari… Je lui ai menti, je lui ai dit que Thomas et moi étions amants, et que tu étais le fils de Thomas.

Elle poussa un profond soupir et se laissa tomber dans un fauteuil. Il suffisait d'un coup d'œil pour voir que dire la vérité lui avait beaucoup coûté, après avoir vécu dans le mensonge pendant toutes ces années. Judd choisit ses mots avec soin :

— Ils ne se sont plus jamais parlé, tu sais ? Charles a toujours refusé de revoir Thomas, malgré ses tentatives de réconciliation répétées. Tu as détruit leur amitié aussi définitivement que si tu avais réellement couché avec Thomas Jackson. Ce n'est qu'à sa mort, il y a un peu plus d'un an, que Charles a commencé à se demander s'il ne lui avait pas dit la vérité depuis le début.

Sa mère hocha la tête et essuya une larme qui avait coulé sur sa joue. Judd ne se laissa pas attendrir par cette démonstration d'émotion inattendue. Il n'était même pas sûr qu'elle soit authentique, jusqu'à ce qu'elle lève les yeux vers lui. Pour la première fois, elle paraissait son âge.

— J'ai été tellement bête… J'étais tellement en colère, tellement amère, que cela me paraissait plus facile de mentir que de dire la vérité. Hélas, dès que

Charles a cru que tu n'étais pas son fils, il a voulu que nous partions. Je l'ai blessé volontairement, mais j'ai été prise à mon propre piège.

— Tu aurais pu lui dire la vérité à tout moment !

— Non, je ne pouvais pas… Je voulais qu'il souffre, qu'il comprenne ce que c'était que d'être rejeté.

— Il ne t'a jamais rejetée, maman.

— Vraiment ?

Elle secoua la tête.

— Il n'avait plus de désir pour moi.

Elle leva le menton d'un air de défi, blessée dans sa fierté.

— Charles est diabétique, expliqua-t-il. A l'époque, sa maladie n'avait pas encore été diagnostiquée. Il n'a su que des années après que c'était à cause du diabète qu'il était impuissant, et il était trop fier pour demander de l'aide.

Abasourdie, sa mère retint son souffle.

— Tu veux dire que le problème ne venait pas de moi ?

Sa voix se brisa, et des larmes coulèrent sur ses joues. Malgré l'égocentrisme évident de sa mère, Judd sentit sa colère se dissiper complètement. Il commençait à comprendre que son besoin de vengeance l'avait rendue dure, voire cruelle. Elle n'avait pas été la seule responsable de ce qui s'était passé : son père aussi avait sa part de responsabilité. Cependant, maintenant, ils pouvaient peut-être enfin soigner leurs anciennes blessures. La tâche promettait d'être monumentale…

Il était temps que les choses changent, pour eux tous. Il s'approcha de sa mère et la prit dans ses bras.

Ils discutèrent pendant des heures. Enfin, quand Cynthia fut trop épuisée pour continuer à parler, il l'accompagna jusqu'à sa chambre et lui apporta un repas léger sur un plateau, puis il regagna sa chambre pour se changer. Sa mère avait accepté de repartir pour Adélaïde le lendemain matin. Elle reviendrait, mais seulement quand les choses se seraient un peu tassées et que Charles irait mieux. Qui sait ? Peut-être que ses parents parviendraient alors à faire la paix.

La journée avait vraiment été éprouvante. Il était épuisé… Toutes ces révélations lui avaient appris quelque chose d'important : la vie était trop courte pour renoncer à ceux que l'on aimait. Il ne voulait pas passer le restant de ses jours à regretter d'avoir laissé sa relation avec Anna se détériorer. Il prit son téléphone portable et composa son numéro. Elle ne décrocha pas.

Il descendit, sortit et se dirigea vers sa voiture. Il l'appellerait encore et encore, jusqu'à ce qu'elle décroche. Il savait qu'elle n'éteindrait pas son téléphone, au cas où elle recevrait un appel de l'hôpital. Elle finit par décrocher alors qu'il appelait pour la neuvième fois.

— Quoi ?

— Où es-tu ? demanda-t-il. Il faut qu'on parle.

— Nous n'avons plus rien à nous dire.

— Si, Anna, au contraire, nous avons plein de choses à nous dire. Je n'abandonnerai pas, tu sais… Je t'appellerai jusqu'à ce que tu cèdes.

— Ecoute, je suis fatiguée… Cela ne peut pas attendre demain, au bureau ?

— Il faut que je te voie maintenant. S'il te plaît… C'est important.

Elle soupira, puis répondit :

— Très bien, d'accord.

Elle lui dicta une adresse qu'il entra dans le GPS de la voiture.

— Je serai là dans une demi-heure.

— Ne te presse pas pour moi, répondit-elle avant de raccrocher.

Quand il arriva devant le motel, un sentiment d'impatience l'envahit. Il se gara à côté de la Lexus d'Anna et, dès qu'il descendit de voiture, elle ouvrit la porte de sa chambre.

— Pourquoi es-tu venue ici ? demanda-t-il en s'approchant d'elle.

— C'est propre, ce n'est pas cher, et c'est près de l'autoroute. C'est tout ce que tu voulais savoir ?

Elle resta dans l'embrasure de la porte. Elle ne semblait pas pressée de l'inviter à entrer.

— Non, répondit-il, ce n'est pas tout.

— Dans ce cas, dis ce que tu as à dire et va-t'en.

Anna agrippait si fort le chambranle de la porte que ses doigts lui faisaient mal, mais elle devait se cramponner à quelque chose, n'importe quoi…

Sinon, elle risquait de tendre les bras vers Judd, de le toucher, et elle serait perdue. Il avait beau l'avoir profondément blessée, elle ne pouvait faire taire le désir qu'il éveillait en elle.

— Je ne vais pas te dire ce que j'ai à te dire dans la cour d'un motel miteux, Anna. Laisse-moi entrer.

Il parlait calmement, mais son ton était déterminé.

— Si cela peut te faire partir plus vite, je t'en prie, entre, répondit-elle d'un air fanfaron.

Elle ouvrit la porte en grand et s'écarta pour le laisser passer, retenant son souffle. Il entra.

— Je peux m'asseoir ? demanda-t-il.

Elle lui indiqua le canapé avachi d'un geste vague et s'assit sur une chaise, le plus loin possible de lui.

— Alors ? l'encouragea-t-elle, dans l'espoir d'en finir le plus vite possible.

— J'avais une arrière-pensée en venant en Nouvelle-Zélande. Pendant des années, mon père nous avait rejetés, ma mère et moi, et pendant des années j'avais rêvé de ce que je ferais si j'avais un jour l'occasion de me venger de tout le chagrin qu'il nous avait causé en nous chassant.

Il s'interrompit, se frotta la mâchoire, et reprit :

— J'aurais dû savoir en vieillissant que rien n'est aussi simple qu'il n'y paraît.

— Effectivement…

Elle se demandait où il voulait en venir. Elle savait qu'il était venu en Nouvelle-Zélande avec le projet de chasser son père de chez lui et d'y installer sa mère. Celle-ci avait révélé à Anna l'homme que

Judd était vraiment. Elle la remercierait un jour, pour cela au moins.

— Non, reprit Judd, rien n'est jamais aussi simple qu'il n'y paraît. Au départ, mon plan était double : premièrement, je voulais rendre à ma mère la maison qu'elle méritait, et deuxièmement, je prévoyais de démanteler Wilson Wines en revendant mes parts à la concurrence.

— Tu n'es pas sérieux ! s'écria-t-elle. Cela va briser le cœur de Charles… Comment peux-tu seulement envisager une chose pareille ? Comment peux-tu être aussi calculateur ?

— Calculateur ? As-tu la moindre idée de ce que c'est de grandir en sachant que ton père te déteste tellement qu'il t'a chassé pour toujours ? J'avais six ans, quand c'est arrivé !

Elle eut un mouvement de recul quand il se leva brusquement et se mit à arpenter la petite pièce. Dès qu'il vit son expression, il se rassit.

— Détends-toi, Anna. J'ai déjà remis en question ce que j'avais prévu de faire. En dehors du fait que j'en ai assez de mon travail à Adélaïde depuis quelque temps, travailler chez Wilson Wines m'a beaucoup plu. Cela m'a donné un aperçu de la façon dont Charles a dirigé l'entreprise pendant toutes ces années, et j'ai appris à le respecter pour ça. Ecoute, je ne prétends pas faire passer mes projets pour honorables, mais j'ai été confronté à certaines vérités au sujet de mes parents qui ont tout bouleversé.

— Je ne vois pas ce que cela a à voir avec moi.

Pourquoi me racontes-tu tout ça ? demanda-t-elle, les mains crispées sur ses genoux.

— Parce que tu faisais partie de mon plan de vengeance.

# - 15 -

Anna était épouvantée. Cynthia lui avait déjà dit cela, mais entendre ces mots de la bouche de Judd, cette bouche qu'elle avait embrassée avec tant de fougue, lui serrait le cœur. Elle se leva d'un bond.

— J'en ai assez entendu. Je voudrais que tu partes.

Judd se leva à son tour et lui posa une main sur le bras avec douceur, l'encourageant à se rasseoir.

— Non, tu n'en as pas assez entendu, et je ne partirai pas avant de t'avoir tout dit.

— Je ne veux pas en entendre davantage, Judd. Tu m'as tellement blessée que cela me coûte de te voir au travail tous les jours. Je ne peux pas continuer à endurer ça… Je ne mérite pas ça !

— Non, c'est vrai, et c'est pour cette raison que je vais me racheter. Ecoute… Quand je t'ai rencontrée, j'ai tout de suite éprouvé de l'attirance pour toi. Une attirance que je crois réciproque, à en juger par ce qui s'est passé entre nous le premier soir de ton séjour en Australie. Mais le lendemain matin, quand ma mère m'a dit qu'elle avait découvert qui tu étais vraiment, j'ai décidé de me servir de cette attirance contre toi. Tu comprends, je n'avais aucune raison de croire que tu n'étais pas la marionnette de Charles. Tu lui étais tellement dévouée… Je me suis demandé quelle était la nature de vos relations et j'ai pensé, à tort, que vous étiez amants. J'ai alors décidé de t'arracher à lui, dans le cadre de ma vengeance… pour lui montrer qu'il ne méritait pas d'être aimé comme je croyais que tu l'aimais.

Elle ne put réprimer un petit gémissement plaintif. Elle savait que Judd avait cru que Charles et elle étaient amants, mais l'entendre le formuler ainsi lui fit l'effet d'un coup de poing dans le ventre. Elle croisa les bras sur sa poitrine et arrondit le dos, comme pour se protéger de ses paroles.

— Anna, je suis sincèrement désolé de t'avoir traitée comme je l'ai fait, et j'espère que tu pourras me pardonner. Mon désir de vengeance reposait sur une vie aussi bien orchestrée que mon plan… Charles n'est pas un ange, mais il ne méritait pas ce que j'avais l'intention de lui faire.

Il y eut un long silence gêné, ponctué seulement par le vrombissement du vieux réfrigérateur et le tic-tac de l'horloge. Enfin, elle trouva le courage de lui poser la question qui lui brûlait les lèvres :

— Qu'est-ce qui t'a fait changer d'avis ?

— Toi.

Il plongea les yeux dans les siens, et il lui sembla qu'il voyait jusqu'au fond de son cœur. La gorge serrée, elle s'éclaircit la voix.

— Tu me pardonneras si j'ai du mal à te croire, déclara-t-elle.

Il eut un rire sans joie.

— Je te comprends, mais c'est pourtant vrai. De tous ceux qui m'entourent, tu es la seule personne qui soit vraiment bonne. Toi seule es restée fidèle aux personnes que tu aimes. J'ai appris aujourd'hui que ce que j'ai toujours considéré comme étant la vérité n'était en fait qu'un tissu de mensonges, inventés de toutes pièces par le besoin d'attention d'une personne et l'orgueil d'une autre.

— Comment ça ? demanda-t-elle, déconcertée.

Judd eut une expression douloureuse.

— Ma mère m'a menti presque toute ma vie. Lui arracher la vérité aujourd'hui a été l'une des choses les plus difficiles que j'aie eu à faire.

— Comment as-tu su qu'elle t'avait menti ?

— Charles m'a raconté aujourd'hui sa version des faits, à l'hôpital, dans les grandes lignes seulement, étant donné son état et le peu de temps que nous avions, mais cela m'a suffi pour ne plus le considérer comme le seul coupable, dans toute cette histoire. Maintenant, je le vois tel qu'il est, avec ses qualités et ses défauts. Je savais qu'il avait accusé ma mère de l'avoir trompé… Elle me l'avait dit, quand j'avais une quinzaine d'années. Ce qu'elle ne m'avait jamais dit, en revanche, c'est qu'elle le lui avait volontairement fait croire, avant de lui dire que je n'étais pas son fils.

Il secoua la tête.

— Et dire que j'étais prêt à l'anéantir sans savoir ça ! Je n'arrive pas à croire tout ce que j'ai failli gâcher. Tout ce que j'ai toujours rêvé d'avoir dans ma vie est à portée de main, si seulement j'ai le courage de me battre pour le garder… Apprendre la vérité m'a ouvert les yeux.

— Ce que tu t'apprêtais à faire était ignoble. Ce que tu m'as bel et bien fait était ignoble.

— Je sais, et je le regrette plus que tu ne peux l'imaginer. Apparemment, la trahison, c'est de famille… Ma mère a menti à Charles pour se venger de ce qu'elle prenait pour de l'indifférence, mais elle ignorait que son apparente froideur cachait en fait un problème plus grave.

Anna comprit tout de suite l'allusion.

— Son diabète ! Ma mère m'a dit qu'il devait être diabétique depuis des années quand on l'a enfin diagnostiqué.

— Oui, et il était trop fier et trop embarrassé pour demander de l'aide. Il avait tellement peur de perdre sa belle et jeune épouse qu'il s'est réfugié dans le travail pour au moins lui offrir le style de vie qu'il lui avait promis. J'ai appris des choses horribles sur ma famille aujourd'hui, Anna, la vérité sur moi-même, et j'en suis profondément honteux. Je voudrais me racheter, si tu me le permettais… Tout le monde a droit à une deuxième chance, n'est-ce pas ? La chance d'arranger les choses…

— Je ne sais pas si je peux, Judd. Toute ma vie, j'ai vu ma mère passer au second plan, être appréciée mais jamais aimée comme elle le désirait. Elle méritait mieux que ça, beaucoup mieux… et moi aussi. J'ai toujours voulu rencontrer quelqu'un qui m'aimerait plus que tout au monde et ferait passer notre relation avant tout. Quand j'ai compris ce que tu pensais de moi, pourquoi tu avais couché avec moi, je me suis sentie minable. Tu as fait passer ta vengeance avant tout… Je ne suis pas sûre de pouvoir te le pardonner.

Il s'approcha d'elle et prit ses mains dans les siennes.

— Je t'aime, Anna. Je n'aurais jamais cru être capable de faire confiance à quelqu'un comme je te fais confiance à toi. Ce que ma mère m'avait raconté a toujours empoisonné ma vision de l'amour, je n'ai jamais voulu me laisser aller à ce que je croyais être une faiblesse. S'autoriser à être vulnérable, donner à quelqu'un le moyen de nous briser le cœur, change le cours des choses… Mais je veux être vulnérable face à toi, j'ai confiance en toi, je te connais. Tu es fidèle, affectueuse, tout ce que l'on ne m'a jamais appris à être. Je ferais n'importe quoi pour toi, et je te promets de toujours te faire passer avant tout le reste, à partir de maintenant. Je t'en prie, laisse-moi te montrer à quel point je t'aime…

Elle leva les yeux et soutint son regard implorant. Son cœur lui disait d'accepter, mais sa raison lui dictait la plus grande prudence. Elle avait tant souffert au cours de ces dernières semaines… Certes, elle avait aussi vécu les plus beaux moments de sa vie, mais ils s'étaient accompagnés des pires moments, et elle ne voulait jamais plus avoir à revivre cela.

Elle prit une profonde inspiration.

— Alors, si je te demandais de me prouver ton

amour en t'en allant maintenant, en ne cherchant plus jamais à me parler ou à me voir, tu le ferais ?

Une ombre passa dans les yeux de Judd, et il parut soudain profondément triste. Il la lâcha et fit un pas en arrière.

— Oui, répondit-il enfin, je le ferais.

Ses mains tremblaient, et elle était stupéfaite de voir à quel point il était bouleversé. L'imperturbable Judd Wilson, vulnérable devant elle…

Avant qu'il n'ait atteint la porte, elle se leva et s'élança vers lui.

— Judd ! Attends !

Elle l'entoura de ses bras.

— Ne pars pas, je t'en prie, ne pars pas… Je t'aime, Judd. Ne me quitte plus jamais, d'accord ?

Il se retourna et la serra contre lui. Elle leva les yeux et vit que des larmes coulaient sur ses joues. D'une main tremblante, elle les essuya.

— Oh ! Judd…

Elle l'embrassa avec une tendresse infinie, pour lui montrer à quel point elle l'aimait.

— Seigneur…, murmura-t-il en détachant ses lèvres des siennes. Ne me fais plus jamais ça, je ne pourrai pas y survivre.

Soudain, elle comprit combien cela lui avait coûté de lui obéir et de s'en aller. Il n'avait pas appris à aimer et à faire confiance, et pourtant, il lui avait offert son cœur, avait mis son âme à nu devant elle. Il ferait passer son bonheur à elle avant tout ; elle le savait, désormais.

— Je ne le ferai plus, je ne te chasserai plus jamais et je ne te quitterai plus jamais, c'est promis.

Elle l'embrassa de nouveau, puis le prit par la main et l'entraîna dans sa chambre pour lui prouver son amour.

Il resta immobile devant elle tandis qu'elle se déshabillait, mais ses yeux suivaient tous ses mouvements. Une fois nue, elle lui retira son pull et déboutonna son jean. Frissonnante, elle admira cet homme sublime qui avait remis son cœur entre ses mains.

Elle noua ses bras autour de sa taille, laissa sa chaleur l'imprégner… Elle déposa des baisers sur son torse, puis l'attira vers le lit et le poussa dessus doucement, avec un sourire empli de promesses. Les pupilles de Judd se dilatèrent, consumant le bleu de ses yeux, alors qu'elle s'asseyait à califourchon sur lui et effleurait du bout des doigts sa peau brûlante.

— Je t'aime, Judd Wilson, murmura-t-elle tout en suivant de ses lèvres le chemin tracé par ses doigts, ponctuant chaque mot d'un baiser.

— Je t'aime aussi, Anna Garrick. Je veux t'épouser… Veux-tu être ma femme ?

— Judd, tu n'es pas obligé de m'épouser… Je n'ai pas besoin d'une union formelle pour savoir que tu m'aimes.

Il l'enlaça et roula sur le côté, l'entraînant avec lui et s'allongeant au-dessus d'elle, puis il lui prit le visage au creux des mains.

— Je suis sérieux… Je veux passer le restant

de mes jours avec toi, Anna, te faire des enfants et les élever avec toi pour qu'ils deviennent des gens merveilleux, qui sauront que leurs parents seront toujours là pour eux.

— Tu es sûr de toi, Judd ? Nous pouvons faire toutes ces choses sans être mariés.

— Je sais, mais j'ai envie de t'épouser. Je veux que le monde entier soit témoin de mon amour pour toi, que tout le monde sache que je serai tien éternellement et que tu es mienne.

Allongée en dessous de lui, sentant la chaleur qui émanait de son corps, sa force, la passion qui l'animait, elle sut que c'était aussi ce qu'elle voulait. Elle lui posa une main sur la joue, dessina le contour de ses lèvres du bout du doigt…

— Oui, dit-elle d'une voix tremblante. Oui, je serai fière d'être ta femme.

— Merci…

Il appuya son front sur le sien et ferma les yeux. Elle sentit qu'il se détendait un peu.

— Je veillerai à ce que tu ne le regrettes jamais.

— Je te prends au mot, dit-elle avec un sourire.

Ils laissèrent alors leur amour s'exprimer dans toute sa sensualité. Elle écarta les cuisses pour lui permettre de la pénétrer, le sentit glisser en elle… Il se redressa légèrement, s'appuyant sur les coudes, et plongea les yeux dans les siens. Ils commencèrent à bouger ensemble, d'abord lentement, puis plus vite…

Comme chaque fois qu'elle faisait l'amour avec lui, le plaisir monta rapidement en elle, mais cette fois, c'était différent. Ils étaient tellement plus proches, leurs corps, leurs esprits et leurs cœurs étaient en osmose. Soudain, elle fut secouée de spasmes, sous l'effet d'un orgasme d'une intensité inouïe. Elle sentit les muscles de Judd se contracter… Avec un cri rauque, il jouit avec elle. Faire l'amour n'avait jamais été aussi bon, aussi merveilleux. Une larme de joie coula sur sa joue tant elle était bouleversée. Judd était son homme, son amour, son avenir, et elle était sienne.

YVONNE LINDSAY

# L'étreinte d'un rival

*Titre original :* A FORBIDDEN AFFAIR

*Traduction française de* MARION BOCLET



83-85, boulevard Vincent-Auriol, 75646 PARIS CEDEX 13.

Service Lectrices — Tél. : 01 45 82 47 47
www.harlequin.fr

# - 1 -

D’une main tremblante, Nicole essaya d’introduire la clé dans le contact, mais, une fois encore, elle la fit tomber. Elle la ramassa en soupirant et renonça à conduire.

Elle descendit de voiture, claqua la portière avec force et prit son téléphone portable dans son sac. Heureusement qu’elle avait pensé à le prendre sur la console de l’entrée quand elle avait fait sa sortie théâtrale lors du dîner de famille du siècle.

Ses talons hauts claquaient tandis qu’elle se dirigeait vers l’artère principale tout en appelant un taxi. Elle attendit la voiture dans le froid, se félicitant de n’avoir pas eu le temps, en définitive, de troquer son tailleur fonctionnel contre une robe de soirée. Son père leur avait demandé à tous de s’habiller pour le dîner, en prévision d’une annonce importante qu’il souhaitait leur faire, mais elle n’avait pas eu le temps de se changer avant de passer à table. A choisir, il préférait sans doute qu’elle consacre toute son énergie et son temps à Wilson Wines. Lui-même s’était beaucoup investi dans son entreprise, et elle avait toujours eu l’intention de marcher dans ses pas.

*Jusqu'à ce soir…* De nouveau, elle sentit la colère monter en elle. Comment osait-il la rabaisser de cette façon, et devant un quasi-étranger, en plus ? Peu importait que cet étranger soit son frère, Judd, si longtemps perdu de vue. Vingt-cinq ans après le divorce de leurs parents, qui avait déchiré la famille, quel droit Judd avait-il de revenir et de revendiquer des responsabilités qui lui revenaient, à elle, de plein droit ? Elle réprima les mots qui lui brûlaient les lèvres. Elle ne pouvait pas se permettre de craquer maintenant, d'autant qu'elle venait de découvrir qu'elle ne pouvait plus compter que sur elle-même.

Même son amie et confidente de toujours, Anna, qui était aussi sa collègue, l'avait en quelque sorte trahie. Elle était allée chercher Judd à Adélaïde. Bien sûr, Anna avait tenté de lui expliquer qu'elle n'avait fait qu'obéir aux ordres de Charles, mais Nicole savait qu'Anna avait choisi son camp, et qu'elle n'était plus dans le sien. Sinon, elle ne lui aurait pas caché ce que Charles avait en tête pour inciter Judd à revenir…

Nicole sentit son cœur se serrer dans sa poitrine. Elle avait peine à croire que sa meilleure amie, celle qu'elle aimait comme une sœur, l'ait trahie. Comment Anna avait-elle pu savoir ce qui allait se passer et ne pas la prévenir ?

Dans son sac, son téléphone portable sonna. Pensant qu'il devait s'agir de la compagnie de taxis, elle décrocha.

— Nicole, où es-tu ? Ça va ?

C'était Anna. Evidemment ! Ce n'était pas son père qui l'aurait appelée pour savoir comment elle allait.

— Ça va, répondit Nicole d'un ton sec.

— Ça ne va pas, tu es bouleversée ! Je l'entends à ta voix. Ecoute, je suis désolée pour ce soir…

— Seulement pour ce soir ? Et pour ton voyage en Australie ? Tu n'es pas désolée d'avoir fait venir mon frère ici après vingt-cinq ans d'absence pour qu'il me dépossède de tout ce qui me revient de droit ?

A l'autre bout du fil, elle entendait Anna retenir son souffle. Mais qu'importe, elle se devait de lui dire ce qu'elle avait sur le cœur.

— Je croyais que nous étions amies, sœurs de cœur, tu te souviens ?

— Je ne pouvais pas te dire ce que Charles projetait de faire, Nicole. Crois-moi, je t'en prie… Ton père m'avait fait jurer de garder le secret, et je lui dois tant ! Sans son soutien, à ma mère et à moi… Tu sais ce qu'il a fait pour nous.

Nicole cilla pour refouler les larmes qui lui piquaient les yeux.

— Sans son soutien ? Et *ton* soutien envers moi ?

— Il t'est acquis, Nicole, tu le sais bien…

— Vraiment ? Alors pourquoi ne m'as-tu pas prévenue ? Pourquoi ne m'as-tu pas dit que mon père prévoyait de s'acheter les bonnes grâces de Judd en lui donnant la maison et une participation majoritaire dans l'entreprise ?

Le choc provoqué par l'annonce de son père avait

été terrible, d'autant que celui-ci avait mis un point d'honneur à justifier sa décision. *Attends encore un peu,* lui avait-il dit, *et tu rencontreras un jeune homme qui te fera tourner la tête. Tu te marieras et tu fonderas une famille, et Wilson Wines ne sera plus qu'un passe-temps pour toi.* Des années de dur labeur, de dévouement et d'engagement envers l'entreprise, balayées comme une simple passade, une toquade éphémère… Cette seule pensée la mettait dans une colère noire.

— Papa a été très clair quant à ma place, et en t'alignant sur lui, tu as été très claire toi aussi.

Nerveuse, Nicole se mit à faire les cent pas sur le trottoir. D'habitude, la voix d'Anna avait sur elle un effet apaisant, mais pas ce soir.

— Il m'a mise dans une situation impossible, Nicole ! Je l'ai supplié de t'en parler, de me laisser au moins te dire que Judd revenait…

— Manifestement, tu ne l'as pas supplié assez, et de toute façon, tu aurais *quand même* pu me le dire. Tu aurais pu me prévenir, cela n'aurait pas été difficile. Tu *savais* ce que cela signifierait pour moi, à quel point je serais blessée, et tu n'as rien fait !

— Je suis désolée, Nicole… Si je pouvais revenir en arrière, je ferais les choses différemment, tu le sais.

— Je ne sais plus rien du tout, Anna. C'est bien là le problème. Tout ce pour quoi j'ai travaillé, tout ce pour quoi j'ai vécu, est entre les mains d'un homme que je ne connais même pas. Je ne sais même pas si j'ai encore un toit sur la tête, maintenant que papa a cédé la maison à Judd. Comment te sentirais-tu, *toi*, à ma place ? T'es-tu posé la question ?

Un faisceau de lumière balaya la route, annonçant le taxi qu'elle avait appelé. Enfin… Elle était si énervée qu'elle était à deux doigts de retourner voir son père pour lui dire ses quatre vérités.

— Ecoute, reprit-elle, il faut que j'y aille. J'ai besoin de prendre un peu le large pour réfléchir.

— Reviens, Nicole… Discutons-en de vive voix.

— Non, répondit Nicole alors que le taxi s'arrêtait à sa hauteur. Je n'ai plus rien à dire. Ne m'appelle plus, s'il te plaît.

Elle raccrocha, coupa aussitôt son téléphone, et l'enfouit dans son sac à main.

— Au Viaduct Basin, s'il vous plaît, dit-elle au chauffeur en montant dans le taxi.

Elle s'efforça de chasser ses sombres pensées. Avec un peu de chance, l'ambiance animée des bars et des boîtes de nuit du centre-ville d'Auckland lui apporterait la distraction dont elle avait besoin. Elle se remaquilla légèrement, car elle avait pleuré et son mascara avait coulé. Sa colère s'accompagnait souvent de larmes, ce qui la contrariait profondément. Elle avait l'impression que ces manifestations émotionnelles empêchaient qu'on la prenne au sérieux.

Elle s'efforça de se calmer, rectifia son rouge à lèvres, puis se regarda une dernière fois dans son petit miroir de poche. Satisfaite, elle se laissa aller en arrière sur la banquette et essaya d'ignorer l'écho des paroles de son père dans sa tête, son ton condescendant quand il avait qualifié sa réaction de caprice, persuadé qu'elle finirait par se rendre compte qu'il avait raison.

— Tu parles ! grommela-t-elle.

— Je vous demande pardon, mademoiselle ? demanda le chauffeur par-dessus son épaule.

— Rien, excusez-moi, je pensais tout haut.

Elle secoua la tête, s'efforçant une nouvelle fois de refouler ses larmes. Par son acte impensable, son père avait non seulement porté irrémédiablement atteinte à leur relation, mais il avait aussi brisé la confiance entre Anna et elle et pour ainsi dire anéanti toute chance pour Judd et elle de tisser des liens. Elle n'avait plus de famille… Elle ne pouvait pas compter sur son père, sur son frère, sur sa sœur adoptive, et elle ne pouvait certainement pas compter sur sa mère. Elle n'avait plus entendu parler de Cynthia Masters-Wilson depuis que cette dernière était partie pour l'Australie, emmenant Judd avec elle. Nicole avait alors un an…

En grandissant, elle s'était persuadée qu'elle n'avait jamais eu envie de connaître sa mère. Son père avait été tout pour elle. Cependant, même enfant, elle avait toujours eu le sentiment que la réciproque n'était pas vraie. Son père, en effet, souffrait toujours du départ de sa femme et de son fils, et jamais elle ne comblerait ce vide. Elle s'y était pourtant efforcée, et elle avait travaillé dur, à l'école puis plus tard au sein de l'entreprise familiale, dans l'espoir de faire honneur à son père, de faire sa fierté. Depuis des années, elle rêvait de succéder à son père.

Maintenant que Judd était revenu, c'était comme si elle n'existait plus, comme si elle n'avait *jamais* existé.

Elle retira le nœud qui retenait ses cheveux en une queue-de-cheval stricte et passa la main dedans pour les ébouriffer. Elle ne se laisserait pas abattre, quoi que fasse son père. Quand elle se serait un peu défoulée, elle trouverait un moyen d'arranger les choses. En attendant, elle avait bien l'intention de s'amuser.

Elle paya le chauffeur et descendit du taxi. Elle ouvrit le premier bouton de sa veste de tailleur, laissant entrevoir son soutien-gorge noir et or en dentelle, puis elle redressa les épaules et entra dans la boîte de nuit la plus proche.

Accoudé au bar, Nate regardait avec indifférence la foule qui se pressait sur la piste de danse. Il n'avait accepté de sortir ce soir que pour Raoul. Organiser l'enterrement de vie de garçon de ce dernier n'était qu'une petite récompense à l'égard du travail que Raoul avait réalisé afin de maintenir à flot Jackson Importers après la mort du père de Nate, un an plus tôt. Raoul était très compétent, et il avait veillé au bon fonctionnement de l'entreprise jusqu'à ce que Nate revienne en Nouvelle-Zélande pour en reprendre les rênes. Nate avait eu besoin de temps pour quitter les bureaux européens et trouver un remplaçant, et il devait à Raoul une fière chandelle.

Néanmoins, il s'ennuyait ferme à cette soirée et s'apprêtait à prendre congé et à rentrer chez lui lorsque son attention fut attirée par une jeune femme. Elle évoluait avec grâce sur la piste de danse. Elle était vêtue comme si elle sortait du travail, même s'il n'avait jamais vu aucune femme porter aussi bien un tailleur. Sa veste était partiellement déboutonnée, assez pour donner un aperçu terriblement séduisant de la courbe de ses seins et d'un soutien-gorge noir et or. Sa jupe n'était pas particulièrement courte, mais ses longues jambes et ses talons aiguilles en donnaient l'impression.

Une vague de désir le submergea. Soudain, il n'avait plus du tout envie de rentrer chez lui… du moins, pas tout de suite, et pas tout seul.

Il se fraya un chemin à travers la foule pour s'approcher de la jeune femme. Il avait l'impression de la connaître, mais il n'arrivait pas à la situer. Ses longs cheveux bruns dansaient autour de son visage tandis qu'elle bougeait au rythme de la musique, et il imagina sa chevelure glisser sur son corps, ou étalée sur des draps blancs tandis que *lui* s'allongerait au-dessus d'elle… Il contracta la mâchoire alors que toutes les fibres de son être réagissaient à cette image. Il se laissa gagner par la musique et s'approcha d'elle.

— Bonsoir… Je peux danser avec vous ? demanda-t-il avec un sourire.

— Bien sûr, répondit-elle en rejetant ses cheveux en arrière.

Elle avait des yeux noisette dans lesquels il aurait pu se perdre, et une bouche rouge parfaitement dessinée.

Ils dansèrent un moment, assez proches l'un de l'autre, mais sans jamais se toucher. L'air entre eux semblait chargé d'électricité. Seraient-ils aussi parfaitement synchronisés dans l'intimité ?

Un danseur bouscula involontairement la jeune femme, et Nate la rattrapa vivement pour l'empêcher de perdre l'équilibre. Elle plongea ses yeux dans les siens, et un sourire se dessina lentement sur ses lèvres.

— Mon héros, dit-elle avec une lueur malicieuse dans le regard.

A son tour, il sourit, puis, inclinant légèrement la tête, il lui murmura à l'oreille :

— Je serai tout ce que vous voulez.

Elle frissonna dans ses bras.

— Tout ?

— Tout.

— Merci, dit-elle dans un souffle. C'est exactement ce dont j'ai besoin…

Elle noua ses bras autour de son cou et fit glisser ses doigts dans ses cheveux, sur sa nuque. Ce simple contact le troubla profondément… Il avait envie de l'emmener chez lui immédiatement, dans son lit.

Pourtant, il n'était pas un adepte des aventures d'un soir. Sa mère lui avait inculqué le respect des femmes, et il n'avait jamais été tenté par les histoires sans lendemain. Il aimait prévoir, envisager les choses sous leurs différents aspects. La spontanéité n'était pas son fort, surtout dans sa vie personnelle. Il s'était donné pour principe d'être prudent, et préférait tenir les gens à distance, le temps nécessaire du moins pour découvrir la nature de leurs intentions. Pourtant, chez la jeune femme qu'il tenait dans ses bras, quelque chose lui donnait envie de prendre des risques, de briser cette sacro-sainte règle, de faire une exception.

Il l'observa attentivement et, soudain, il la reconnut : c'était Nicole Wilson, la fille de Charles Wilson, deuxième dans l'organigramme de Wilson Wines. Il avait vu sa photo dans le dossier qu'il avait demandé à Raoul de compiler sur leur principal concurrent. Charles Wilson avait été le meilleur ami de son père, Thomas Jackson, avant de devenir son pire rival, à la suite d'une querelle et de fausses accusations.

Des années plus tôt, alors que Nate était encore un adolescent turbulent, il avait promis à son père de le venger. Celui-ci, qui n'était pas de nature belliqueuse, avait réussi à l'en dissuader. Or, il était mort maintenant, et la donne était changée…

Soudain, la soirée prenait une tout autre tournure. Il avait attendu son heure, glané des informations sur Charles Wilson, soigneusement élaboré une stratégie, et même si Nicole n'avait jamais fait partie de son plan, il ne pouvait laisser passer une telle opportunité.

Son parfum, sensuel et épicé, vint lui chatouiller

les narines, déclenchant un trouble en lui. Ils continuèrent à danser ensemble, au rythme de la musique, langoureusement enlacés. Il ne chercha pas à cacher son désir pour elle. A quoi bon ? Même si les choses ne tournaient pas comme il l'espérait, il mettrait ses projets de vengeance à exécution. En revanche, s'il parvenait à ses fins, si l'attirance qu'il éprouvait pour Nicole était réciproque, ses plans prendraient alors une tournure très intéressante…

Nicole savait qu'elle avait un peu trop bu et qu'elle aurait mieux fait d'appeler un taxi pour rentrer chez elle. Car on n'était que jeudi soir, et elle travaillait le lendemain matin. Du moins, le pensait-elle.

De nouveau, elle fut assaillie par de sombres pensées, et la perspective de rentrer chez elle lui noua le ventre. Elle repensa à la piètre opinion que son père avait d'elle. Elle avait réussi à se changer un peu les idées grâce à un premier verre, puis à un second, en compagnie de connaissances qu'elle avait retrouvées au bar par hasard. Ce n'étaient pas des amis, mais ils étaient pleins d'entrain et de compagnie agréable, et c'était exactement ce dont elle avait besoin ce soir. Elle ne voulait pas qu'on lui pose de questions ; elle avait simplement envie de profiter de l'instant présent sans penser au reste.

Elle se laissa griser par l'attirance presque palpable entre elle et l'inconnu avec lequel elle dansait. Tandis qu'elle se laissait aller tout contre lui, au rythme de la musique, une célèbre réplique de Mae West lui traversa l'esprit, et elle ne put réprimer un petit rire.

— Vous pouvez me dire ce qui vous amuse ?

Elle se pinça les lèvres et secoua la tête. Elle n'avait pas l'intention de partager la plaisanterie avec lui.

— Dans ce cas, vous aurez un gage.

— Un gage ? répéta-t-elle en souriant. Vous ne pouvez tout de même pas punir une fille d'être heureuse…

— Je ne pensais pas à une punition.

Cette réponse aurait dû l'amuser ; or, elle ressentit une soudaine bouffée de désir.

— Vraiment ? réussit-elle à articuler. A quoi pensiez-vous ?

— Je pensais à ça…

Sans lui laisser le temps de réagir, il posa ses lèvres sur les siennes. Le désir qu'elle avait éprouvé quelques instants plus tôt s'intensifia, et elle eut soudain l'impression que tout s'évanouissait autour d'eux. Elle ne pensait plus qu'à lui, au contact délicieux de sa bouche sur la sienne, de son corps contre le sien tandis qu'il la prenait par les hanches pour l'attirer vers lui.

Ils continuèrent à danser. Elle sentait son sexe en érection pressé contre elle et brûlait du désir d'aller plus loin… Un gémissement lui échappa quand il détacha ses lèvres des siennes.

Elle rouvrit les yeux. Il plongea son regard dans le sien, et elle fut comme hypnotisée. Elle avait entendu dire que certaines bêtes sauvages captivaient ainsi leur proie. S'apprêtait-il à la dévorer ? Or, cette pensée ne la dérangeait pas vraiment. Décidément, il fallait qu'elle se ressaisisse.

— Alors, ça, c'est un gage ? demanda-t-elle d'une voix un peu rauque.

— C'en est un parmi d'autres.

— Fascinant.

Pourtant, en son for intérieur, elle songea que ce qualificatif ne convenait pas véritablement. En réalité, son baiser lui avait fait tourner la tête. Elle dut se faire violence pour se retenir de l'attirer vers elle et de l'embrasser de nouveau. L'espace d'un instant, elle avait tout oublié : qui elle était, pourquoi elle était là, ce qui l'attendait… Et l'expérience lui avait tant plu qu'elle mourait d'envie de la répéter sur-le-champ.

Une voix s'éleva derrière elle, l'arrachant à sa rêverie :

— Hé, Nicole !

C'était Amy, l'une de ses connaissances. Elle s'approcha, et son partenaire de danse la relâcha. Elle regretta aussitôt la distance qui s'était instaurée entre eux. Amy cria pour couvrir la musique :

— Nous allons dans une autre boîte… Tu viens avec nous ?

La prudence lui dictait d'accepter, mais ce soir, elle n'avait pas du tout envie d'être prudente.

— Non, répondit-elle. Je reste encore un peu, je prendrai un taxi pour rentrer.

— D'accord ! Ça m'a fait plaisir de te revoir !

Ne restons pas aussi longtemps sans nous donner de nouvelles…

Amy s'éloigna dans la foule.

— Tu es sûre de ne pas vouloir partir avec tes amis ? demanda son cavalier.

— Sûre et certaine. Je suis une grande fille, je peux me débrouiller toute seule.

— Je suis ravi de l'entendre. Je m'appelle Nate, au fait…

— Nicole, se contenta-t-elle de répondre, heureuse d'abréger les présentations pour recommencer à danser.

Elle fut distraite par le flash d'un appareil photo et songea qu'une personne verrait probablement les détails de sa vie nocturne divulgués sur un réseau social dès le lendemain. Bientôt cependant, elle reporta toute son attention sur l'homme en face d'elle. Il dansait merveilleusement bien… Certains se démenaient sur la piste de danse, mais lui semblait avoir un sens inné du rythme. En outre, il était beau, ce qui ne gâchait rien.

Il avait les cheveux bruns, un peu plus clairs que les siens, et ses traits, bien que virils, étaient fins. Quant à ses lèvres… Elle avait hâte de les sentir de nouveau sur les siennes.

— Je suis acceptable ? demanda-t-il avec un sourire.

— Cela peut aller, répondit-elle en souriant à son tour.

Il rit, et elle en fut aussitôt troublée. Y avait-il quelque chose chez lui qui ne soit pas irrésistible ?

La foule autour d'eux avait commencé à se disperser, et elle prit conscience que ce moment agréable touchait à sa fin. Elle dansait depuis des heures et commençait à avoir mal aux pieds dans ses escarpins à talons aiguilles. Elle n'avait aucune envie de revenir à la réalité, alors qu'elle passait un si bon moment…

Nate lui dit quelque chose, mais la musique couvrit sa voix et elle ne l'entendit pas.

— Comment ? demanda-t-elle en se penchant vers lui.

Hmm… Il sentait délicieusement bon.

— Je te demandais si tu voulais aller boire un verre…

Elle avait probablement assez bu, mais elle hocha quand même la tête.

— Ici ? demanda-t-il. Ou bien chez moi, si tu préfères…

Un frisson d'excitation la parcourut. Suggérait-il ce qu'elle pensait qu'il suggérait ? Jamais auparavant elle n'avait suivi seule un parfait inconnu chez lui. Cependant, pour une raison obscure, elle avait le sentiment de pouvoir faire confiance à Nate. Et puis, il y avait cette irrésistible alchimie entre eux…

— Je veux bien aller chez toi, répondit-elle enfin.

A vrai dire, elle serait allée n'importe où plutôt que chez elle.

— Parfait…

Il sourit, et elle frissonna de plus belle. Elle ne pensait plus du tout à ses pieds douloureux quand Nate lui prit la main pour l'entraîner vers la sortie, et elle chassa de son esprit toute crainte, toute idée de danger. Ce soir, elle prendrait des risques… D'ailleurs, qu'aurait-il bien pu lui arriver de si terrible ?

# - 2 -

Nate croisa le regard de Raoul tandis qu'il quittait la boîte de nuit en compagnie de Nicole. Son ami lui fit un clin d'œil, puis il reconnut Nicole et eut une expression abasourdie. Nate réprima un sourire suffisant.

Pendant des années, il avait imaginé prendre sa revanche sur Charles Wilson, mais jamais il n'avait envisagé ce scénario. Il n'aurait jamais cru non plus ressentir une telle attirance pour la fille de Charles Wilson qu'il tenait désormais dans ses bras. Ç'aurait été pure folie de ne pas saisir une telle occasion. Pourtant, rien n'était joué, et peut-être aurait-il à appeler un taxi pour Nicole après lui avoir offert un verre.

Il prit ses clés de voiture dans sa poche et ouvrit les portières de sa Maserati gris métallisé, garée le long du trottoir.

— Jolie voiture, remarqua Nicole tandis qu'il lui ouvrait la portière.

Elle s'assit et ramena ses superbes jambes à l'intérieur.

— J'aime faire les choses avec style, répondit-il avec un sourire.

— Cela me plaît chez un homme…

Il n'en doutait pas ! Elle n'avait jamais manqué de rien, avait toujours eu un niveau de vie élevé. En toute logique, elle devait aussi être exigeante en ce qui concernait les hommes.

Lui, en revanche, savait ce que c'était que de se battre. Il avait vu son père se démener toute sa vie. Après avoir été bafoué par Charles Wilson, il avait fallu des années à Thomas Jackson pour regagner sa crédibilité et fonder sa propre entreprise. Il s'était entièrement consacré à cette tâche, pour subvenir aux besoins de sa jeune maîtresse et de Nate, arrivé accidentellement. Thomas Jackson avait fait de son mieux pour protéger son fils unique, mais celui-ci avait néanmoins souffert de la situation, et en avait tiré deux principes : premièrement, ne pas faire confiance à n'importe qui ; deuxièmement, en amour comme à la guerre, tous les coups étaient permis.

Il s'assit au volant de la voiture et démarra, prenant la direction de Hobson Street, puis de l'autoroute.

— Tu habites à l'ouest de la ville ? demanda Nicole.

— Si on veut… J'ai plusieurs maisons, mais c'est à Karekare que je me sens le mieux. Tu veux toujours boire un verre chez moi ?

Il lui jeta un coup d'œil et vit qu'elle se mordillait les lèvres.

— Avec plaisir, finit-elle par répondre. Cela fait une éternité que je ne suis pas allée à Karekare.

— L'endroit n'a pas beaucoup changé... Il est toujours aussi magnifique et sauvage.

— Comme toi ? demanda-t-elle avec une lueur dans les yeux.

— J'aurais plutôt dit comme toi.

Elle eut un rire cristallin qui le troubla profondément.

— Tu sais y faire ! Tu trouves les mots justes, ceux qui réussissent à apaiser une âme en peine.

— Une âme en peine ?

— Des histoires de famille... Mais peu importe. C'est compliqué et ennuyeux, et je préfère ne pas y penser.

Que se passait-il chez les Wilson ? Il se le demandait vraiment... Il avait entendu parler du retour du fils prodigue. Nicole n'était-elle plus l'enfant chérie depuis l'arrivée de Judd Wilson ?

— La route va être longue, fit-il remarquer en s'engageant sur l'autoroute. Je suis tout à fait disposé à t'écouter si tu as envie d'en parler.

— C'est toujours la même histoire, répondit-elle d'un ton faussement désinvolte.

Il continua à regarder droit devant lui.

— Ça semble sérieux.

Elle poussa un profond soupir.

— Je me suis disputée avec mon père... Au risque de tomber dans le cliché, il ne me comprend pas.

— N'est-ce pas là une prérogative parentale ?

Elle eut un rire sans joie.

— Je suppose que si, mais je me sens tellement maltraitée, tu sais... J'ai passé toute ma vie à essayer d'être à la hauteur, d'être la meilleure fille possible, la meilleure employée, la meilleure en tout, et mon père pense que je devrais me marier et avoir des enfants ! Comme si j'allais faire une chose pareille… Il n'a aucune estime pour moi. J'ai passé ces cinq dernières années à veiller à ce que l'entreprise prospère, et il me dit aujourd'hui que ce n'est qu'un passe-temps pour moi !

— Je présume que c'est cette dispute qui t'a poussée à sortir ce soir ?

— Oui… Je ne pouvais pas rester sous son toit une minute de plus. Oh ! non, attends ! Ce n'est même plus son toit, ni le mien d'ailleurs, puisqu'il vient de tout céder à mon frère…

Elle expira bruyamment.

— Je suis désolée, je n'aurais pas dû te raconter. Mes mots dépassent souvent ma pensée. Oublions tout cela, tu veux bien ? Parler de ma famille ne va faire que m'agacer.

— Comme tu voudras ! répondit-il d'un ton doux, alors qu'il brûlait de curiosité d'en savoir plus.

Nicole rit.

— Je risque de m'habituer à ce que l'on me parle avec douceur…

— Tu veux dire que l'on ne te parle pas toujours avec douceur ?

Elle tourna la tête vers lui et le regarda fixement.

— Tu dis cela comme si tu croyais me connaître.

— Tu m'as mal compris, répondit-il habilement. Je pense simplement qu'une femme comme toi ne doit pas avoir trop de mal à obtenir ce qu'elle veut.

Elle eut un grognement railleur et changea de sujet.

— Parle-moi de ta maison… Donne-t-elle sur la plage ?

Il acquiesça d'un hochement de tête.

— Elle est située sur une colline et surplombe l'Union Bay.

— J'ai toujours adoré la côte Ouest, ses plages de sable noir, le surf… Cette région a quelque chose de… sauvage, d'imprévisible.

— Tu fais du surf ?

Elle secoua la tête.

— Non, j'ai toujours été bien trop froussarde pour cela.

Pourtant, elle ne lui semblait pas être le genre de femme à s'effrayer d'un rien, et il le lui fit remarquer.

— Il y a des limites que je n'ai jamais franchies, expliqua-t-elle. J'ai grandi seule avec un père assez strict, qui m'a parfois surprotégée.

— Tu as grandi seule ? Ne m'as-tu pas dit que tu avais un frère ?

— Il vivait avec ma mère jusqu'à tout récemment… Comment sommes-nous revenus à ce sujet pénible ?

Elle passa une main dans ses longs cheveux emmêlés, révélant ses pommettes saillantes et sa mâchoire contractée. Il eut soudain envie de lui caresser la joue, d'effleurer sa peau soyeuse. Il serra un peu plus ses mains sur le volant, s'efforçant de se ressaisir. Oui, il la désirait, et il avait bien l'intention de lui faire l'amour, mais il ne pouvait pas se permettre de perdre le contrôle de lui-même. Il ne devait pas perdre de vue son but ultime.

— Et toi ? demanda-t-elle en se tournant vers lui. Comment est ta famille ?

— Mes parents sont morts, ma mère quand j'étais étudiant, et mon père plus récemment. Je n'ai pas de frères ni de sœurs.

— Alors tu es tout seul ? Comme tu as de la chance !

Elle retint son souffle, les yeux écarquillés, comme si elle se rendait compte de ce qu'elle venait de dire.

— Je suis désolée, se reprit-elle aussitôt, c'était terriblement indélicat de ma part.

— Ce n'est pas grave. Mon père et ma mère me manquent, mais je m'estime heureux de les avoir eus comme parents. Mon père était un excellent modèle. Il s'est tué à la tâche pour subvenir à nos besoins, et j'ai pu le payer de retour quand j'ai obtenu mon diplôme et que j'ai commencé à travailler pour l'entreprise familiale.

Il resta volontairement vague. Il n'avait pas l'intention de lui dire tout de suite pourquoi son père avait dû se battre pour fonder sa propre entreprise.

— Alors, et le surf ? demanda-t-il, prenant soin de changer de sujet tandis qu'il quittait l'autoroute.

— Eh bien ?

— Tu veux essayer ce week-end ?

— Ce week-end ?

— Oui ! Pourquoi pas ? Tu pourrais rester chez moi, j'ai plusieurs planches et plusieurs combinaisons.

— Tu as aussi des vêtements et des sous-vêtements de rechange pour moi ?

Elle montra son sac à main, posé par terre.

— J'ai peut-être un gros sac, mais ce n'est pas celui de Mary Poppins !

Il rit.

— Contentons-nous d'improviser, d'accord ? Tu me fais confiance ?

— Bien sûr. Je ne serais pas là si ce n'était pas le cas.

Il lui prit la main et lui caressa le poignet.

— Tant mieux.

Au bout de quelques instants, il lâcha sa main. Du coin de l'œil, il la vit se frotter le poignet, et il ne put s'empêcher de sourire, satisfait. La soirée se passait à merveille.

Pourquoi lui faisait-elle confiance ? Nicole se le demandait vraiment. Elle se tut et regarda, pensive, le paysage nocturne défiler à travers la vitre. Elle ne le connaissait même pas… Elle avait suivi son instinct, comme elle le faisait souvent. Elle s'était dite froussarde, mais elle avait toujours été très impulsive, ce qui lui avait attiré beaucoup d'ennuis par le passé.

Elle s'efforça de se ressaisir. Elle méritait cette nuit, après cette horrible soirée, après cette semaine éprouvante. Elle était persuadée que Nate était l'homme idéal pour chasser tous ses problèmes, du moins le temps d'une nuit.

Sa peau la picotait à l'endroit où il l'avait touchée, et cette sensation était comme une promesse. Comptait-il lui faire l'amour ce soir ? Elle fut parcourue d'un frisson de désir à cette seule pensée. Jamais un homme ne lui avait fait d'effet aussi intense. Voir ses mains sur le volant lui donnait envie de les sentir sur elle, sur sa peau.

Elle essaya de chasser ces pensées de son esprit et s'éclaircit la gorge.

— Tout va bien ? demanda Nate.

— Oui. Le trajet est plutôt long de la ville à chez toi… Tu travailles à Auckland ?

— Oui, j'ai un appartement là-bas, j'y dors les soirs où je suis trop fatigué pour rentrer à Karekare, quand j'ai un avion à prendre ou une réunion tôt le lendemain matin… mais je dors mieux avec le bruit de la mer.

— Ça a l'air idyllique…

— Tu le verras bientôt par toi-même.

Le silence se fit de nouveau, et elle se laissa bercer par le vrombissement de la voiture tandis qu'ils s'engageaient sur une route sinueuse.

Elle avait dû somnoler, et elle se réveilla en sursaut alors qu'ils s'arrêtaient dans un garage bien éclairé. Elle jeta un coup d'œil à sa montre et vit qu'il était presque 2 heures du matin. Le trajet avait duré près d'une heure. Elle était à des kilomètres des personnes qu'elle connaissait, de chez elle. Cela aurait dû l'inquiéter, mais ce n'était pas le cas. Au contraire, cette pensée lui plaisait. Elle avait choisi de suivre Nate, avait laissé derrière elle tous ses soucis.

Il contourna la voiture et lui ouvrit la portière. Elle prit la main qu'il lui tendait, et, au contact de sa peau, tous ses sens furent aussitôt en éveil. A sa grande surprise, il ne lâcha pas sa main lorsqu'elle fut descendue de voiture. Il l'entraîna vers une porte, puis en haut d'un petit escalier, qui donnait sur un immense salon-salle à manger, avec une cuisine américaine. Le mobilier était simple mais élégant, et, de toute évidence, coûteux. Il y avait une grande cheminée bordée d'ardoise, et des œuvres d'art magnifiques, aux murs et sur les étagères. L'environnement de Nate en disait long sur lui et, pour l'instant, elle aimait ce qu'elle voyait.

— Tu as toujours envie de boire ce verre ? demanda Nate en portant sa main à ses lèvres pour y déposer un baiser.

— Bien sûr. Que me proposes-tu ?

— Du champagne ou de la liqueur.

— Je préférerais de la liqueur.

Elle avait envie de quelque chose de fort et de capiteux… comme lui.

Il lâcha sa main et se dirigea vers le buffet, tandis qu'elle s'approchait de la porte-fenêtre. Elle entendait le bruit des vagues qui venaient s'écraser sur la plage.

Sur la vitre, elle aperçut le reflet de Nate, qui s'approchait d'elle et lui tendait un petit verre, rempli d'un liquide doré.

— Et si nous portions un toast ? dit-il.

Elle sentit son souffle sur sa nuque et fut parcourue d'un frisson. Elle prit le verre et le leva pour trinquer.

— A quoi en particulier ?

— Aux âmes en peine et à leur consolation.

Elle hocha la tête et porta son verre à ses lèvres, savourant l'alcool fort.

— Hmm, c'est délicieux…

Elle retint son souffle en voyant la lueur dans les yeux ambrés de Nate.

— Je n'aime que ce qu'il y a de meilleur…

Il inclina la tête, comme s'il s'apprêtait à l'embrasser. Elle sentit son cœur faire un bond dans sa poitrine. Elle avait hâte de découvrir si ce baiser serait aussi merveilleux que celui qu'ils avaient échangé en boîte de nuit. Elle entrouvrit les lèvres, impatiente, et ferma les yeux de plaisir lorsqu'il posa sa bouche sur la sienne, caressant sa lèvre inférieure du bout de la langue.

Il eut un petit grognement approbateur.

— Voilà ce que j'appelle le meilleur…

Il l'embrassa de nouveau, l'enlaçant pour la serrer contre lui. Elle sentit son sexe en érection plaqué contre elle, et une vague de désir la submergea aussitôt.

Le goût de l'alcool sur ses lèvres, sur sa langue, se mêlait délicieusement à son goût à *lui*. Quand il s'écarta, elle se sentit attirée comme par une force invisible. Il posa son verre sur une étagère, lui prit le sien et l'y plaça à son tour, puis il glissa ses doigts dans ses cheveux, posant la main sur sa nuque, l'incitant à incliner la tête en arrière, pour l'embrasser avec fougue. Cette fois, son baiser était comme une promesse de tous les plaisirs à venir.

Elle sortit sa chemise de son pantalon et glissa les mains en dessous, lui caressant doucement le dos de ses ongles. Elle savait qu'elle n'aurait pas dû être là, mais l'attirance qu'elle éprouvait pour lui était irrésistible. Il la désirait, elle le désirait : c'était aussi simple que cela, et c'était exactement ce dont elle avait besoin en cet instant.

Il déboutonna la veste de son tailleur et la lui retira, posa ses mains sur sa taille et les fit remonter doucement jusqu'à ses seins. Ses mamelons durcirent aussitôt. Penchant la tête, il déposa des baisers de son cou jusqu'au creux entre ses seins. Elle fut parcourue d'un frisson, et son cœur cognait dans sa poitrine. Il dégrafa alors son soutien-gorge et le lui enleva, le laissant tomber négligemment sur le parquet ciré.

Il lui mordilla un mamelon, le caressa avec sa langue. Elle eut soudain l'impression que ses genoux allaient se dérober, et elle se cramponna à lui, ivre de désir. Il lui enleva sa jupe, qui alla rejoindre sa veste et son soutien-gorge par terre.

Vêtue en tout et pour tout de sa petite culotte noir et or et de ses talons hauts, elle aurait dû se sentir vulnérable. Or, tandis que Nate s'écartait légèrement, la dévorant du regard, elle se sentit désirée comme jamais.

— Dis-moi ce que tu veux, ordonna-t-il de sa belle voix grave.

— Je veux sentir tes mains posées sur moi, répondit-elle dans un souffle.

— Montre-moi où.

Elle posa les mains sur ses seins nus, jouant avec ses mamelons du bout des doigts, frissonnante.

— Ici…

— Et ?

Elle fit glisser une main sur sa petite culotte.

— Ici, répondit-elle d'une voix tremblante en sentant la chaleur qui émanait d'entre ses cuisses.

— Montre-moi ce que tu aimes, dit-il en posant une main sur la sienne.

— Ça…

Elle guida sa main, écarta sa petite culotte et fit glisser leurs doigts entrelacés sur son sexe, puis elle commença à se caresser.

Il passa un bras autour d'elle pour la soutenir et s'approcha, introduisit un doigt en elle, puis un autre… Elle sentit ses muscles se contracter tandis qu'il continuait à la caresser, lentement, avec douceur.

Les sensations exquises qu'il lui procurait l'enivraient de plaisir. Elle n'avait jamais rien ressenti d'aussi puissant, d'aussi intense, n'avait jamais été aussi insouciante des conséquences de ses actes…

Sans cesser de la caresser, il se pencha et prit l'un de ses mamelons dans sa bouche. Une vague de plaisir la submergea, d'une telle violence qu'elle eut l'impression qu'elle allait défaillir.

L'intensité de cet orgasme la fit trembler de tous ses membres… Nate la souleva dans ses bras et l'emmena dans la chambre, plongée dans l'obscurité. Là, il la déposa sur le lit et se déshabilla. Elle l'observa à la lueur du clair de lune tandis qu'il dévoilait pour elle sa beauté virile, sa glorieuse nudité. Il lui enleva alors ses chaussures, fit glisser ses mains sur ses jambes, lui retira lentement sa petite culotte, avant de lui écarter les cuisses avec douceur et de s'allonger au-dessus d'elle.

Il se pencha pour attraper un préservatif dans le tiroir de la table de chevet et l'enfila. Elle lui posa les mains sur les épaules, savourant le contact de sa peau brûlante sous ses doigts. En dépit de l'excitation de Nate, ses mouvements étaient fluides et contenus. Il plongea ses yeux dans les siens, l'interrogeant du regard, comme pour lui laisser le temps de changer d'avis si elle le souhaitait. En guise de réponse, elle bascula instinctivement le bassin vers lui pour l'accueillir en elle. Tout en l'embrassant, il la pénétra langoureusement. Elle glissa ses doigts dans ses cheveux pour l'attirer vers elle et lui rendit son baiser avec fougue.

Il commença à remuer en elle, se retirant et la pénétrant profondément. Bientôt, entraînée dans un tourbillon de plaisir, elle fut de nouveau secouée de spasmes délicieux. Tous les muscles de Nate se contractèrent et, avec un cri rauque, il jouit avec elle. Enfin, il s'effondra entre ses bras et l'embrassa. Tout cela était bien réel ; *il* était bien réel. Elle sentait les battements déchaînés de son cœur, auxquels répondaient ceux de son propre cœur martelant sa poitrine. Jamais expérience sensuelle n'avait été aussi intense, et, alors qu'elle se laissait gagner par le sommeil, elle oublia tous ses soucis.

# - 3 -

Nate se réveilla et se rendit compte que non seulement il s'était endormi dans les bras de Nicole, mais *en elle*. Ignorant l'étrange besoin qu'il éprouvait de se serrer contre elle plutôt que de s'écarter, il se redressa pour retirer le préservatif. Il s'aperçut qu'il s'était déchiré, et il jura intérieurement. Dans un moment de panique, il se demanda si elle prenait la pilule, mais il se rassura aussitôt : une femme comme Nicole ne laissait rien au hasard. Il n'y avait pas lieu de s'inquiéter des risques de grossesse.

L'heure était au plaisir. Ils avaient fait l'amour une fois, et il avait hâte de recommencer. Il enfila un autre préservatif et la prit dans ses bras. Elle se blottit instinctivement contre lui, pressant ses courbes douces contre les muscles de son torse, puis elle ouvrit les yeux, et un sourire se dessina lentement sur ses lèvres.

Il lui prit le visage au creux des mains. C'était une chose d'avoir lu dans le rapport de Raoul que Nicole Wilson était une femme séduisante à l'esprit très vif, c'en était une autre de le constater par lui-même, et de découvrir qu'elle était une amante merveilleuse. Maintenant qu'il avait couché avec elle, il se demandait comment tout cela finirait.

Il n'avait plus du tout l'intention de renvoyer Nicole à son père. Avec un peu de chance, la colère qu'elle éprouvait serait suffisamment forte pour qu'elle rejoigne Jackson Importers de son plein gré… Avec elle à ses côtés, il pourrait mener l'entreprise à sa réussite totale, et faire en sorte que ses nuits soient encore plus satisfaisantes que ses journées.

Bien sûr, il était possible que la loyauté de Nicole envers sa famille l'emporte. Il devait envisager cette éventualité. Si c'était le cas, il devrait se montrer encore plus… persuasif. Il ne voulait pas lui faire de mal, car Charles était sa seule cible, mais si la contrarier un peu était le prix à payer pour assouvir sa vengeance et, par-dessus le marché, la garder à ses côtés, il n'hésiterait pas une seule seconde.

Tôt ou tard, elle le remercierait. Il savait que son père n'avait pas su tirer parti de l'intelligence de sa fille ; lui le saurait. Avec lui, elle se sentirait enfin appréciée à sa juste valeur.

— Tu es tellement belle, dit-il avec sincérité.

— Il fait noir, répliqua-t-elle d'un ton taquin. Tout le monde est beau dans le noir, on ne voit pas les défauts des gens.

Il se pencha pour l'embrasser.

— Tu n'as pas de défauts.

— Tout le monde en a, Nate. Nous ne les montrons pas toujours, c'est tout.

Ses propos semblaient douloureusement vrais — il était bien placé pour le savoir —, mais il n'avait pas envie d'y penser pour l'instant. Il y avait plus urgent.

— Parfois, il vaut mieux être dans le noir, tu ne crois pas ? demanda-t-il avant de l'embrasser.

Leurs lèvres s'effleurèrent, et une vague de désir le submergea aussitôt. Cette fois, cependant, il se sentait capable de modérer ses ardeurs pour savourer pleinement l'instant présent.

Plus rien n'importait que de donner et recevoir du plaisir. Chaque caresse était destinée à arracher un gémissement, chaque baiser était le sceau de la promesse de ce qui restait à venir. Quand elle se plaça au-dessus de lui et s'assit sur son sexe en érection, il s'abandonna totalement.

Leur orgasme fut aussi intense que la première fois et, après avoir fait l'amour, ils s'endormirent, enlacés.

Quand il se réveilla, la lumière du soleil baignait la chambre. Il tendit le bras à côté de lui, mais le lit était vide. Où était passée sa conquête ? Il se levait et s'étirait quand la voix de Nicole s'éleva derrière lui :

— Jolie vue !

Il se retourna lentement, avec un sourire, qui s'élargit lorsqu'il vit qu'elle avait trouvé son Caméscope.

— Tu sais te servir de ça ? demanda-t-il.

— J'aime apprendre sur le tas.

Elle était vêtue en tout et pour tout de la chemise qu'il portait la veille au soir, et ses longues jambes étaient exposées à ses regards avides.

— Alors tu privilégies la pratique à la théorie ? demanda-t-il, sentant son cœur se mettre à battre un peu plus vite.

— Et comment ! répondit-elle d'un ton lourd de sous-entendus, qui acheva de le troubler.

— J'ai toujours trouvé que l'on sous-estimait la pratique, pas toi ?

Tous ses sens étaient en éveil, et une idée commençait à germer dans son esprit.

— Si, tout à fait ! Et le support visuel aussi…

Bon sang ! Elle lisait dans ses pensées…

— J'ai un trépied pour ça, tu sais.

Elle eut un rire un peu rauque, particulièrement séduisant, et il dut se retenir de la toucher. Elle était très espiègle, et cela lui plaisait beaucoup.

— Je vais le chercher, dit-il avec un clin d'œil.

Sans lui laisser le temps de répondre, il passa à côté d'elle, déposa un baiser sur ses lèvres, et ajouta :

— Pourquoi ne t'installerais-tu pas confortablement sur le lit ? J'en ai pour une minute…

Il revint très vite et plaça le Caméscope face au lit. Les joues de Nicole s'étaient empourprées, une lueur d'excitation brillait dans ses yeux. Il devinait, sous sa chemise, la courbe de ses seins, ses mamelons parfaitement dessinés…

— Tu es sûre ? lui demanda-t-il.

— Oh ! oui… et plus tard, quand nous regarderons la vidéo, nous verrons comment nous améliorer.

Il sentit son sexe se durcir encore davantage, ce qu'il n'aurait pas cru possible. C'était une chose de savoir qu'ils allaient se filmer en train de faire l'amour, c'en était une autre d'apprendre qu'elle voulait ensuite regarder la vidéo…

— Par où veux-tu commencer ? demanda-t-il, luttant contre l'envie de la prendre sauvagement, sans plus attendre.

— Je crois qu'il faut que j'apprenne à te connaître, non ?

Elle tapota le bord du lit.

— Viens t'asseoir…

Il s'exécuta et la regarda s'agenouiller sur la descente de lit, entre ses jambes. Elle lui posa les mains sur les cuisses et les griffa doucement avec ses ongles.

— J'ai eu l'impression qu'il n'y en avait que pour moi, cette nuit, reprit-elle. Cette fois, il n'y en aura que pour toi…

Un frisson le parcourut. Elle continuait à lui caresser les cuisses, s'approchant de plus en plus de son sexe.

— Tu aimes ? demanda-t-elle.

Il se contenta de hocher la tête, sans voix.

— Et ça ?

Elle pencha la tête et passa le bout de sa langue sur son sexe en érection. Il eut l'impression que son cerveau allait imploser… Elle recommença. Ses longs cheveux lui effleuraient les cuisses, la cachant en partie. Il les écarta de son visage et les maintint sur sa nuque, les deux mains posées sur sa tête. Il voulait tout voir…

*
* *

Elle éprouvait une sensation de puissance inhabituelle. Elle passa la langue sur le sexe en érection de Nate, de haut en bas et de bas en haut, encore et encore. Elle le sentit frémir, comme s'il luttait pour se contrôler, mais il s'abandonna dès qu'elle le prit entièrement dans sa bouche. Il eut un grognement guttural, et elle devina le moment exact où il allait avoir un orgasme. Elle accéléra la cadence de ses mouvements, intensifia la pression de sa bouche, les caresses de sa langue, jusqu'à ce qu'il jouisse, avec un nouveau gémissement viril. Il laissa alors retomber ses bras le long de son corps et s'écroula sur le lit.

Elle s'allongea à côté de lui, appuyée sur un coude, lui caressant le torse du bout des doigts tandis qu'il reprenait son souffle. Il récupéra vite, ce qui prouvait sa vigueur et son endurance. Il passa un bras autour d'elle et l'attira vers lui pour l'embrasser. Il la désirait encore…

— Hmm…, murmura-t-elle tout contre ses lèvres. Ce doit être l'heure du petit déjeuner.

— Pas encore. Nous devrions nous ouvrir l'appétit, et tu devrais enlever cette chemise…

Il défit adroitement les boutons un par un, referma une main sur son sein et lui effleura le mamelon.

— J'ai vraiment très faim, roucoula-t-elle, tu vas peut-être devoir me convaincre…

— Te convaincre ? Je peux être très convaincant…

Il lui enleva sa chemise et la poussa en arrière

sur le lit, puis il s'employa à lui donner du plaisir, et à lui montrer à quel point il était doué de ses mains, de sa langue. Elle était sur le point d'avoir un orgasme lorsqu'il enfila un préservatif et la pénétra, l'entraînant avec lui dans un abysse d'extase.

Cette matinée donna le ton aux trois jours qui suivirent. De temps en temps, ils se levaient pour prendre une douche ou manger quelque chose, et une fois, ils allèrent se promener sur la plage, mais ils finissaient toujours par céder à l'attirance qu'ils éprouvaient l'un pour l'autre et retournaient au lit. Quand le lundi matin arriva, Nicole était épuisée, tant physiquement que sur le plan émotionnel, heureuse de pouvoir simplement se blottir contre Nate et se délecter des moments intimes qu'ils avaient partagés.

La veille au soir, Nate avait gravé un DVD de leur vidéo, et ils l'avaient regardée tout en essayant de manger un repas raffiné dans le grand salon-salle à manger. Les vêtements qu'ils venaient d'enfiler s'étaient vite retrouvés épars sur le sol, et leur dîner avait refroidi dans leurs assiettes tandis qu'ils satisfaisaient de nouveau leur désir, éveillé par la vidéo de leurs ébats.

Nate dormait maintenant à côté d'elle, et elle regardait son torse se soulever au rythme de sa respiration. Elle était stupéfaite de constater à quel point elle était à l'aise avec lui, à quel point tout cela lui semblait naturel, alors qu'ils se connaissaient à peine. Elle avait déjà entendu ses collègues de travail parler et rire de leurs aventures d'un soir, mais elle ne se serait jamais crue capable de quelque chose d'aussi frivole un jour. Les derniers jours avaient été comme des vacances, et elle avait laissé derrière elle ses responsabilités, ses soucis et ses angoisses. Elle ne s'était pas inquiétée du fait qu'on l'avait probablement attendue au travail le vendredi, ni du fait qu'elle n'avait dit à personne où elle était de tout le week-end. Elle n'avait pas même rallumé son téléphone portable, n'avait pas relevé ses messages.

De toute façon, personne ne se souciait d'elle. Son père ne considérait pas son rôle au sein de l'entreprise comme important, sa meilleure amie l'avait trahie ; quant à son frère… Il ne la connaissait même pas, et elle ne le connaissait pas non plus. Dès lors, si elle leur tournait le dos, qu'est-ce que cela changerait ?

Cela changerait tout, elle s'en rendait compte. Elle avait été en colère, très en colère même, le jeudi soir, et elle avait réagi avec impulsivité, mais au fond, elle savait qu'Anna et son père l'aimaient. Son silence devait les inquiéter.

Se retrouver au lit avec un étranger ne lui ressemblait pas. Bien sûr, elle avait passé un merveilleux week-end, mais toutes les bonnes choses avaient une fin.

Un sentiment de culpabilité l'envahit, la poussant à se lever et à aller dans la salle de bains pour laisser couler les larmes qui lui piquaient les yeux. Elle s'était comportée de façon irrationnelle. En fait, elle ne savait rien de l'homme avec lequel elle avait couché. Sa place était auprès des siens, chez elle. Peu importait que son père ait cédé la propriété à Judd ! Son frère n'allait tout de même pas la chasser de chez elle, de sa maison d'enfance. Judd était tout autant victime des manigances de son père qu'elle-même, et qu'Anna, qui était bien trop reconnaissante à Charles pour lui refuser quoi que ce soit.

Quant à son père… Elle aurait du mal à lui pardonner ce qu'il lui avait dit l'autre soir, mais elle ne pouvait oublier les vingt-cinq années qu'il avait passées à la protéger. Pour le meilleur ou le pire, il restait son père. Il fallait tout simplement qu'ils trouvent un modus vivendi. Elle était prête à faire le premier pas, à rentrer à la maison.

Elle se passa de l'eau fraîche sur le visage, sortit de la salle de bains et traversa la chambre à pas feutrés. Tandis qu'elle fermait la porte derrière elle, elle se rendit compte qu'elle avait retenu son souffle et poussa un profond soupir. Seigneur ! Elle était adulte ; ses choix, ses décisions lui appartenaient. Elle avait passé un excellent week-end, et cela lui avait fait le plus grand bien. Elle n'avait pas besoin de s'enfuir comme une voleuse !

Elle redressa les épaules et se dirigea vers la buanderie, où elle avait lavé ses sous-vêtements pendant le week-end. Son tailleur était suspendu à un cintre, et elle l'avait brossé pour le défroisser. Elle mit sa petite culotte et son soutien-gorge, puis enfila son tailleur. C'était curieux d'être aussi bien habillée après avoir passé trois jours à moitié nue.

Elle alla chercher son sac à main dans le salon et se brossa les cheveux, avant de retourner dans la chambre chercher ses chaussures. Elle devrait appeler un taxi pour aller travailler…

Nate était réveillé quand elle entra.

— Tu t'en vas ? demanda-t-il en la regardant mettre ses chaussures avec une expression impassible.

— Eh oui ! Il est temps de revenir à la réalité, répondit-elle en soupirant. J'ai passé un très bon week-end, merci beaucoup.

— C'est tout ?

Elle eut un rire nerveux.

— Quoi ? Tu veux plus ?

— Je veux toujours plus.

— Je n'ai jamais dit que je ne voulais pas te revoir.

— Mais tu l'as sous-entendu.

Elle lui jeta un coup d'œil, mal à l'aise. Comment allait-il se comporter avec elle maintenant ?

— Ecoute, je dois rentrer chez moi et aller travailler.

— Non.

Elle le regarda de nouveau, soudain inquiète.

— Comment ça, non ?

— Ce que je veux dire, c'est que tu vas venir travailler avec moi.

Il repoussa le drap et se leva calmement, ramassa son jean par terre et l'enfila. Elle détourna les yeux de son torse puissant, troublée, sentant ses joues s'empourprer. Elle ne pouvait pas se permettre de se laisser distraire par l'attirance qu'elle éprouvait pour lui. *Tu vas venir travailler avec moi...* Qu'entendait-il par là ? Elle ne savait même pas ce qu'il faisait dans la vie, et il ne savait rien d'elle… n'est-ce pas ?

— Mais non, répondit-elle, j'ai déjà un travail, un travail que j'adore, des proches que je…

— Ne me dis pas que tu les aimes, Nicole, pas après ce qu'ils t'ont fait.

Elle regretta immédiatement de s'être confiée à lui dans la voiture, lorsqu'il l'avait conduite ici, de lui avoir raconté certaines choses autour d'une bouteille de vin, devant la cheminée, le dimanche soir.

— Ce sont quand même mes proches ; il faut au moins que je mette les choses au clair avec eux.

— Oh ! je ne crois pas qu'ils le méritent… D'ailleurs, les choses seront très claires incessamment sous peu.

Elle croisa les bras sur sa poitrine.

— Qu'est-ce que tu racontes ?

— Quand ils apprendront avec qui tu as passé le week-end, je doute qu'ils t'accueillent à bras ouverts. Pour ton père, je suis persona non grata.

Un sourire se dessina sur ses lèvres.

— Tu parles par énigmes. Pourquoi cela intéresserait-il mon père de savoir avec qui j'ai passé le week-end ? demanda-t-elle d'un ton sec.

Il vint se placer devant elle.

— Parce que je suis Nate Hunter. Nate Hunter Jackson.

Le nom lui fit l'effet d'un uppercut. *Nate Hunter ?*

*Le* Nate Hunter ? L'homme à la tête de Jackson Importers, le principal concurrent de Wilson Wines ? Son père ne s'était pas privé de médire de Thomas Jackson.

— Je vois que tu as fait le rapprochement, dit Nate avec une désinvolture insolente. Oui, je suis le fils de Thomas Jackson. Que dis-tu de tout ça ? Pendant des années, ton père a accusé le mien d'avoir eu une liaison avec ta mère.

Elle le regarda, horrifiée. Elle commençait à comprendre. Ce week-end, elle n'avait pas seulement couché avec un inconnu : elle avait couché avec l'ennemi !

# - 4 -

Nate regarda le désarroi sur le beau visage de Nicole tandis qu'elle prenait peu à peu la mesure des choses.

— Ainsi, tu savais qui j'étais depuis le début ? demanda-t-elle d'une voix blanche. Le but de ce week-end n'était que de te venger de ma famille ?

Sa voix tremblait, trahissant son émotion. Tel avait été son plan, en effet, au départ. Mais il devait bien reconnaître qu'après ce week-end, ses projets de vengeance étaient passés au second plan… du moins, en ce qui la concernait. Pour ce qui était de son père, bien sûr, c'était une autre histoire.

— Tu m'as piégée ? insista-t-elle d'une voix plus forte.

— Notre rencontre était due au hasard, dit-il d'une voix suave, un heureux hasard, d'après moi…

Il fit un pas vers elle et lui caressa la joue.

— … et je ne regrette rien, Nicole.

Elle recula brusquement.

— Bien sûr que tu ne regrettes rien, répliqua-t-elle avec colère. Sache toutefois que ton petit jeu est terminé. Je retourne dans ma famille et au travail.

Il croisa les bras sur son torse.

— Je ne crois pas, non…

— Tu ne penses pas sérieusement que je vais travailler avec toi ?

— Je suis très sérieux.

— Non.

Elle fit un pas en arrière, levant une main comme pour le faire taire.

— Je ne ferai jamais une chose pareille, même si mon père ne voulait plus de moi au sein de Wilson Wines. Cela achèverait de détruire nos relations. Il ne me comprend peut-être pas aussi bien que je le voudrais, mais c'est mon père ! Je ne lui ferai pas ça, un point c'est tout.

Pourquoi ne pouvait-elle continuer d'en vouloir à sa famille ? Cela lui aurait facilité les choses… Comment pouvait-il s'y prendre pour raviver sa colère ?

— Tu parles bien de l'homme qui t'a dit que Wilson Wines n'était pour toi qu'un passe-temps, n'est-ce pas ?

Elle secoua la tête, probablement plus par frustration que pour le contredire. Profitant de son silence, il poursuivit :

— Et tu parles de l'homme qui, sans t'en avoir parlé, a cédé la majorité des parts de l'entreprise familiale à quelqu'un qui n'est qu'un étranger pour vous deux.

— Arrête, gémit-elle en croisant les bras sur sa poitrine. Je sais ce qu'il a fait, tu n'as pas besoin de me le répéter. C'est mon père, quoi qu'il arrive, ce sera toujours mon père… Je lui serai toujours loyale.

— Vraiment ? Pourquoi ? Il a donné ta maison d'enfance à ton frère, Nicole… sans te prévenir. Tu n'es même plus sûre d'avoir encore un toit sur la tête ! Est-ce que tu t'es demandé quel genre d'homme fait ça à sa fille ?

Nate était furieux, non contre Nicole, qui semblait bien décidée à tout pardonner à son père, mais contre ce dernier.

Elle se tenait devant lui, silencieuse, blême.

— Tu mérites mieux, Nicole, insista-t-il, *beaucoup* mieux. Tu es une jeune femme forte, intelligente et incroyablement compétente. Tu devrais travailler avec quelqu'un qui t'apprécie à ta juste valeur. Imagine l'équipe que nous ferions ! Nous serions les meilleurs dans notre domaine…

Elle leva vers lui des yeux pleins de larmes, et il s'efforça de réprimer le sentiment de regret qui lui serrait le cœur. Il savait que ses paroles la blessaient, mais il ne pouvait pas se laisser attendrir, pas maintenant. Si elle ne cédait pas, il devrait la blesser encore bien plus. Il n'en avait pas envie, mais il le ferait s'il y était contraint. En amour comme à la guerre, tous les coups étaient permis…

— Nicole, ta loyauté envers ton père est fort louable, mais vraiment mal placée. Travaille avec moi… Aide-moi à développer Jackson Importers.

Elle s'éclaircit la voix avant de répondre.

— Et toi, qu'as-tu à y gagner ? Tu ne t'attends

tout de même pas à ce que je croie que tu me fais cette proposition par pure bonté d'âme ?

Il eut un rire sans joie.

— Non, je ne le fais pas par bonté d'âme. Je suis un homme d'affaires, je joue pour gagner, à tous les coups…

Il hésita un instant pour ménager son effet.

— … et à tout prix.

Elle secoua de nouveau la tête.

— Je ne travaillerai pas pour toi. Je m'en vais. Je me suis trompée sur ton compte, Nate. Je ne peux pas faire ce que tu me demandes.

— Je ne te le demande pas, Nicole.

— J'ai quand même mon mot à dire, non ?

Elle tourna les talons et se dirigea vers la porte.

— Bien sûr, mais moi aussi, et j'ai encore une carte à jouer.

Elle s'arrêta net.

— Je ne savais pas qu'il s'agissait d'un jeu, répondit-elle froidement.

— Il ne s'agit nullement d'un jeu, mais il n'empêche que je vais gagner quand même.

Il indiqua d'un geste le Caméscope, toujours sur le trépied, dans un coin de la pièce.

— Pose-toi cette question : que ressentirait ton père s'il voyait notre vidéo ? Qu'est-ce qui lui ferait le plus de mal ? Apprendre que tu travailles pour moi, ou savoir que tu as passé le week-end dans mon lit ?

*
* *

Nicole avait l'impression que le sol allait s'ouvrir sous ses pieds.

— Ce… Ce n'est pas juste ! balbutia-t-elle. Je ne savais pas qui tu étais, à ce moment-là…

— Je n'ai jamais dit que c'était juste, Nicole. Ton père déteste les Jackson, il a brisé l'amitié qui l'unissait à mon père et détruit ta famille et la mienne. Je veillerai à mettre un petit mot avec le DVD, pour lui expliquer qui je suis. Que crois-tu qu'il ressentira en voyant que sa fille a couché avec le fils de Thomas Jackson ?

— Tu ne peux pas faire ça ! répondit-elle dans un souffle, la gorge serrée par la peur.

— Oh ! crois bien que si ! Je te veux, Nicole, je te veux dans mon équipe, au bureau, dans ma maison et dans mon lit.

En entendant ces mots, elle ne put réprimer un frisson de désir. Ça suffit ! s'admonesta-t-elle. Il ne lui proposait pas seulement d'être sa maîtresse, il lui demandait de trahir son père, de quitter l'entreprise que toute sa vie elle avait rêvé de diriger. Ce qu'il cherchait à obtenir d'elle était épouvantable. Si elle quittait Wilson Wines pour travailler pour Nate, jamais son père ne le lui pardonnerait. Cependant, pouvait-elle courir le risque de voir Nate mettre ses menaces à exécution et envoyer à son père la vidéo de leurs ébats ? Alors même qu'elle se posait la question, elle sut sans l'ombre d'un doute que Nate n'hésiterait pas une seule seconde. Pour un homme comme lui, tous les coups étaient bons, et il bluffait rarement. Savoir qu'elle travaillait pour lui blesserait son père, voir cette vidéo le tuerait.

— Tu es vraiment un salaud, murmura-t-elle.

— Ça, oui, répondit Nate avec une note d'amertume dans la voix qu'elle n'avait jamais entendue auparavant.

Elle réfléchit. Son père ne lui avait parlé de son ancien meilleur ami que rarement, mais lorsqu'il lui en avait parlé, il l'avait fait en termes cinglants. Thomas Jackson ne s'était jamais marié, et il n'avait jamais reconnu publiquement avoir un fils. Nate disait-il la vérité ? Etait-il vraiment le fils de Thomas Jackson ?

Un sentiment de désespoir s'abattit soudain sur elle. Qu'importaient ses hypothèses, maintenant que Nate avait toutes les cartes en main ? Ses mains qui lui avaient prodigué de bien délicieuses caresses, ces trois derniers jours… Elle s'empressa de chasser cette pensée de son esprit. Elle devait oublier l'homme dont elle pensait avoir fait la connaissance, et se concentrer sur l'homme d'affaires implacable qui s'était lancé dans cette aventure en sachant pertinemment qui elle était et ce que leur liaison signifierait pour elle et sa famille.

Sa famille… C'était sa famille qui l'avait mise dans ce pétrin, et sa maudite impulsivité. Elle imaginait déjà l'expression horrifiée de son père.

— Alors, Nicole, que décides-tu ?

Nate se tenait en face d'elle, les mains dans les poches de son jean dans une posture nonchalante, torse nu. Même maintenant, alors qu'il lui avait révélé ses intentions, elle devait lutter contre le désir qu'elle éprouvait pour lui. Ce simple fait n'en disait-il pas long sur elle ? Elle préférait ne pas y penser. Pas pour l'instant, en tout cas.

Elle ne pouvait pas laisser son père être témoin de son comportement dévergondé, surtout avec l'homme qui représentait tout ce qu'il avait combattu pendant vingt-cinq ans. Elle n'avait pas le choix : elle devait faire ce que Nate lui demandait.

— Tu as gagné.

— Eh bien voilà, ce n'était pas si difficile, n'est-ce pas ?

Elle lui lança un regard furibond.

— Tu n'as pas idée…

Dans tous les cas, elle était perdante, mais au moins, de cette façon, elle protégeait son père et l'empêchait de découvrir toute la mesure de l'erreur qu'elle avait commise. Elle sentit ses joues s'empourprer en se souvenant que c'était *elle* qui avait parlé du Caméscope. Furieuse contre elle, elle chassa cette pensée de son esprit.

Nate Hunter avait peut-être gagné la première manche, mais elle se jura intérieurement qu'il ne les gagnerait pas toutes. D'une façon ou d'une autre, elle prendrait sa revanche.

— Tu n'es pas obligée de voir cela comme une mauvaise chose, dit Nate. Au moins, avec moi, tu seras appréciée à ta juste valeur, Nicole.

Elle l'ignora. A l'heure actuelle, être appréciée à sa juste valeur était le cadet de ses soucis.

— Je dois repasser chez moi pour prendre mes

affaires et ma voiture, dit-elle, du ton le plus calme possible.

— Ce ne sera pas nécessaire.

Elle indiqua d'un geste son tailleur défraîchi, qui aurait eu bien besoin d'être envoyé au pressing.

— Désolée de te décevoir, mais j'ai besoin de mes vêtements. Je ne vais pas porter ce tailleur éternellement.

— Personnellement, j'aime assez l'idée que tu ne le portes pas…

— Personnellement, je me fiche de ce que tu aimes, répliqua-t-elle.

Elle avait peut-être été obligée d'accepter ses conditions, mais l'eau coulerait sous les ponts avant qu'elle se déshabille de nouveau devant lui.

— J'ai besoin de mes affaires, de ma voiture, du chargeur de mon téléphone portable, de plein de choses, et il faut que j'annonce à mon père que je ne travaillerai plus pour lui.

— Je vais envoyer quelqu'un pour chercher ta voiture, et nous t'achèterons des vêtements en allant au bureau. Quant à ton père, je me chargerai de le prévenir. Tu aimerais probablement lui annoncer la nouvelle en douceur, mais moi, j'aurai grand plaisir à être direct. Maintenant, donne-moi cinq minutes pour prendre une douche et me préparer. Nous prendrons le petit déjeuner en ville avant d'aller faire du shopping.

Il tourna les talons et se dirigea vers la salle de bains.

— Je n'ai pas faim.

Il s'arrêta et se retourna, commençant déjà à déboutonner son jean.

— Tu n'as pas faim ? C'est dommage. Il faudra que j'aie de l'appétit pour deux, alors…

Nicole plongea ses yeux dans les siens. Son regard de braise la troubla profondément.

— Oui…, répondit-elle entre ses dents.

Elle se força à se calmer.

— … parce que je n'ai absolument plus aucun appétit, d'aucune sorte.

Elle fit volte-face, sortit de la chambre d'un pas décidé, et se dirigea vers la porte-fenêtre du salon, qui donnait sur la mer. Le ciel d'automne, d'un bleu limpide, et les vagues bordées d'écume qui venaient s'écraser en douceur sur le sable noir offraient un contraste saisissant avec le tourbillon d'émotions qui la submergeait.

Elle allait travailler pour le fils du plus grand rival de son père. Ce dernier ne lui pardonnerait jamais. Elle n'aurait pas dû s'en soucier. Car, après tout, il avait dénigré son rôle au sein de Wilson Wines. Jamais il n'avait compris à quel point ce travail était important pour elle.

Elle serra les poings, s'efforçant de contenir sa fureur. La colère l'aiderait probablement à quitter Wilson Wines, mais au fond, elle savait que cette colère ne durerait pas. Elle aimait son père, et savait qu'il l'aimait, lui aussi, même s'il ne le lui avait jamais dit. Encore maintenant, elle se refusait à penser qu'il était trop tard. Elle ferma les yeux sur le magnifique paysage qui s'offrait à elle et prit une profonde inspiration pour se calmer. D'une façon ou d'une autre, elle s'en sortirait, elle rejoindrait sa famille.

La voix de Nate s'éleva derrière elle, l'arrachant à ses pensées :

— Tu es prête ?

Elle ouvrit les yeux et se retourna. Il portait un costume gris anthracite, une chemise blanche impeccable, et une cravate de soie rouge. Il n'avait plus rien de l'homme sensuel qui l'avait aimée tout le week-end, mais il n'en était pas moins très séduisant.

— C'est moi qui t'attendais, tu te souviens ? demanda-t-elle d'un ton sec.

Il sourit, et elle ne put s'empêcher d'être troublée. Elle le maudit intérieurement d'avoir sur elle un tel effet.

— Alors, allons-y.

Le trajet jusqu'à la ville fut interminable. Elle regarda son téléphone portable pour la quinzième fois depuis qu'ils étaient partis. Elle ne l'avait pas rallumé du week-end, mais sa batterie était très faible, et elle n'avait pas de réseau. Cependant, le portable se mit soudain à vibrer, et elle reçut une avalanche de messages. Malheureusement, avant qu'elle n'ait eu le temps de les consulter, il s'éteignit brutalement.

— Ah, bon sang ! s'écria-t-elle, contrariée.

— Il y a un problème ? demanda Nate, d'un ton calme et exaspérant.

— Mon téléphone vient de s'éteindre.

— Ce n'est pas grave, je t'en donnerai un autre. Ce sera mieux, de toute façon, tu prendras un nouveau départ, comme ça.

— Celui-là me va très bien. Il a tout ce dont j'ai besoin.

— Il a tout ce dont tu avais besoin, mais je suppose que c'était ton téléphone de travail, et comme tu changes d'entreprise…

A sa grande surprise, il lui prit le téléphone des mains et y jeta un coup d'œil.

— C'est un vieux modèle, en plus… Celui que je vais te donner sera à la pointe de la technologie.

— Mais… qu'est-ce que tu fais ?

Il avait baissé sa vitre. Horrifiée, elle le regarda jeter le téléphone sur la route, sous les roues d'un camion qui arrivait dans l'autre sens.

— Comment oses-tu ? C'était mon téléphone !

— Je t'ai dit que j'allais t'en donner un nouveau. Celui-ci n'est plus bon à rien de toute façon.

— La faute à qui !

Elle refoula les larmes qui lui montèrent soudain aux yeux. C'était un véritable cauchemar… Avait-il besoin de tout contrôler ? Peut-être aurait-elle mieux fait d'assumer les conséquences de ses actes, quitte à ce que son père découvre le DVD. Mais cette pensée lui était insupportable. La santé de son père avait beaucoup décliné au cours de ces dernières années, il avait trop longtemps ignoré son diabète, et les effets néfastes de cette maladie commençaient à se faire sentir. Il n'avait que soixante-sept ans, mais paraissait beaucoup plus âgé. Elle ne voulait même pas imaginer l'impact qu'un choc important aurait sur sa santé. Non, elle était bel et bien coincée dans cette situation.

— Le téléphone que tu vas me donner a intérêt à être haut de gamme, dit-elle de la voix la plus glaciale possible.

— Bien sûr. Je te promets que tu auras tout ce qu'il y a de mieux.

— C'est une sacrée promesse. Crois-tu vraiment pouvoir l'honorer ?

Il jeta un coup d'œil dans sa direction avant de reporter son attention sur la route.

— Je suis un homme de parole.

— Cela reste à prouver, marmonna-t-elle.

Elle réprima le frisson d'effroi qui la parcourut.

Nate regarda Nicole se diriger vers les cabines d'essayage de la troisième boutique de vêtements haute couture dans laquelle ils entraient ce matin. Elle avait insisté pour avoir une nouvelle garde-robe avant le petit déjeuner, et il était affamé… mais pas de nourriture, d'*elle*. Il avait envie de sentir sa peau sous ses doigts, le goût de ses lèvres, d'entendre ses gémissements et ses soupirs.

Il aurait voulu rentrer chez lui pour passer la journée au lit avec elle, mais deux choses l'arrêtaient. La première était le travail. Quand il était devenu P.-D.G. de Jackson Importers, il s'était promis de consacrer toute son énergie à l'entreprise. Travailler le week-end et tard le soir ne lui faisait pas peur, et même quand il était malade, il travaillait de chez lui. Ses collègues avaient dû être étonnés de son absence le vendredi, et s'il ne se présentait pas au bureau aujourd'hui, ils s'inquiéteraient vraiment et enverraient peut-être même quelqu'un chez lui pour voir ce qui se passait.

La deuxième chose qui le retenait était Nicole elle-même. Oui, il était attiré par elle, et pas seulement physiquement. Elle était très intelligente. Tôt ou tard, elle s'apercevrait qu'il la traitait mieux et l'appréciait davantage que son père ne le ferait jamais. Quand elle accepterait cette réalité, quand elle se rendrait compte que la passion entre eux était impossible à ignorer, c'est envers *lui* qu'elle ferait preuve de loyauté. Elle ne le savait pas encore, mais il serait la meilleure chose qui lui arriverait. Il devait simplement faire preuve de patience et la surveiller de près.

Pour l'instant, à en juger par les regards noirs qu'elle lui lançait, elle était furieuse contre lui, et une femme intelligente et pleine de rancœur était très dangereuse…

Il devrait donc rester sur ses gardes. Comme d'habitude.

— Mlle Wilson a terminé, monsieur Hunter, lui annonça la vendeuse, qui s'approcha de lui avec des vêtements plein les bras et un large sourire, songeant probablement à la confortable commission qu'elle percevrait aujourd'hui.

— Déjà ?

— Elle s'est montrée très explicite sur ses goûts et a rapidement décidé de ce dont elle avait besoin.

Nate indiqua à la vendeuse l'adresse de son appartement pour la livraison et lui tendit sa carte de crédit, puis il se tourna vers les cabines d'essayage. Nicole s'approchait de lui. Elle portait une nouvelle tenue, qui lui coupa le souffle : une robe couleur rubis, qui épousait toutes les courbes de sa silhouette parfaite. Le décolleté mettait en valeur sa poitrine généreuse, et les manches trois quarts exposaient ses avant-bras fins et ses poignets délicats.

— Tu as fini ?

— J'ai encore besoin de vêtements de nuit et de lingerie.

— Bien sûr. Tu veux petit déjeuner d'abord ou continuer à faire du shopping ?

— Toujours affamé ? demanda-t-elle d'un ton railleur.

Il la détailla de la tête aux pieds, lentement, avant de plonger les yeux dans les siens, soutenant le regard de défi qu'elle lui lançait.

— Toujours.

Pour son plus grand plaisir, les joues de Nicole s'empourprèrent.

— Allons-y, dans ce cas, dit-elle d'un ton brusque.

Elle détourna les yeux, reporta son attention sur la vendeuse et la remercia pour son aide.

Ils allèrent petit déjeuner dans un café sur Vulcan Lane, où il dégusta des œufs benedict tandis qu'elle se contentait d'un muffin aux fruits rouges. Tout en buvant son café, il feuilleta le journal qui traînait sur la table. Il émit un long sifflement quand il tomba sur la chronique mondaine.

— Finalement, je n'aurai peut-être pas à appeler ton père, dit-il en tendant le journal à Nicole.

# - 5 -

La photo dans le journal les montrait en train de danser ensemble. Ils étaient là, immortalisés en noir et blanc, absorbés l'un par l'autre. En face de lui, Nicole pâlit et prit une profonde inspiration.

— C'est toi qui as orchestré tout ça ?

Il rit.

— Je suis flatté que tu puisses penser que j'ai autant de pouvoir, mais non, ce n'est pas moi.

Elle le regarda, dubitative.

— De toute évidence, tu veux nuire à mon père, mais pourquoi te donner tant de mal pour quelque chose qui s'est passé il y a si longtemps ? Nos pères se sont brouillés, leur amitié a été brisée... Ce sont des choses qui arrivent.

Il lui jeta un coup d'œil par-dessus sa tasse de café. Croyait-elle vraiment que les choses étaient aussi simples ?

— Ton père a accusé le mien de quelque chose qu'il n'avait jamais fait. Il n'a jamais voulu entendre raison, n'a jamais reconnu qu'il avait eu tort. Il a brisé l'homme qu'était mon père, a entaché son honneur. A cause de lui, il a dû s'user au travail pour joindre les deux bouts, pour fonder Jackson

Importers en partant de rien. Il s'est ruiné la santé et s'est tué à la tâche. Il méritait mieux que cela, et ma mère aussi.

— Nuire à mon père ne te les rendra pas ; cela ne changera rien à ce qui s'est passé.

— En effet, mais j'éprouverai la plus grande satisfaction quand Charles Wilson sera enfin contraint de mettre un genou à terre.

Elle secoua la tête.

— C'est toi qui as tort, Nate. Lâche prise… Laisse-moi partir.

La laisser partir ? Avant que son père ait compris la leçon ? Avant qu'elle admette qu'ils étaient faits pour s'entendre ? Il n'en était pas question.

— Certainement pas.

Il reprit sa tasse et termina son café.

— Si tu as fini de jouer avec ta nourriture, conclut-il, faisons nos dernières courses et allons au bureau.

Ils remontèrent Queen Street en direction du plus ancien grand magasin d'Auckland. Elle maintint tout le temps une certaine distance entre eux, ce qui l'amusa profondément. Quand ils arrivèrent au magasin, elle s'attarda un moment au rayon des cosmétiques au rez-de-chaussée. Il sortit sa carte pour payer les produits de beauté et le parfum qu'elle avait choisis.

— Ce n'est pas la peine, protesta-t-elle, sa propre carte à la main.

— Fais-moi plaisir, répondit-il en la lui prenant

des mains. Elle est à ton nom ou au nom de ton père ?

— Elle est à moi, payée par mon propre salaire. Ça te va ?

Elle lui reprit violemment la carte et la remit dans son portefeuille, avant de prendre les sacs que lui tendait la vendeuse et de se diriger vers le rayon de lingerie fine, au premier étage.

— Je t'en donnerai une autre.

— Celle-ci est très bien.

Non, certainement pas… Pour lui, tout ce qui était lié à Charles Wilson, de près ou de loin, était terni. Nate avait bien l'intention de lui verser un salaire généreux et, en attendant, de s'occuper de tout, de s'occuper d'elle. Il voulait ce qu'il y avait de mieux pour elle. Il le lui avait promis et comptait bien tenir parole.

A l'étage, il attendit dans un fauteuil pendant que Nicole regardait les sous-vêtements vaporeux. Lorsqu'elle eut fait son choix, elle se dirigea vers les cabines d'essayage. Il se leva et se mit à faire les cent pas, et son regard se posa sur un ensemble magnifique, sur un mannequin. Il s'agissait d'une nuisette ivoire en mousseline de soie, avec le peignoir assorti. Le tout était à la fois innocent et incroyablement sexy. Il attira l'attention d'une vendeuse et désigna l'ensemble.

— Ajoutez ceci aux achats de Mlle Wilson, dans sa taille, s'il vous plaît, et veillez à ce qu'elle ne le voie pas.

Il fit un clin d'œil à la jeune femme, qui rougit et

se hâta d'accéder à sa demande avant que Nicole ne sorte de la cabine d'essayage. Il s'imaginait déjà en train de lui enlever l'ensemble diaphane, après l'avoir tourmentée, après s'être tourmenté, en la caressant à travers le tissu soyeux.

Ce serait un supplice d'attendre qu'elle se décide à regagner son lit, mais il finirait par être récompensé de sa patience.

En début d'après-midi, ils se dirigèrent vers les bureaux de Jackson Importers, dans un grand immeuble qui donnait sur le port de Waitemata. Nate posa une main au creux des reins de Nicole quand ils sortirent de l'ascenseur, et la guida vers les portes vitrées sur lesquelles les mots *Jackson Importers* étaient écrits en lettres dorées, au-dessus du logo de l'entreprise, une grappe de raisin stylisée.

Il ouvrit la porte et s'écarta pour la laisser passer. Ils pénétrèrent dans le hall d'accueil. La réceptionniste leva les yeux et sourit.

— April, je vous présente Mlle Wilson. A partir de maintenant, elle va travailler avec nous. J'aimerais que vous demandiez à toute l'équipe de se rassembler dans la salle de conférences dans un quart d'heure.

— Ce ne sera pas nécessaire, protesta Nicole, je peux simplement…

— Je veux que tout le monde sache qui tu es et pourquoi tu es ici, l'interrompit-il d'un ton sans réplique. Demain, je te présenterai le reste du personnel.

Elle se pinça les lèvres, se retenant de répondre. Il la guida dans le couloir jusqu'à la salle de conférences. La voir là, dans ses bureaux, dans sa superbe robe, le troublait profondément. Incapable de se maîtriser plus longtemps, il la prit dans ses bras dès qu'il eut refermé la porte derrière eux, la serra contre lui et l'embrassa.

— J'avais besoin de ça, grommela-t-il en détachant ses lèvres des siennes.

— Eh bien, pas moi. A l'avenir, j'apprécierais que tu gardes tes distances, répondit-elle en s'écartant de lui.

Elle lissa le devant de sa robe, dans un geste qui trahissait sa nervosité.

Il s'était certes attendu à sa réaction, mais tout de même…

— Tu ne peux pas nier que ça t'a plu.

Elle avait les yeux brillants, et sa poitrine se soulevait rapidement.

— L'effet que tu peux me faire physiquement n'a rien à voir avec ce que je veux. Ne me touche plus jamais.

— Plus jamais ?

— Plus jamais, répondit-elle d'un ton catégorique.

— Tu essaies de me dire que si je faisais ça, dit-il en effleurant du bout des doigts la courbe de ses seins, tu préférerais que j'arrête ?

*
* *

Elle s'efforça de refouler la vague de désir qui la submergea. Elle ne pouvait pas se permettre de montrer le moindre signe de faiblesse. Un homme comme Nate Hunter exploitait la faiblesse d'autrui, et il avait suffisamment de moyens de pression sur elle.

— Il y a un nom pour ce que tu fais, finit-elle par dire, cela s'appelle du harcèlement.

A son grand étonnement, Nate rit, les yeux pétillants, amusé.

— Tu es impayable ! Du harcèlement… Aurais-tu parlé de harcèlement cette nuit, quand j'ai…

Il s'interrompit quand Raoul entra dans la pièce, et cela lui évita la torture d'écouter Nate lui détailler leurs ébats.

— Ah, Raoul ! Je te présente notre nouvelle recrue, Nicole Wilson. Nicole, je te présente Raoul Benoit. Ne te fie pas à son nom, il est aussi néo-zélandais que toi et moi.

Raoul la salua d'un hochement de tête et lui sourit timidement.

— C'est un plaisir de vous rencontrer, mademoiselle Wilson, et un plus grand plaisir encore de vous accueillir dans notre équipe.

— Je…

Que pouvait-elle bien dire ? Elle n'allait tout de même pas dire à cet homme qu'elle était là contrainte et forcée, qu'elle avait pratiquement été kidnappée.

— Merci, se contenta-t-elle de répondre.

Raoul regarda Nate d'un air interrogateur.

L'expression d'extrême satisfaction de ce dernier en disait long… Raoul Benoit savait pertinemment qui elle était, et ce que Nate manigançait. Elle eut la désagréable impression d'être encore plus seule dans cette horrible situation.

La voix de Nate l'arracha à ses pensées.

— J'ai demandé à April de réunir tout le monde ici pour présenter Nicole.

Ces paroles lui donnaient le sentiment d'être un trophée, mais avant qu'elle n'ait eu le temps de protester, la porte s'ouvrit de nouveau et un flot de personnes entra dans la pièce. Jamais elle n'aurait cru que Jackson Importers avait autant d'employés dans ses bureaux d'Auckland.

Le quart d'heure qui suivit passa à toute vitesse. La tête lui tournait quand Nate la conduisit enfin dans son bureau, et elle commençait à regretter de n'avoir mangé qu'un muffin.

— C'est ici que tu vas travailler, dit-il en fermant la porte derrière eux.

Elle promena son regard autour d'elle, sur le bureau richement meublé, puis sur la vue magnifique par-delà la baie vitrée. Enfin, elle se tourna de nouveau vers lui.

— C'est ton bureau, je ne peux pas travailler ici.

Il haussa les épaules négligemment.

— Je suis prêt à le partager avec toi. Je suis prêt à tout partager avec toi, Nicole. Ensemble, nous allons diriger la plus grande entreprise d'importation de vins du pays. Pourquoi voudrais-tu être ailleurs qu'à mes côtés ?

Tout cela était très impressionnant, mais qu'est-ce que ça signifiait, au juste ?

— Est-ce une façon détournée de dire que tu veux garder un œil sur moi ?

Il eut un sourire narquois.

— J'ai toujours grand plaisir à garder les yeux sur toi.

Elle soupira, frustrée.

— Si tu me demandes si je vais surveiller ton travail, poursuivit-il, la réponse est oui. Je sais que pour l'instant, tu n'as pas envie d'être ici et tu es en colère parce que je t'ai forcé la main, mais je pense que cela va changer. Une fois que tu prendras conscience des opportunités qui s'offrent à toi, tu verras que ta place est ici. Quand ce jour viendra, tu pourras avoir un bureau bien à toi, mais en attendant, tu comprendras que je préfère que tu partages le mien. Et en plus, j'apprécierai la vue…

— Et si j'ai des coups de téléphone personnels à passer ?

— Tu as peur que j'écoute tes conversations ?

— Tu as aussi l'intention de me suivre aux toilettes ?

Elle commençait à perdre patience. Depuis la très désagréable révélation de Nate le matin même, il contrôlait toute chose la concernant, à part peut-être sa façon de respirer… Et encore : il s'amusait de ce qu'elle avait le souffle court chaque fois qu'il la frôlait.

— Pourquoi, tu as besoin de moi pour ça ?

— Je n'ai besoin de toi pour rien du tout.

— Tout comme ton père n'a pas besoin de toi ?

Décidément, il avait le don de frapper là où cela faisait mal. Elle se détourna de lui et jeta son sac à main sur le bureau.

— Dans ce cas, puisque je n'ai pas le choix, autant que je me mette au travail tout de suite.

Il sourit et indiqua d'un geste l'ordinateur et le téléphone portable posés sur le bureau, qu'il avait sans doute fait livrer pendant leur tournée des boutiques ce matin.

— C'est pour toi.

— Pour moi ? Déjà ?

— Je t'ai dit que je prendrais soin de toi, Nicole. Je le pensais vraiment.

Elle eut soudain la gorge serrée. Il semblait sincère. Elle avait l'impression d'être quelqu'un d'important pour lui, mais elle ne pouvait pas le croire, ne voulait pas le croire. Ils avaient passé un week-end torride, rien de plus. D'ailleurs, il ne pouvait rien y avoir d'autre entre eux, surtout maintenant qu'il avait été on ne peut plus clair sur ses intentions vis-à-vis de son père.

— Par quoi veux-tu que je commence ? demanda-t-elle en allumant l'ordinateur, bien décidée à rester sur un terrain strictement professionnel, même s'il lui en coûtait.

— Et si tu t'intéressais à notre boutique en ligne ? Cela a décollé bien plus vite que nous le prévoyions, et nous pouvons maintenant étendre nos activités à l'étranger. Cela réduit considérablement nos frais.

Un frisson d'excitation la parcourut. Elle trouvait

l'idée d'apprendre une nouvelle façon de faire des affaires enthousiasmante. Pendant des années, elle avait supplié son père d'envisager de vendre en ligne, sans succès. Pourtant, le monde changeait, et il fallait s'adapter aux méthodes modernes.

Une autre pensée lui vint à l'esprit. Elle avait d'abord songé à profiter de sa situation pour saboter Jackson Importers, mais le fait que Nate ait l'intention de la surveiller étroitement l'en empêcherait. Mais elle n'avait pas dit son dernier mot. Elle savait au fond d'elle que cette situation ne durerait pas et qu'elle finirait par trouver un moyen de retourner chez son père. Nate lui offrait l'occasion d'en apprendre le plus possible sur les techniques de vente de Jackson Importers ; elle pourrait ensuite les appliquer à Wilson Wines, voire les améliorer.

Rester concentrée sur le travail était plus facile à dire qu'à faire, avec Nate si près d'elle. Il prit une chaise, s'assit à côté d'elle et lui frôla le bras en entrant l'adresse du site intranet de l'entreprise.

— Tu vas avoir besoin de ton propre mot de passe. Je vais demander au service informatique de s'en occuper tout de suite. Pendant que je me charge de ça, tu pourrais jeter un coup d'œil au site et noter les questions que tu veux me poser.

Elle se contenta de hocher la tête et poussa un profond soupir de soulagement quand enfin il quitta le bureau. Elle s'était attendue que sa colère et sa rancœur l'aident à être moins troublée par sa présence, mais elle s'était trompée. Elle n'avait pu s'empêcher de fixer ses mains tandis qu'il pianotait sur les touches du clavier, incapable de refouler la sensation des caresses de ces mêmes mains sur son corps.

Elle se laissa aller en arrière dans son fauteuil et le fit pivoter pour se retrouver face à la vue panoramique sur le port de Waitemata. Même en semaine, des yachts y étaient amarrés, leurs propriétaires profitant du soleil d'automne. Comme elle leur enviait leur liberté, elle, quasi prisonnière de Nate Hunter. D'une façon ou d'une autre, elle trouverait un moyen de se venger de lui. A son tour, il regretterait de s'être frotté à un Wilson.

# - 6 -

Nate passa le reste de l'après-midi à discuter avec Nicole des vins qu'ils importaient et des modes de distribution que Jackson Importers avait mis en place en Nouvelle-Zélande et à l'étranger. Ils étaient tous deux épuisés quand le soleil commença à disparaître à l'horizon.

— Je crois que ce serait mieux que nous restions en ville ce soir, dans mon appartement, dit-il en se levant et en s'étirant.

— Comme tu veux, marmonna Nicole.

— Tu préfères aller à Karekare ? Nous devrons d'abord passer à l'appartement pour prendre tes affaires…

— Je préférerais rentrer chez moi, mais puisque ce n'est pas possible, je me fiche de l'endroit où je vais dormir ce soir.

Elle le regarda d'un air de défi. Il savait choisir ses combats, et elle risquait d'être déçue si elle s'attendait qu'il morde à l'hameçon cette fois-ci.

— Très bien, dans ce cas c'est décidé, allons à l'appartement.

Il vit ses joues s'empourprer. De colère, peut-être ? Quoi qu'il en soit, elle prit son sac et le suivit. Elle resta silencieuse jusqu'à ce qu'ils arrivent dans le parking de son immeuble.

— C'est ma voiture ? demanda-t-elle alors.

Elle avait manifesté de l'intérêt pour Jackson Importers et l'avait pressé de questions tout l'après-midi, mais c'était la première fois qu'elle s'animait vraiment depuis le matin.

— Oui. J'ai deux places de parking. Nous ferons le trajet ensemble la plupart du temps, mais il faut bien que tu aies ta voiture.

Elle descendit de la Maserati et examina sa voiture.

— C'est un roadster, n'est-ce pas ? demanda-t-il.

— Oui. Contente de voir que tes hommes de main ne l'ont pas abîmée.

— Je n'emploie que les meilleurs.

Nicole regarda Nate par-dessus le toit de la voiture. Que ferait-il si elle montait brusquement dedans, démarrait et s'en allait en trombe ? A peine cette pensée lui avait-elle traversé l'esprit qu'elle se rendit compte qu'elle ne la mettrait pas à exécution, alors qu'il avait de quoi la faire chanter. De plus, à l'heure qu'il était, son père avait probablement vu la photo dans le journal.

— Je suis ravie de l'entendre, répondit-elle enfin.

— Allez, montons… Tu dois être affamée.

Effectivement, elle mourait de faim.

— Bien sûr, ce n'est pas comme si nous avions autre chose à faire, dit-elle d'un ton provocateur.

Il la regarda, une lueur amusée dans les yeux. Décidément, cet homme était une véritable énigme :

il était puissant, terriblement séduisant, et pour l'instant, il contrôlait tout de sa vie. Si elle était contrainte de s'y faire, rien ne l'obligeait à s'en réjouir.

Ils prirent l'ascenseur et sortirent dans un couloir dont les murs étaient décorés d'œuvres d'art. Ses talons s'enfonçaient dans le tapis moelleux alors qu'ils se dirigeaient vers la porte de l'appartement. Nate ouvrit et s'effaça pour la laisser passer. Elle entra, et la vue lui coupa le souffle : la baie vitrée donnait sur North Head, le mont Victoria et l'île de Ragitoto.

— Tu aimes vraiment les vues sur la mer, dit-elle en jetant son sac sur l'un des gros canapés en cuir qui faisaient face au balcon.

— Oui.

La réponse était brève, et la voix de Nate s'était élevée juste derrière elle.

Soudain, elle était douloureusement consciente de sa présence. Tous ses sens étaient en éveil. Ils étaient beaucoup trop près l'un de l'autre. Après le baiser qu'ils avaient échangé dans la salle de conférences, il avait gardé ses distances. Elle ne se rendait compte que maintenant qu'elle mourait d'envie de sentir ses mains posées sur elle. Cependant, elle ne céderait pas. Il lui restait encore un peu d'amour-propre.

Avant qu'il n'ait eu le temps de faire le moindre geste, elle s'écarta et se retourna vers lui. Elle n'était peut-être pas capable de contrôler grand-chose à l'heure actuelle, mais elle avait encore une certaine maîtrise d'elle-même.

— Où est ma chambre ? demanda-t-elle.

— Ma chambre est par là, répondit-il en montrant du doigt un large couloir.

— Non, pas ta chambre, rectifia-t-elle, la mienne. J'ai accepté de travailler pour toi, rien de plus.

— Que veux-tu dire ?

— Tu vois très bien ce que je veux dire.

— Oh ! tu veux dire ça ?

Il suivit du bout du doigt la ligne de son décolleté, souriant d'un air approbateur quand il la vit frissonner. Elle resta immobile, sans voix. Ce simple contact enflammait tous ses sens. Elle s'efforça de se reprendre, ne voulant pas se trahir davantage.

— As-tu l'intention de me forcer, Nate ? demanda-t-elle d'un ton calme, en totale contradiction avec le désir qui la submergeait.

— Te forcer ? Non, certainement pas.

— Je n'ai pas envie de toi, crois-moi.

— Tu n'as pas envie de moi, ou tu n'as pas envie d'avoir envie de moi ?

Elle tint bon, refusant de répondre, toujours immobile. Il finit par laisser son bras retomber le long de son corps.

— La deuxième porte à droite donne sur la chambre d'amis. Je vais y déposer tes bagages.

— Merci.

Elle poussa un soupir de soulagement. C'était une petite victoire, mais qui, pour elle, avait son importance. Elle avait l'impression d'avoir gravi le mont Everest.

On était jeudi soir. Cela faisait une semaine qu'ils s'étaient rencontrés, mais Nicole avait l'impression que cela faisait une éternité. Elle éteignit son ordinateur portable et prit les rapports qu'elle avait l'intention de lire dans son lit le soir même. Depuis quelques jours, elle n'arrivait pas à trouver le sommeil, tant elle était troublée à l'idée que Nate dormait à l'autre bout du couloir. « C'était ta décision », se rappela-t-elle sévèrement.

Elle avait été surprise de constater que Nate ne semblait pas perturbé par son insistance à vouloir sa propre chambre, et elle ne pouvait s'empêcher de se demander si elle était la seule à avoir trouvé exceptionnel le week-end torride qu'ils avaient passé ensemble. Peut-être vivait-il la même chose avec chacune de ses conquêtes. Cette pensée lui laissait un goût amer dans la bouche. Combien étaient-elles, à rester allongées dans leur lit la nuit, revivant chacune des caresses de Nate, l'exquise sensualité de sa peau contre la leur ?

Elle ferma les yeux tandis qu'une vague de désir la submergeait. C'était purement sexuel. Elle secoua la tête pour s'arracher à ses pensées et rouvrit les yeux. Elle n'avait pas besoin de cela pour vivre.

*Menteuse !* fit une petite voix dans sa tête.

Soudain, la porte du bureau s'ouvrit et l'objet de ses pensées entra. Elle le regarda de la tête aux pieds, lentement, admirant sa silhouette parfaite, puis elle plongea son regard dans le sien, douloureusement consciente de rougir.

— Je suis content de te trouver ici, dit-il, se passant de civilités.

Elle avait remarqué qu'il était comme cela : charmant quand c'était nécessaire, mais direct quand ça ne l'était pas. De toute évidence, elle entrait dans la catégorie des gens qu'il n'avait pas besoin de charmer. *Peut-être est-il aussi frustré que toi et que c'est sa façon de le montrer…*

— Qu'y a-t-il ? demanda-t-elle d'un ton faussement désinvolte.

— Ton frère et Anna Garrick se sont rendus dans l'île du Sud, aujourd'hui.

— Judd et Anna ? Pourquoi ?

— J'espérais que tu serais en mesure de répondre à cette question. Tu sais aussi bien que moi que c'est l'une des régions productrices de vins les plus importantes de Nouvelle-Zélande, mais, jusque-là, Wilson Wines ne s'y était jamais intéressé.

— Oh ! non !

Elle porta une main à sa bouche.

— Tu sais ce qu'ils vont y faire ?

Elle secoua la tête.

— Je n'en suis pas sûre… Mon père avait plus ou moins écarté mon étude, en me disant que c'était une perte de temps et d'énergie.

— Ton étude ?

Nate l'observait attentivement.

— Etant donné que les coûts de transport pour

l'international ne cessent d'augmenter, j'avais envisagé que Wilson Wines distribue une autre gamme de vins néo-zélandais, des vins que l'on trouve dans les restaurants chic, dans les bars et dans les hôtels, mais que l'on ne trouve pas encore chez les détaillants ou dans les supermarchés.

Nate hocha la tête.

— Effectivement, c'est une bonne idée. Pourquoi ton père a-t-il écarté cette suggestion ? Ce n'était pas faisable ?

Elle rit.

— Tu penses que mon père m'a expliqué sa décision ? Tu ne le connais pas aussi bien que tu le crois ! Quoi qu'il en soit, Judd et Anna ont dû trouver mon étude et le persuader que mon idée n'était pas mauvaise.

— Ils sont donc partis pour solliciter de nouveaux fournisseurs ?

— Probablement.

Elle réprima une bouffée de colère en songeant à la volte-face de son père.

— Tu as dû travailler dur pour ça, dit Nate. J'imagine que ça t'énerve de voir ton frère finir ce que tu as commencé.

— C'est une façon polie de le formuler.

Elle était furieuse et terriblement déçue de ne pas avoir eu l'opportunité de mener à bien son projet.

— J'avais déjà contacté plusieurs établissements vinicoles, et les P.-D.G. semblaient très intéressés.

— Dans ce cas, je te suggère de ne pas perdre davantage de temps, dit Nate avec un sourire.

Elle ne voyait pas du tout où il voulait en venir.

— Comment ça ?

— Qu'est-ce qui t'empêche d'aller reconquérir ces entreprises ? Montre-moi ce que tu as dans le ventre.

Elle le regarda fixement, stupéfaite. Il lui donnait carte blanche pour concrétiser son projet ? Et si elle échouait ? Il y avait déjà tellement de vins néo-zélandais délicieux à des prix raisonnables sur le marché… Y aurait-il une demande pour des cépages plus recherchés ? Son étude de marché avait confirmé que cette demande existait bel et bien. Peut-être aurait-elle dû défendre son idée auprès de son père avec plus d'acharnement. Un sentiment d'excitation l'envahit.

— D'accord, je m'y mets tout de suite.

Elle sortit de son sac à main la clé USB sur laquelle elle sauvegardait tous ses documents et ralluma l'ordinateur. Elle montrerait à Nate de quel bois elle se chauffait ! Qu'elle réussisse ou qu'elle échoue, elle lui montrerait, et par la même occasion, peut-être parviendrait-elle à prouver à son père sa vraie valeur.

— Tu as besoin d'aide ?

— Non merci, ça va aller. Je passerai quelques coups de téléphone demain matin, à la première heure, et je partirai dimanche. Je préférerais ne pas tomber sur Judd et Anna, alors si j'arrive à savoir qui ils vont aller voir et quand, je les suivrai de près et je ferai aux P.-D.G. des établissements en question des propositions qu'ils ne pourront pas refuser.

— J'aime ta façon de penser. J'en conclus que tu as ton étude de marché sur cette clé USB ?

Elle acquiesça d'un signe de tête, tout en ouvrant les fichiers. Intérieurement, elle bouillait d'impatience. Elle avait peine à croire que Nate ait foi en ses idées, et était ravie de pouvoir les mettre en œuvre. Elle hésita un instant avant de lancer l'impression, s'attendant presque qu'il lui révèle des intentions cachées, mais il n'en fit rien.

— Si tu m'en imprimes un exemplaire, nous pourrons lire ton rapport ensemble. Je vais commander quelque chose à manger pendant que tu t'en occupes.

Elle hocha de nouveau la tête, se concentrant sur l'écran tandis qu'il quittait la pièce. Quand il réapparut, quelques minutes plus tard, elle avait imprimé en double exemplaire sa liste de contacts et son étude de faisabilité.

— J'ai demandé à deux ou trois personnes de rester encore un peu au cas où tu aurais besoin d'eux, dit-il en prenant une chaise pour s'asseoir à côté d'elle.

Son cœur fit un bond dans sa poitrine tant sa proximité la troublait.

— C'est vrai ?

— Nous formons une équipe ici, Nicole. Je n'attendrais de personne de faire ça tout seul. Et puis, si tu veux faire à tes clients une proposition qu'ils ne pourront pas refuser, il vaut mieux que nous réfléchissions tous ensemble pour être vraiment imbattables.

Elle marmonna qu'elle était d'accord et reporta son attention sur l'écran, s'efforçant de refouler les larmes qui lui montaient aux yeux.

*Une équipe*... Même si elle était là contrainte et forcée, Nate lui faisait quand même confiance, il la soutenait. Tout le contraire de ce qu'elle avait connu au sein de Wilson Wines. Pour qu'une de ses idées soit prise en considération, elle était obligée de l'expliquer en détail à son père, qui devait ensuite lui donner son approbation. C'était un système qui marchait probablement quand l'entreprise n'en était qu'à ses débuts, mais la façon dont son père dirigeait ses employés n'avait jamais évolué. Bien souvent, elle avait dû se battre contre ses méthodes tyranniques, généralement en vain.

Elle s'arracha à ses sombres pensées.

— Tout fonctionne-t-il en comité, chez Jackson Importers ? demanda-t-elle à Nate.

Elle avait cherché à prendre un ton léger, voire taquin, mais en voyant le regard noir de Nate, elle s'aperçut qu'il avait mal pris sa question.

— Oui, pour tout ce qui est vraiment important. Quand nous réussissons, nous réussissons ensemble. Quand on s'y met tous ensemble, tout le monde travaille plus dur et se sent valorisé individuellement. Pourquoi ? Tu ne penses pas que ton idée soit importante ?

— Non, ce n'est pas ça, c'est juste que... je n'avais encore jamais vu ce mode de fonctionnement.

— Tu n'as travaillé que chez Wilson Wines, n'est-ce pas ? Même quand tu étais étudiante et que tu travaillais pendant les vacances, tu n'as jamais travaillé ailleurs. Je me trompe ?

Elle était surprise de voir qu'il savait cela aussi. Y avait-il une chose sur elle qu'il ignorait ? Sous son regard intense, elle avait l'impression d'être examinée au microscope.

— Oui, j'ai toujours voulu travailler avec mon père.

L'expression de Nate s'adoucit, et il lui sembla voir dans ses yeux une lueur de compassion.

— Je te comprends. Dès mon plus jeune âge, je me suis rendu compte que mon père travaillait dur pour subvenir aux besoins de ma mère et aux miens, et j'ai su que je voulais l'aider. S'il m'avait laissé faire, j'aurais commencé à travailler tout de suite après le lycée, mais il a insisté pour que j'aille à l'université, et pour que je travaille pour d'autres entreprises pendant les vacances. Je croyais qu'il pensait que je ne savais pas ce que je voulais, et à l'époque, cela me vexait, mais maintenant, j'apprécie l'expérience que j'ai acquise.

— Ensuite, tu es parti à l'étranger ?

— Oui, pour quelques semaines de vacances, mais je me suis rendu compte que ce serait bien pour l'entreprise que je reste sur place, pour développer le commerce avec nos clients européens.

— Ton père t'a laissé faire ça alors que tu n'avais aucune expérience dans l'entreprise ? Tu étais tellement jeune !

Il haussa les épaules.

— Oui… Il a aimé ma proposition et a estimé que nous n'avions rien à perdre. Les premières années, j'ai travaillé avec acharnement, seul, et par la suite, nous avons embauché du personnel.

Elle éprouva malgré elle un sentiment d'envie. Elle se demandait quel effet cela pouvait faire de présenter une idée et d'obtenir immédiatement le feu vert pour la mettre en pratique. Puis elle se rendit compte que c'était exactement ce qui venait de se passer. Nate l'avait écoutée, il lisait maintenant son rapport tout en prenant des notes, et il avait mobilisé plusieurs personnes de l'équipe pour l'aider.

Elle était plongée dans la confusion la plus totale. Il la forçait à rester, lui faisait du chantage… Pourquoi, dans ces conditions, lui donnait-il l'occasion de réaliser ainsi ses projets ?

On frappa à la porte, et Raoul entra. Il avait desserré sa cravate et relevé ses manches de chemise.

— On vient de livrer le repas, annonça-t-il. Nous allons nous installer dans la salle de conférences pour dîner. Vous vous joignez à nous ?

— Dans une minute, répondit Nate.

Dès que Raoul fut reparti, il se leva et rassembla ses notes.

— Tu es prête ?

— Oui. Je veux juste te demander quelque chose…

— Oui ?

— Pourquoi fais-tu ça ?

— Ça ? demanda-t-il en montrant le dossier qu'il avait à la main.

— Oui. Pourquoi ? Il y a un risque que cela échoue et te fasse perdre de l'argent.

Il haussa les épaules.

— Je te fais confiance, et je sais que tu es sur un gros coup. Il n'y a qu'à voir le travail que tu as fait jusqu'à maintenant… Pourquoi ne pas s'en servir ? En plus, j'imagine la tête de ton père quand notre projet sera couronné de succès.

— Tu crois qu'il sera couronné de succès ?

— Ne doute pas de toi ou de ton équipe, Nicole. Nous pouvons être invincibles si nous le voulons vraiment.

Il traversa la pièce et ouvrit la porte.

— On y va ?

Elle hocha la tête d'un air résolu, prit son ordinateur portable et son sac à main, et le suivit. *Invincibles…* Elle aurait dû avoir peur de le voir aussi sûr de lui, mais, curieusement, son attitude lui donnait du courage.

Elle prit soudain conscience qu'elle aimait travailler avec lui. En tant qu'employeur, il était le contraire de son père.

Elle n'eut pas vraiment le temps de s'attarder sur ces pensées, car ils entrèrent dans la salle de conférences et se remirent aussitôt au travail. Nate lui demanda d'expliquer le concept aux membres de l'équipe, puis il leur donna son propre point de vue sur le rapport. Tout en mangeant des plats venant d'un traiteur chinois, ils discutèrent, échangèrent des idées, jusqu'à ce qu'elle n'ait plus l'impression d'être à l'origine de ce projet. Elle était enthousiasmée par la direction que prenaient les choses.

Quand Nate et elle retournèrent à l'appartement, elle était épuisée et surexcitée à la fois. Ils avaient un projet solide, et elle avait toutes les armes dont elle avait besoin pour gagner à sa cause les entreprises que Judd et Anna avaient probablement déjà approchées.

Alors qu'elle se dirigeait vers sa chambre pour aller se coucher, elle s'arrêta et se tourna vers lui.

— Nate ?

— Oui ?

— Merci, pour ce que tu as fait aujourd'hui.

Il s'avança vers elle. Elle ne distinguait pas son expression, dans la pénombre du couloir, mais dès qu'il fut assez près d'elle, elle vit qu'un sourire dansait sur ses lèvres.

— Tu me remercies ?

Elle hocha la tête.

— Oui, je te remercie d'avoir cru en moi.

— Tu le mérites, Nicole. Je ne sais pas pourquoi ton père a ignoré tes talents comme il l'a fait… Avec ton intelligence, tu devrais avoir le monde entier à tes pieds. Je te laisse simplement mettre à profit tes compétences.

Ses compliments directs la surprirent.

— Je… Je t'en suis reconnaissante, bredouilla-t-elle. J'avoue que j'ai passé une bonne soirée.

— Il y en aura plein d'autres comme celle-là.

— Eh bien, merci.

Elle hésita sur le pas de la porte, et, spontanément, lui déposa un baiser sur la joue, puis sur la bouche. L'espace d'un instant, il resta immobile, puis il la prit dans ses bras et l'embrassa avec fougue. Son cœur fit un bond dans sa poitrine, et elle accepta l'inévitable : ils allaient faire l'amour. Elle en était heureuse, car elle n'aurait plus à lutter constamment contre son désir. Mais au fond, elle savait ce que cela signifiait aussi : elle se livrait à lui et remettait son cœur entre ses mains.

# - 7 -

Nate plaqua Nicole contre la porte de la chambre et savoura le goût de leur baiser. Il savait que ce n'était qu'une question de temps avant qu'elle ne capitule… C'était inévitable ; l'attirance entre eux était trop forte. Le savoir n'avait pas rendu l'attente plus supportable, mais il avait su patienter, maîtriser son désir, et il en était enfin récompensé.

Il avait adoré la regarder travailler aujourd'hui. Quoi de plus séduisant qu'une femme intelligente et sûre d'elle ? Nicole était les deux. En outre, sa beauté constituait indéniablement un atout supplémentaire…

Cependant, l'heure n'était pas à la réflexion. Sans cesser de l'embrasser, il ouvrit la porte de la chambre et entraîna Nicole à l'intérieur. La pièce, plongée dans l'obscurité, n'était éclairée que par les lumières du port, que l'on apercevait par la baie vitrée. Il continua à la guider vers le lit, puis il défit la fermeture Eclair de sa robe. Celle-ci tomba par terre dans un bruissement soyeux. L'espace d'un instant, il regretta de ne pas avoir allumé la lumière, pour admirer son corps sublime. Il devrait compter sur ses autres sens…

Il se consumait de désir, mais il avait envie de prendre son temps, de faire durer le plaisir, de donner et de recevoir, encore et encore, jusqu'à ce qu'ils ne puissent plus ni l'un ni l'autre résister au supplice.

Nicole poussa un petit gémissement quand il se pencha pour l'embrasser dans le cou. Elle le saisit par les épaules alors qu'il continuait à descendre, suivant la courbe de ses seins. Il passa les bras autour d'elle et dégrafa son soutien-gorge, qu'il laissa tomber négligemment, puis il referma ses mains sur ses seins et lui caressa les mamelons, qui se durcirent aussitôt à ce contact.

Elle défit sa cravate, la lui enleva, et déboutonna lentement sa chemise, les mains légèrement tremblantes. Il étouffa un grognement quand elle lui griffa doucement le torse. Enfin, elle défit la fermeture Eclair de son pantalon. Elle effleura son sexe en érection du bout des doigts, à travers son boxer, et il eut l'impression qu'il allait perdre le contrôle de lui-même.

Il la renversa doucement sur le lit, finit de se déshabiller et s'allongea à côté d'elle. Une douce chaleur émanait de son corps, une chaleur qui s'intensifia lorsqu'il glissa la main dans sa petite culotte. Il la caressa, savourant le contact de son sexe sous ses doigts. Elle gémit, se pressa contre sa main… Ce mouvement le fit sourire. Elle s'était dominée toute la semaine, et s'abandonnait enfin, sans retenue, sans inhibitions. Il lui enleva sa petite culotte et alla se placer entre ses jambes, caressant la peau veloutée de ses cuisses. Il sentit ses muscles se contracter lorsqu'il posa la bouche sur son sexe. Il la caressa, encore et encore, jusqu'à ce qu'elle jouisse, puis il attendit que les spasmes qui la secouaient s'espacent et, enfin, tendit le bras vers la table de nuit pour prendre un préservatif. Il ouvrit le tiroir et chercha dedans à tâtons.

— Il n'y en a plus, dit Nicole.

— Ah bon ? Mais…

— Je les ai découpés en morceaux et jetés. Je ne voulais pas être tentée.

Il aurait ri s'il n'avait pas été à l'agonie, ivre de désir. Il l'embrassa fougueusement.

— Ne bouge pas, dit-il, je reviens tout de suite.

Il alla chercher quelques préservatifs dans sa chambre, revint s'allonger au-dessus d'elle, et en enfila un.

— Quand tu auras un orgasme, cette fois-ci, dit-il en allumant la lampe de chevet, je veux te voir.

Elle émit un petit gémissement plaintif, comme si elle s'apprêtait à protester, mais elle s'interrompit quand il la pénétra. Il s'efforça de se maîtriser, de se retenir de la prendre sauvagement, et se mit à bouger lentement en elle. Elle accompagna ses mouvements, ondulant du bassin, et il sourit en voyant qu'elle essayait de le pousser à accélérer la cadence.

— Ce sera encore meilleur comme ça, dit-il, crois-moi…

Les lèvres légèrement entrouvertes, haletante, elle avait les joues cramoisies. Enfin, elle fut parcourue d'un frisson... Il sentit ses muscles se contracter autour de lui, et jouit avec elle.

Nicole resta étendue sous Nate, attendant que les battements de son cœur s'espacent de nouveau, si tant est que cela soit possible... Elle avait l'impression que tout était plus intense depuis qu'elle l'avait rencontré. Elle n'avait pas la moindre idée de ce qui allait se passer ensuite. La seule chose dont elle était sûre, c'était qu'elle ne ressentirait plus jamais cela avec aucun autre homme. Cette pensée l'attristait énormément, mais elle savait que ce qui les unissait ne pouvait pas durer.

Elle n'avait jamais suffi à personne auparavant. Sa mère ne l'avait pas aimée, son père n'avait jamais été fier d'elle. Et maintenant, elle avait Nate, qui lui donnait le sentiment que tout était possible. Mais elle ne pouvait se fier à cette impression : il ne passait du temps avec elle que pour mener à bien sa vengeance et, dès qu'il serait parvenu à ses fins, il se débarrasserait d'elle.

En dépit de la petite voix sévère dans sa tête qui lui intimait de ne pas trop s'attacher, elle ne put retenir un petit gémissement plaintif quand Nate s'écarta d'elle et roula sur le côté.

— Laisse-moi me débarrasser du préservatif, dit-il soudain. Heureusement, nous avons évité l'accident, cette fois.

Elle eut l'impression que son sang se glaçait dans ses veines.

— Comment ça, *cette fois* ?

— Je ne te l'ai pas dit ? La première fois que

nous avons fait l'amour, le préservatif a craqué. Mais tu prends la pilule, n'est-ce pas ?

Non, elle ne prenait pas la pilule, mais le problème n'était pas là. Il aurait dû lui en parler tout de suite. La situation était déjà assez compliquée. Comment aurait-elle pu annoncer à son père qu'elle attendait un enfant de Nate Hunter ?

— Nicole ? Tu prends la pilule, n'est-ce pas ?

— Non, répondit-elle, soudain prise de panique. Pourquoi ne m'en as-tu pas parlé ? Qu'allons-nous faire si jamais…

— Je m'en occuperai, l'interrompit-il avec fermeté.

*Il* s'en occuperait ? Et elle, dans tout ça ? Ses pensées et ses sentiments n'avaient-ils aucune importance ? Et comment s'en *occuperait*-il ? Insisterait-il pour qu'elle se fasse avorter, ou bien se servirait-il de sa grossesse comme d'une autre arme pour atteindre son père ? Elle songea que, s'il lui donnait carte blanche au travail, il ne lui laissait en revanche aucune liberté en privé. Lorsqu'il revint se coucher à côté d'elle, elle avait déjà roulé sur le côté et feignait de dormir. Elle avait beaucoup de choses en tête, et ne parviendrait pas à réfléchir posément s'il la touchait.

Quand le mercredi arriva, Nicole avait réussi à récupérer, au profit de Jackson Importers, quatre des six établissements vinicoles que Judd et Anna avaient visités. Elle avait aussi rencontré trois nouveaux clients potentiels, que son projet semblait enthousiasmer.

Ses journées avaient été chargées. Judd avait fait du bon travail, mais elle avait été encore meilleure que lui, et cela l'enchantait. Tandis qu'elle attendait sa valise devant le tapis roulant, à l'aéroport d'Auckland, elle ne put réprimer un sourire de satisfaction.

— Eh bien, tu as l'air contente de toi ! fit soudain la voix grave de Nate derrière elle.

Son cœur fit un bond dans sa poitrine. Elle se tourna vers lui, s'efforçant de garder son calme pour ne pas lui montrer à quel point il lui avait manqué.

— Cela s'est bien passé, répondit-elle d'un ton satisfait. Je ne m'attendais pas à ce que tu viennes me chercher, j'aurais pu prendre un taxi…

— J'avais envie de te voir, dit-il simplement.

Il se pencha et lui déposa un baiser sur les lèvres. Il la surprenait vraiment toujours…

— Oh ! mes bagages ! s'écria-t-elle en voyant sa valise arriver sur le tapis roulant.

Nate prit la valise de Nicole et posa une main au creux des reins de la jeune femme pour l'entraîner vers le parking.

— Quel est le programme ? Allons-nous directement au bureau ? demanda-t-elle alors qu'ils montaient dans la voiture de Nate et quittaient l'aéroport.

— Non.

— J'avais pensé que…

— Je leur ai dit que nous ne viendrions que dans l'après-midi.

Elle était étonnée. Elle avait pensé qu'il aurait aimé avoir un compte rendu immédiat de son voyage. Ils avaient le vent en poupe, et il était indispensable d'agir sans perdre de temps pour concrétiser leur avantage sur Judd et Anna.

*Judd et Anna...* Jamais elle n'aurait cru cette association possible. Pourtant, les représentants des établissements où elle s'était présentée lui avaient dit que son frère et sa meilleure amie formaient une bonne équipe, et qu'ils semblaient proches l'un de l'autre.

Elle soupira. Il n'y avait encore pas si longtemps, elle aurait été la première à savoir s'il y avait un homme dans la vie d'Anna. Elles se disaient tout, n'avaient jamais eu de secret l'une pour l'autre. Elles étaient amies depuis l'enfance.

Elles avaient fréquenté les mêmes écoles privées, son père ayant payé les frais de scolarité d'Anna pour qu'elles ne soient jamais séparées. Dès lors, quoi de plus naturel qu'Anna soit autant attachée à Charles ? Ce dernier lui avait offert des opportunités dont elle n'aurait jamais pu bénéficier autrement. Si Anna n'avait pas accédé à la requête de Charles, nul doute qu'elle aurait eu l'impression de faire preuve d'ingratitude.

Nicole mourait d'envie de la recontacter, pour se réconcilier avec elle, si c'était encore possible. Elle mourait d'envie de lui parler de Judd, des rumeurs qu'elle avait entendues à leur sujet, de sa relation avec Nate… Elle jeta un coup d'œil à ce dernier et sentit aussitôt une onde de désir la parcourir. Le simple fait de le regarder la troublait profondément. Elle avait bien besoin des conseils de son amie et de son sens pratique pour mettre de l'ordre dans ses idées.

Elle désirait Nate, c'était indéniable ; mais le chantage qu'il lui faisait lui déplaisait au plus haut point. Sans compter qu'elle s'inquiétait de la suite. Combien de temps encore serait-elle un pion sur l'échiquier entre son père et son amant, et comment tout cela finirait-il ?

Nate resta étonnamment silencieux tandis qu'ils traversaient la ville à vive allure. Enfin, ils arrivèrent devant son immeuble et se garèrent dans le parking sous-terrain. Nate semblait tendu. Que se passait-il ?

En silence, ils prirent l'ascenseur jusqu'à son étage, et dès qu'ils eurent franchi la porte de son appartement, elle eut la réponse à la question qu'elle se posait.

Nate la prit dans ses bras et l'embrassa avec fougue. Aussitôt, une vague de désir la submergea. Ils se déshabillèrent fébrilement et laissèrent leurs vêtements en tas sur le sol de l'entrée, puis il la souleva et la reposa sur la console, enfila un préservatif, la pénétra d'un mouvement brusque, se retira et la pénétra de nouveau, encore et encore.

L'orgasme la prit complètement par surprise. Elle se cramponna aux épaules de Nate, les jambes enroulées autour de sa taille, secouée de spasmes de plaisir. Elle entendit à peine le cri qu'il poussa en jouissant avec elle.

Elle eut besoin de plusieurs minutes pour revenir à la réalité, pour prendre pleinement conscience de ce qui venait de se passer et de l'endroit où ils se trouvaient. Nate appuya son front contre le sien.

— Je t'ai dit que j'avais envie de te voir.

Elle rit.

— Eh bien, on peut dire que tu m'as vue ! Je commençais à croire que quelque chose n'allait pas, tu étais tellement silencieux…

— Je voulais arriver ici le plus vite possible, je ne pensais qu'à cela.

Il se retira et l'embrassa de nouveau. Cette fois, son désir assouvi, il fit preuve d'une tendresse qu'il n'avait jamais manifestée à son égard. Elle en fut profondément troublée. Décidément, cet homme ne cessait de la surprendre. A bien des égards, il semblait vouloir régenter sa vie, et pourtant, il la laissait parfois n'en faire qu'à sa tête. Elle ne parvenait jamais à prévoir ses réactions. Elle avait souvent envie de le repousser, verbalement et physiquement, ne serait-ce que pour souffler un peu, puis il faisait quelque chose de totalement imprévu qui la bouleversait, quelque chose qui la transcendait et lui révélait combien elle le troublait.

A moins qu'elle ne fasse complètement fausse route… Peut-être ne le comprenait-elle pas, peut-être voyait-elle ce qu'elle avait *envie* de voir. Elle n'avait aucune certitude, et doutait même de pouvoir le comprendre vraiment un jour.

Il la souleva de nouveau et la fit glisser contre son corps jusqu'à ce que ses pieds touchent le sol. Ce contact la fit frissonner, et elle aurait voulu le faire durer, prolonger le lien physique qui les unissait. Dans ce domaine, au moins, ils étaient en parfaite harmonie.

Dans leur empressement, ils n'avaient pas prêté attention au vase en cuivre qu'ils avaient fait tomber de la table et qui avait fendu l'un des carreaux du sol.

Elle se pencha pour le ramasser.

— Quel dommage ! s'exclama-t-elle en désignant le carreau cassé. Tu crois que tu pourras le changer ?

— Je n'essaierai même pas. Je crois que je préférerai me rappeler comment il a été cassé, répondit-il avec un sourire irrésistible. Viens, allons prendre une douche…

L'après-midi était bien entamé lorsqu'ils arrivèrent au bureau, et elle commençait à ressentir les effets du vol et de ses ébats vigoureux avec Nate. Malgré la fatigue, elle parvint à faire à ses collègues un compte rendu précis de son voyage. La réunion se terminait quand elle entendit Raoul mentionner son père alors qu'il discutait à voix basse avec Nate.

— … il n'avait pas l'air en forme, murmurait-il, pensant sûrement que seul Nate pouvait l'entendre. Tu es sûr de vouloir continuer ?

Nate la regarda brièvement, puis il lui tourna le dos et dit quelque chose à Raoul, qui jeta lui aussi un coup d'œil dans sa direction et hocha la tête. Il rassembla ses papiers et quitta la pièce, bientôt suivi du reste de l'équipe. Elle attendit que tout le monde soit sorti pour s'approcher de Nate.

— Que se passe-t-il, avec mon père ?

— Rien de spécial, répondit-il, impassible.

— Alors de quoi parliez-vous, Raoul et toi ?

— Ecoute, Raoul m'a simplement dit qu'il avait vu ton père à une réception ce week-end, et qu'il lui avait paru plus fatigué que d'habitude. Il n'est pas en bonne santé, n'est-ce pas ?

Elle secoua la tête. Non, il n'était pas en bonne santé… et le fait qu'elle ait quitté Wilson Wines pour venir travailler pour Jackson Importers aggravait probablement les choses. Sa responsabilité lui apparut soudain, et un sentiment de culpabilité l'envahit. Elle avait été tellement acharnée à battre Judd qu'elle avait perdu de vue l'enjeu que tout cela représentait. Depuis quelques années, la situation était difficile pour l'entreprise familiale ; elle était bien placée pour le savoir. Pourtant, avec son impulsivité coutumière, elle n'avait fait qu'aggraver la situation.

La voix de Nate l'arracha à ses pensées :

— Ce n'est pas ta faute s'il va mal, Nicole…

Elle leva les yeux vers lui.

— Non, mais mon absence ne doit pas arranger les choses. Depuis le début, tu savais qu'il avait des problèmes de santé. Est-ce que cela faisait partie de ton plan ? Voulais-tu le voir décliner encore plus rapidement ?

— Quoi, tu penses que je veux la mort de ton père ?

— Œil pour œil, dent pour dent… N'est-ce pas ce dont il s'agit ?

— Nicole, tu te trompes si tu me crois capable de faire une chose pareille. J'en veux à ton père, c'est vrai, pour ce qu'il a fait au mien. Je lui en veux de n'avoir jamais reconnu s'être trompé, de n'avoir jamais reconnu qu'il n'aurait pas dû traiter son meilleur ami comme il l'a fait, mais je ne souhaite pas sa mort ! Je veux seulement qu'il change d'état d'esprit… Il faut qu'il se remette en question, qu'il arrête de croire qu'il a toujours raison. Ses méthodes autoritaires t'ont blessée, toi aussi… C'est la seule revanche que je veux : lui faire prendre conscience qu'il n'est pas le maître du monde, qu'il a fait des erreurs et que des gens en ont souffert. Il va peut-être finir par assumer la responsabilité du mal qu'il a fait autour de lui.

— Ne peux-tu laisser le passé derrière toi ? demanda-t-elle d'un ton suppliant. Oui, il a fait des erreurs, mais il en a payé les conséquences, lui aussi… Pendant vingt-cinq ans, il ne savait même pas si Judd était vraiment son fils !

— Tu crois que cela suffit à racheter ce qu'il a fait ? s'écria Nate d'un air méprisant. Il a anéanti mon père ! Tu sais ce que cela signifie ? Avec ses accusations, il a terni sa réputation à vie ! Mon père a perdu plus qu'un ami ou qu'un associé, il a perdu le respect de ses pairs, sans parler de ses revenus. Pour ma mère et pour moi, les conséquences ont été terribles aussi. Pendant que vous viviez tranquillement dans cette monstruosité que vous appelez une maison, avec votre cuisinière et vos vêtements haute couture, la vie était très dure pour ma mère et moi.

Les mots de Nate tombaient sur elle comme des grêlons, et elle percevait la douleur dans sa voix, la douleur du petit garçon dont le père s'était éloigné de lui, du petit garçon dont toute la vie avait tourné autour d'un conflit entre deux hommes. Toute la colère qu'elle avait éprouvée un instant plus tôt l'abandonna.

— Mais tu vois ce que tu lui fais maintenant ? demanda-t-elle d'une voix douce. C'est toi qui es en position de force, cette fois… Quels dégâts es-tu prêt à causer, *toi*, en refusant de pardonner ?

— Ecoute, nous ne serons jamais d'accord là-dessus, et je n'ai pas envie d'en discuter davantage.

— Tu te défiles !

Elle n'était pas prête à abandonner, pas encore. Elle méritait des réponses.

— Tu crois que tu es le seul à avoir été affecté par ce qui s'est passé ? poursuivit-elle. J'ai perdu ma mère et mon frère à cause de cette situation.

Nate secoua la tête.

— Ce n'est pas aussi simple que cela.

— Si, Nate, ça l'est. La querelle était entre nos pères, pourquoi la laisser nous affecter aujourd'hui ?

— Parce qu'il ne s'est jamais excusé. Charles Wilson n'a jamais reconnu qu'il avait eu tort, s'entêta Nate.

— Quand bien même il s'excuserait, est-ce que cela changerait quoi que ce soit à ce qui s'est passé ?

— Tu ne comprends pas.

— Non, répondit-elle avec tristesse, tu as raison, je ne comprends pas, et je ne comprendrai jamais. Trop de gens ont souffert de cette histoire, Nate. N'entretiens pas la querelle, cela n'en vaut pas la peine.

— Je ne te laisserai pas retourner auprès de lui, Nicole.

— Je ne crois pas que tu puisses m'en empêcher.

— N'oublies-tu pas un détail ?

— Non, Nate, je n'ai pas oublié que tu pouvais envoyer la vidéo à mon père. J'espère simplement que tu auras la décence de ne pas le faire.

# - 8 -

Ce soir-là, Nate et Nicole retournèrent à Karekare. Le trajet se fit dans le silence le plus complet. Dès qu'ils furent arrivés, elle annonça qu'elle allait se coucher. Le lendemain matin, elle se réveilla à l'aube, seule dans le lit. Elle se leva, enfila le peignoir assorti à sa nuisette ivoire, et se dirigea vers le salon à pas feutrés. La pièce était plongée dans l'obscurité, la seule source de lumière étant l'immense écran accroché au mur. Nate était assis sur le canapé en face de la télévision, et un verre de vin rouge était posé sur la table basse, devant lui. Le son était coupé, mais il ne l'avait pas entendue entrer. Elle jeta un coup d'œil à l'écran et regretta aussitôt de s'être levée : ils étaient là, nus, dans toute leur gloire, en train de faire l'amour. Sur le moment, elle avait trouvé que cela serait amusant de se filmer. Cette fois encore, son impulsivité l'avait mise dans une situation délicate. Elle ferma les yeux, mais ne parvint pas à chasser de son esprit les images de leurs corps enlacés, de l'expression de Nate alors qu'il lui faisait l'amour… Elle n'aurait alors jamais imaginé que cela puisse avoir des conséquences aussi désastreuses.

Elle rouvrit les yeux, tourna les talons et retourna dans la chambre avant que Nate s'aperçoive de sa présence. Elle se recoucha et laissa les larmes couler sur ses joues.

Nate était assis dans le noir et regardait fixement sur l'écran devant lui la preuve de l'incroyable lien qui l'unissait à la femme passionnée qui dormait dans son lit en ce moment même. Cela faisait maintenant deux fois qu'il la menaçait d'utiliser contre elle cette vidéo. La première fois, il avait été sincère. La seconde… il avait pensé être sincère, jusqu'à maintenant, jusqu'à ce qu'il la regarde de nouveau et qu'il se rende compte qu'il ne pourrait jamais mettre ses menaces à exécution.

Il voulait toujours se venger de Charles Wilson, mais il ne voulait pas, ne *pouvait* pas blesser Nicole pour y parvenir. Ce qu'elle lui avait dit l'avait profondément touché. Il savait qu'elle était dans le vrai, mais il ne parvenait pas à se raisonner. Tout petit, il avait compris que la relation de ses parents n'était pas normale, en la comparant aux relations des parents de ses amis. Deborah Hunter et Thomas Jackson ne s'étaient jamais mariés, n'avaient même jamais vécu ensemble. Un jour, alors qu'il n'était encore qu'un enfant, il avait demandé à sa mère pourquoi son père ne vivait pas avec eux, et elle lui avait répondu que son père n'était tout simplement pas comme les autres pères, avec une tristesse infinie dans le regard. Nate n'avait jamais voulu revoir cette expression sur le beau visage de sa mère, et il s'était abstenu de lui poser d'autres questions.

Ce n'était que plus âgé qu'il avait compris ce qui rendait son père différent des autres. Thomas Jackson était homosexuel. Si cela s'était su, il aurait probablement perdu bon nombre d'amis ou de relations de travail.

Nate était la preuve vivante d'une ultime tentative de déni de la part de son père. Ce dernier lui avait raconté, peu de temps avant sa mort, comment il avait rencontré Deborah Hunter et comment, refusant d'admettre sa propre sexualité, il avait eu une aventure avec elle. Nate était né de cette brève union, et Thomas et Deborah étaient restés proches toute leur vie. Nate ne doutait pas de l'amour de sa mère pour Thomas, et il était convaincu que Thomas avait aimé sa mère… mais pas comme elle en avait eu besoin.

Sachant tout cela, il avait compris beaucoup de choses, notamment que son père ne pouvait pas avoir eu une liaison avec Cynthia Masters-Wilson, comme Charles l'en avait accusé. D'ailleurs, si celui-ci avait été un véritable ami, il aurait dû s'en douter. Mais il était connu pour son attitude rétrograde et souvent moralisatrice, qui expliquait probablement pourquoi Thomas ne s'était jamais confié à lui.

Oui, Nicole avait raison quand elle disait qu'il ne pouvait rien changer au passé, mais le petit garçon en lui souffrait encore. Charles Wilson devait payer. Nicole, en revanche, n'avait déjà que trop souffert en étant forcée de quitter sa famille, sa maison, et ses amis.

Il prit la télécommande et éteignit la télévision. Il n'utiliserait jamais cette vidéo contre elle. Cependant, s'il le lui avouait, comment pourrait-il la convaincre de rester ? Maintenant qu'il l'avait à ses côtés, il ne voulait plus la voir partir…

Bien sûr, il était très content qu'elle travaille pour lui, et ravi d'avoir subtilisé à Charles Wilson quelqu'un dont il faisait si peu de cas, mais s'il voulait qu'elle reste avec lui, ce n'était plus uniquement pour ces raisons-là.

Son désir pour elle était inépuisable, mais, au-delà, il la *voulait* d'une façon qu'il ne comprenait pas vraiment lui-même. Et cette réalité l'effrayait.

Nicole était toujours seule dans le lit lorsqu'elle se réveilla le matin, mais elle entendait l'eau de la douche couler. Les draps s'étaient entortillés autour de ses jambes, preuve de son sommeil agité. Elle se demanda ce que Nate s'était dit en regardant leur vidéo. Avait-il imaginé la colère de son père et son dégoût ? La lui enverrait-il accompagnée d'une lettre, dans laquelle il expliquerait qu'il était le fils de Thomas Jackson ?

L'idée que son père puisse lire cette lettre et regarder ce film la rendait malade. Elle se leva précipitamment et se rua dans la salle de bains de la chambre d'amis, soudain nauséeuse. Quelques minutes plus tard, elle s'appuya à la tablette du lavabo, s'efforçant de se calmer. D'une main tremblante, elle ouvrit le robinet, se lava les dents et se passa de l'eau sur le visage.

Elle se sentait terriblement mal. D'ailleurs, à bien y réfléchir, cela faisait plusieurs jours qu'elle ne se sentait pas bien. Sa fatigue était-elle simplement à mettre sur le compte de son voyage d'affaires et de sa relation compliquée avec Nate ? Elle n'osait pas envisager l'autre option : non, elle ne pouvait pas être enceinte.

Elle sentit son estomac se nouer et regarda son reflet dans la glace. Elle était pâle, avait les yeux cernés, les cheveux ternes… Le stress, sans aucun doute. Sa situation était éprouvante, et elle s'inquiétait pour son père.

Ses pensées se tournèrent de nouveau vers ce dernier. Elle avait peine à croire que son état de santé se soit encore détérioré. Elle aurait voulu avoir de ses nouvelles. Elle lui aurait volontiers rendu visite, mais elle savait qu'il ne l'accueillerait pas à bras ouverts. Il ne lui restait qu'une seule solution : chercher à voir Anna. Son amie pourrait la renseigner. Elle lui enverrait un e-mail dès qu'elle arriverait au bureau, lui donnerait rendez-vous pour déjeuner, en espérant qu'elle accepterait l'invitation.

Pour la première fois, la présence de Nate dans le bureau la dérangea. Elle dut attendre qu'il parte pour une réunion pour écrire à Anna. Celle-ci lui répondrait-elle seulement ? Il n'y avait qu'un seul moyen de le savoir… Elle rédigea un court message et l'envoya avant de changer d'avis, puis elle attendit, tambourinant nerveusement de ses doigts sur le bureau. Enfin, n'y tenant plus, elle éteignit son ordinateur et prit son sac à main. Elle attendrait au restaurant où elle avait proposé à son amie de la retrouver. Si jamais Anna ne la rejoignait pas, elle prendrait des nouvelles de son père autrement.

Nicole éprouva un immense soulagement en voyant son amie s'approcher de la table qu'elle avait choisie, au fond du restaurant. Aussitôt cependant, ce soulagement se mêla d'appréhension.

Anna s'assit en face d'elle.

— J'ai déjà commandé pour nous deux, annonça Nicole.

— Merci…

Nicole sentit son cœur se serrer. Arriveraient-elles à se réconcilier ?

— Oh ! Anna ! Ne me regarde pas comme ça, je t'en prie…

— Comme quoi ?

— Comme si tu ne savais pas si j'allais te sauter à la gorge ou te prendre dans mes bras !

Anna eut un sourire hésitant.

— Eh bien, tu étais assez en colère après moi la dernière fois que nous nous sommes vues, répondit-elle.

C'était vrai. Nicole s'était sentie trahie, prise au piège, furieuse… Elle n'avait fait qu'aggraver les choses en s'emportant et en s'enfuyant.

A son tour, Nicole sourit, un peu crispée, et elle tendit le bras sur la table pour poser sa main sur celle d'Anna. Elle se détendit un peu en voyant que cette dernière ne cherchait pas à se libérer de son étreinte.

A ce moment-là, le serveur arriva avec leurs salades César, et Nicole retira sa main. Dès qu'elles furent de nouveau seules, Anna lui demanda comment elle allait. Nicole mourait d'envie de lui dire la vérité, de lui dire qu'elle s'était empêtrée dans une situation terrible dont elle n'arrivait plus à se sortir, mais elle resta volontairement floue. D'ailleurs, elle ne voulait pas parler d'elle aujourd'hui, mais avoir des nouvelles de son père. Elle ne fut pas étonnée quand son amie lui dit que Charles était furieux qu'elle travaille pour Nate. Comment réagirait-il quand il apprendrait qu'il était le fils de Thomas Jackson ?

Elle demanda ensuite des nouvelles de sa santé, et fut un peu soulagée d'apprendre qu'il allait bien. En revanche, elle fut blessée d'entendre que Judd avait pris sa place au sein de Wilson Wines avec beaucoup d'aisance. Aux yeux de leur père, elle ne serait jamais l'égale de Judd, même si celui-ci avait grandi à l'étranger.

Quand Anna lui demanda de revenir, Nicole sentit son cœur se serrer.

— Je… Je ne peux pas, répondit-elle en secouant la tête.

— Comment ça, tu ne peux pas ? Bien sûr que tu peux ! Ta place est auprès de nous, ta carrière est avec nous. Reviens… s'il te plaît.

Si seulement les choses étaient aussi simples. Même si elle parlait à Anna du chantage qu'exerçait Nate sur elle, comment pourrait-elle avouer toute la vérité ? En fait, elle aimait travailler pour Jackson Importers, elle s'y sentait plus appréciée et plus valorisée que dans l'entreprise familiale.

Honteuse d'avoir eu cette pensée, elle évita soigneusement le sujet et présenta à Anna des excuses bien méritées. A son grand soulagement, cette dernière les accepta gracieusement, et elles changèrent de sujet, parlant de tout et de rien, mais ni de travail ni d'hommes.

Quand l'heure fut venue de retourner travailler, elle se sentait beaucoup mieux.

— Je suis vraiment contente que tu m'aies envoyé cet e-mail, dit Anna en se levant et en la serrant dans ses bras pour lui dire au revoir.

— Et moi, je suis contente que tu veuilles encore me voir. Je ne te mérite pas, tu sais…

— Bien sûr que tu me mérites, et bien plus encore ! Je vais régler la note, d'accord ? Tu m'inviteras la prochaine fois.

— Tu es sûre ?

— Qu'il y aura une prochaine fois ? Evidemment…

— Je ne parlais pas de ça, voyons ! répondit

Nicole en riant, heureuse de retrouver le ton badin de leurs conversations habituelles.

Cependant, sa joie fut de courte durée. Passer du temps avec Anna lui avait rappelé ce qu'elle avait laissé derrière elle, ce qu'elle avait gâché à cause de son comportement irresponsable. Et maintenant, elle devait envisager un autre problème : à cause de son imprudence, elle était peut-être enceinte. L'angoisse qui l'avait saisie le matin même lui noua de nouveau le ventre. Avant qu'Anna ne s'aperçoive de son malaise ou qu'elle-même ne lui raconte toute l'histoire, elle embrassa son amie et sortit du restaurant.

Dehors, elle s'abandonna à sa tristesse. Elle prenait enfin pleinement conscience de tout ce qui lui manquait : son père, sa meilleure amie, et même l'occasion de tisser des liens avec le frère qu'elle n'avait jamais eu la chance de connaître, de travailler avec lui pour l'aider à faire prospérer l'entreprise familiale. Maintenant, elle travaillait pour l'ennemi… et, en plus, elle aimait cela. Un sentiment de culpabilité la submergea. D'une manière ou d'une autre, elle arrangerait les choses.

Elle devait trouver un moyen de continuer à travailler avec Nate, tout en restant fidèle à Wilson Wines. Ce serait délicat, mais après tout, elle n'avait pas signé d'accord de confidentialité. Rien ne l'empêchait de donner à Anna des informations sur les projets de Nate.

Soulagée d'avoir enfin trouvé une solution à son problème, elle continua sa route, ignorant la voix de sa conscience, qui lui disait qu'elle s'apprêtait à faire du mal aux gens qui l'avaient accueillie à bras ouverts au sein de Jackson Importers.

Accompagné du directeur du service informatique, Nate sortit de réunion le lundi matin sans vraiment savoir s'il était furieux contre Nicole ou admiratif de son audace. Au cours du week-end, alors qu'il s'imaginait qu'elle boudait dans sa chambre, elle avait en fait envoyé des informations confidentielles à Anna Garrick. Heureusement, grâce au logiciel de suivi qu'il avait pris soin d'installer sur son ordinateur, le service informatique avait pu lire ses mails.

Pourquoi avait-elle fait une chose pareille ? Elle lui avait semblé satisfaite de son succès dans l'île du Sud. Puis ils avaient eu cette fichue discussion, qui les avait de nouveau éloignés l'un de l'autre, au bureau comme chez lui. Même à Karekare, elle était retournée dormir dans la chambre d'amis. Il ne comprenait pas pourquoi. De toute évidence, l'attirance qu'il éprouvait pour elle était réciproque. Il le savait, le voyait dans ses yeux lorsqu'ils se frôlaient accidentellement.

D'ailleurs, cette attirance n'était pas uniquement physique. Il s'efforçait de satisfaire tous ses besoins, y compris celui de se sentir valorisée et appréciée au travail. Il lui donnait toutes les occasions de briller, et pourtant, cela ne semblait pas lui suffire. Que pouvait-il lui offrir de plus ?

Pourquoi n'était-elle pas heureuse ? Avait-elle un tel besoin de la reconnaissance de son père qu'elle était prête à laisser passer toutes les opportunités qui s'offraient à elle ?

Il serait en mesure de limiter les dégâts cette fois-ci, mais il devait mettre un terme à ses agissements, pour lui, pour l'entreprise, mais aussi pour elle. Il était bien placé pour savoir que Charles Wilson était un homme entêté qui ne pardonnait jamais. Il n'avait pas pardonné à son meilleur ami, et il ne pardonnerait pas davantage à sa fille. Nicole ne réussirait pas à regagner l'affection de son père en livrant des informations confidentielles sur Jackson Importers ; elle ne ferait que saboter ses propres chances de réussite, et il avait bien l'intention de l'en empêcher.

Il ouvrit la porte de son bureau et éprouva un sentiment de satisfaction quand elle sursauta, surprise de le voir.

— Je croyais que tu avais une réunion, dit-elle, s'empressant de dissimuler son embarras.

L'automne était arrivé, et une pluie battante martelait la baie vitrée. Le temps convenait à son humeur maussade.

— J'étais en réunion, répondit-il d'un ton bref, choisissant soigneusement ses mots. C'était très intéressant, d'ailleurs… Apparemment, un membre de l'équipe a fourni à Wilson Wines des informations sur nos derniers projets. Tu ne saurais pas qui, par hasard ?

A sa grande satisfaction, elle pâlit considérablement.

— Comment… ?

— L'important n'est pas comment je le sais. Il faut que cela cesse tout de suite, Nicole.

— Tu ne pourras pas m'arrêter, dit-elle d'un ton de défi en se levant. Si tu veux que je travaille ici et si je dispose de certaines informations, tu ne pourras pas m'empêcher de les divulguer. Je n'ai pas signé d'accord de confidentialité.

— Ah non ? J'aurais cru que notre vidéo faisait office d'accord.

Elle vacilla, et il dut réprimer l'envie de la prendre dans ses bras, de la réconforter et de lui promettre de ne jamais se servir de cette vidéo contre elle. Il devait la garder là où elle avait sa place, là où elle serait appréciée à sa juste valeur : à ses côtés.

— Rappelle-toi que je peux te donner des informations exactes aussi bien qu'erronées. Que ressentirais-tu si tu découvrais que ce que tu transmets allègrement à ton amie pouvait faire du tort à Wilson Wines ? Si cela achevait de les couler financièrement ?

Elle se rassit, accablée.

— C'est ce que tu as fait ?

— Pas cette fois, mais je pourrais le faire à l'avenir. Si tu continues, Nicole, je serai obligé de prendre des mesures punitives. Et ne t'imagine pas que j'hésiterais un seul instant.

— Je…

La sonnerie de son téléphone portable l'interrompit. Il la vit jeter un coup d'œil à l'écran et pâlir encore davantage.

— Ton amie, je présume ?

Sans répondre, elle prit le téléphone et rejeta l'appel, mais la sonnerie retentit de nouveau quelques secondes plus tard.

— Tu ferais mieux de décrocher, grommela-t-il, et pendant que tu y es, dis à Mlle Garrick qu'à l'avenir, ils devront avoir leur propre service recherche et développement.

Sans un mot de plus, il tourna les talons et sortit du bureau.

Nicole regarda la porte se refermer derrière Nate avant de décrocher. Après ce qui venait de se produire, elle n'aurait pas cru que la journée puisse encore empirer, jusqu'à ce qu'elle voie le numéro de fixe de son père s'afficher sur l'écran de son téléphone. Aussitôt, elle fut gagnée par un sentiment de panique.

— Allô ?

— Nicole, c'est Anna ! Charles a eu un malaise ce matin, pendant le petit déjeuner… Judd est parti avec lui dans l'ambulance. Retrouve-nous à l'hôpital d'Auckland le plus vite possible ! Ton père est au plus mal…

— Mais tu m'avais dit qu'il allait bien, protesta Nicole, ne sachant que dire.

— Apparemment, il allait plus mal qu'il le

laissait paraître. Ecoute, il faut que j'y aille… On se retrouve à l'hôpital.

Anna raccrocha sans lui laisser le temps d'ajouter quoi que ce soit. Tremblante, Nicole prit son sac à main et sortit du bureau précipitamment. Dans le couloir, elle appela l'ascenseur, appuyant sur le bouton de manière frénétique. L'ascenseur finit par arriver, et quand les portes s'ouvrirent elle se rua à l'intérieur. Alors que la cabine se refermait, Nate surgit de nulle part et glissa son bras dans l'ouverture pour bloquer la fermeture des portes et monter à son tour.

— Où vas-tu ? demanda-t-il.

— Mon père est à l'hôpital, il faut que j'aille le voir… N'essaie pas de me retenir, s'il te plaît.

L'expression de Nate changea du tout au tout.

— Comment comptes-tu y aller ?

— Je ne sais pas, je vais prendre un taxi, je suppose ! s'écria-t-elle, complètement affolée.

— Je vais te conduire.

— Ce n'est pas la p…

— J'ai dit que j'allais t'y conduire. Tu n'es pas en état de rester seule.

— Merci, répondit-elle d'une voix mal assurée.

Elle aurait été incapable de dire après coup combien de temps avait duré le trajet, mais il lui parut interminable. Dès que Nate s'arrêta devant le service des urgences, elle sortit précipitamment et entra dans l'hôpital, sans même prendre le temps de voir s'il la suivait ou non. Dans le hall, elle aperçut son frère et Anna. Elle se dirigea vers eux d'un pas rapide, ses talons hauts claquant sur le sol lisse.

— Où est-il ? Je veux le voir !

— Les médecins s'occupent de lui, répondit calmement Anna.

— Que s'est-il passé ? demanda-t-elle en se tournant vers Judd, le fusillant du regard.

Elle aurait volontiers rejeté sur lui toute la responsabilité de l'état de santé de leur père. La vie était tellement plus simple avant l'arrivée de son frère… pas forcément plus belle, mais indéniablement plus simple.

— Il s'est écroulé alors que nous prenions le petit déjeuner, répondit-il.

— Je croyais que ta présence ici était censée lui faire du bien, pas le rendre malade ! répliqua-t-elle d'un ton sec avant de fondre en larmes.

*Seigneur !* Que lui arrivait-il, ces jours-ci ? Elle pleurait pour un rien… Il fallait qu'elle se ressaisisse, surtout si elle voulait qu'on lui permette de voir son père.

Une infirmière s'approcha d'eux.

— Monsieur Wilson, vous pouvez aller voir votre père, maintenant.

Judd tendit la main à Anna, mais celle-ci secoua la tête.

— Non… Vas-y avec Nicole, elle a plus besoin de le voir que moi.

Qu'y avait-il entre eux deux ? Etaient-ils en couple ?

Judd se tourna vers elle.

— Tu viens ? lui demanda-t-il avec une impatience à peine voilée.

Elle sécha aussitôt ses larmes. Comment osait-il lui parler comme si elle n'avait pas sa place ici ?

— Evidemment ! C'est mon père.

Elle fut horrifiée quand elle le vit. Il paraissait tellement mal, tellement fragile… Un sentiment de culpabilité la submergea de plus belle.

— Que fait-elle ici ? demanda-t-il d'une voix râpeuse, la regardant fixement, avec un mélange de surprise et de colère.

Elle s'immobilisa. Les mots tendres qu'elle s'était apprêtée à lui dire moururent sur ses lèvres. Elle redressa les épaules et s'efforça de rassembler ce qui lui restait de dignité.

— Je suis venue voir comment tu allais, répondit-elle, mais de toute évidence, tu es en pleine forme. Tu n'as pas besoin de moi ici.

Elle tourna les talons et sortit de la chambre.

Son père la détestait, c'était évident… Pour lui, elle avait définitivement coupé les ponts quand elle était « passée à l'ennemi ». Il ne l'avait jamais écoutée auparavant, pourquoi l'aurait-il fait maintenant ? Dans le couloir, Anna chercha à l'intercepter, mais elle l'ignora et se dirigea droit sur la sortie.

Nate l'attendait dehors, dans l'air frais du matin.

— Comment va-t-il ? demanda-t-il en s'avançant vers elle.

— Il est toujours aussi détestable. Conduis-moi chez toi, s'il te plaît. Je n'ai pas le courage de retourner travailler aujourd'hui.

Il l'observa attentivement avant de hocher la tête, puis il lui passa un bras autour des épaules et la serra contre lui.

— Bien sûr, comme tu voudras.

Ils montèrent dans la Maserati et filèrent à vive allure vers sa maison du bord de la mer. Dès qu'ils furent arrivés, Nicole se jeta à son cou, le déshabilla et se débarrassa en hâte de ses propres vêtements, puis elle l'entraîna dans la chambre. Sans un mot, elle le poussa sur le lit, plaça un préservatif sur son sexe en érection et s'assit sur lui à califourchon. Ses mouvements étaient violents et brusques. Abasourdi, Nate se jura intérieurement que jamais plus il ne laisserait Charles Wilson la blesser.

# - 9 -

Nate regardait Nicole, endormie à côté de lui. Elle avait agi avec lui comme si elle avait cherché désespérément à combler le vide creusé en elle par le chagrin. Quoi qu'il ait pu se passer à l'hôpital, cela l'avait poussée dans ses bras, ce qu'il ne regrettait évidemment pas. Mais il détestait la voir souffrir. Elle ne lui avait pas dit un mot sur l'état de santé de son père, ne lui avait pas raconté ce qu'il avait dit ou fait pour la bouleverser à ce point. Même lorsqu'ils étaient allés se promener sur la plage, entre deux averses, chaudement vêtus pour se protéger du vent, elle avait adroitement détourné la conversation de tout ce qui avait trait au travail ou à sa famille.

A force de discuter avec elle, il commençait à avoir une idée plus précise de son enfance, de sa vie. Tout n'avait pas été rose, contrairement à ce qu'il avait supposé. Pour commencer, elle n'avait toujours eu que son père, et bien que celui-ci lui ait donné tout ce dont elle pouvait avoir besoin matériellement, y compris une amie à demeure en la personne d'Anna Garrick, il n'avait pu compenser l'absence de sa mère, qui l'avait pour ainsi dire abandonnée. A vrai dire, il n'avait jamais vraiment essayé.

Après l'échec de son mariage, Charles s'était entièrement consacré à son travail. Quand il passait du temps avec Nicole, c'était principalement pour s'assurer qu'elle faisait bien ses devoirs, qu'elle avait de bonnes notes, que son comportement à l'école était irréprochable. Elle travaillait dur pour exceller, dans l'espoir de gagner son approbation, mais les éloges étaient rares. Et quand elle ne répondait pas à ses attentes…

Il n'y avait rien d'étonnant à ce que Nicole ait eu l'impression d'avoir été rejetée par ses deux parents. Nate voyait bien qu'elle souffrait, mais il se sentait impuissant. Sans compter qu'il était responsable d'une partie de cette souffrance, et cela lui brisait le cœur.

Pourtant, il était en mesure de tout arranger. Il pouvait détruire la vidéo et la laisser partir. Cependant, alors même que cette pensée lui traversait l'esprit, tout en lui se révoltait. Nicole murmura quelque chose dans son sommeil et se blottit contre lui. Non, il n'avait vraiment pas envie de la laisser partir…

Charles Wilson ne la méritait pas. Nate ferait tout ce qui était en son pouvoir pour que Nicole ne manque de rien tant qu'elle serait sous son toit. Et qui sait, elle finirait peut-être par s'en satisfaire.

***

Toute la semaine, Nicole appliqua toute son énergie à deux choses : son travail, et Nate. Le vendredi soir, elle était épuisée. A cause du manque de sommeil et de la concentration que lui demandait son travail, elle avait une violente migraine quand Nate et elle retournèrent à l'appartement. Elle aurait voulu aller à Karekare. Le bruit des vagues qui s'écrasaient sur le sable et le chant des oiseaux dans les buissons qui entouraient la maison l'auraient apaisée. Ils avaient néanmoins prévu de s'y rendre le samedi soir. Elle avait vraiment hâte. Elle accepterait peut-être même de faire du surf, comme Nate le lui avait proposé.

Alors qu'ils attendaient à un feu rouge, son portable sonna dans son sac à main, mais elle l'ignora. Elle aurait dû l'éteindre en quittant le bureau. Après tout, les coups de téléphone qu'elle recevait étaient presque tous liés au travail… sauf quand c'était Anna qui l'appelait, pour lui donner des nouvelles de Charles.

L'état de santé de son père se détériorait, mais elle refusait d'y penser. Elle refusait catégoriquement de songer au fait qu'il risquait de mourir. Il n'avait pas voulu d'elle à son chevet, il avait été très clair sur ce point. Etait-elle si antipathique, était-ce si difficile de l'aimer ? Elle sentit son cœur se serrer. Sa mère l'avait abandonnée, et maintenant, son père la détestait. Même Nate ne voulait d'elle que pour nuire à Charles. Elle ne s'était jamais sentie aussi seule de sa vie…

Elle ne put réprimer un petit gémissement

plaintif. Nate dut l'entendre, car il posa sa main sur la sienne.

— Ça va ? lui demanda-t-il. Tu es très pâle.

— C'est cette migraine… Je n'arrive pas à m'en débarrasser.

Il lui jeta un coup d'œil inquiet, puis lui toucha brièvement la joue et le front avant de reposer sa main sur le volant.

— Je n'ai pas l'impression que tu aies de la fièvre, mais tu devrais peut-être voir un médecin… Tu n'as vraiment pas l'air bien depuis quelques jours.

— Ecoute, la semaine a été dure, tu le sais. Ça va aller… J'ai simplement besoin d'une aspirine et de dormir pendant un mois !

— Un mois, ça me paraît un peu long, mais tu peux passer le week-end au lit, si tu veux.

Elle lui adressa un faible sourire. Oui, il serait certainement ravi de passer le week-end au lit avec elle… Il n'y avait que quand ils faisaient l'amour qu'elle parvenait à chasser tout le reste de son esprit, pour vivre l'instant présent. Cependant, elle n'avait pas du tout envie de faire l'amour pour l'instant.

— Je peux me décommander, pour ce soir, si tu veux… Je n'ai pas envie de te laisser toute seule dans cet état.

— Non, non, protesta-t-elle, il faut que tu ailles à la répétition de mariage de Raoul, c'est important.

— Tu es sûre ?

— Sûre et certaine.

Tout ce qu'elle voulait, c'était prendre cette

aspirine et se glisser dans un bon bain chaud avant d'aller se coucher.

A l'appartement, Nate passa dans sa chambre afin de se préparer pour le dîner, qui aurait lieu dans l'un des plus grands hôtels d'Auckland. Raoul avait invité Nicole, mais elle avait poliment décliné l'invitation, car elle aurait eu l'impression d'être une intruse. Le mariage avait lieu le lendemain midi, et elle avait l'intention d'aller au bureau dans l'espoir de prendre un peu d'avance dans son travail pour la semaine à venir.

Une demi-heure plus tard, Nate était parti. Elle se fit couler un bain, avec des sels parfumés à la lavande et à la rose, et se glissa dans l'eau. Bientôt, elle se détendit, et la douleur qui lui martelait le crâne se fit moins lancinante. Elle avait pris deux cachets avant de se déshabiller.

Soudain, elle entendit son portable sonner dans le salon. Elle soupira et se dit qu'elle regarderait qui l'avait appelée avant de l'éteindre pour la nuit. Elle n'avait pas le courage de sortir de son bain pour le moment. Si Nate avait besoin de quoi que ce soit et qu'il n'arrivait pas à la joindre, il rappellerait sur le fixe. Qui d'autre pouvait bien avoir besoin d'elle tout de suite ? Elle ferma les yeux et appuya la tête sur le bord de la baignoire, laissant l'eau chaude faire son effet miraculeux.

Un bon moment plus tard, elle sortit du bain, se sécha et passa une épaisse robe de chambre. Elle ne put réprimer un sourire en songeant qu'il était inutile qu'elle mette une nuisette, puisque Nate la lui enlèverait dès son retour.

Elle n'avait plus du tout mal à la tête, mais était affamée. Renonçant au projet de se coucher tôt, elle envisagea de manger quelque chose devant un film. Quand Nate rentrerait, elle pourrait ainsi l'accueillir à la porte, nue… L'idée lui plaisait de plus en plus.

Avant toute chose, cependant, elle devait regarder qui avait essayé de la joindre. Elle alla chercher son téléphone portable, vit qu'elle avait deux appels manqués, et reconnut le numéro de téléphone de chez elle. Aussitôt, son sang se glaça dans ses veines. L'état de santé de son père s'était-il encore détérioré ?

Elle se hâta d'écouter le message qu'on lui avait laissé, et fut surprise d'entendre une voix féminine qu'elle ne connaissait pas :

— Cynthia Masters-Wilson, à l'appareil. J'aimerais déjeuner avec toi demain, à 13 heures, si tu es libre.

Elle donnait le nom d'un restaurant du centre-ville et continuait :

— Il est grand temps que nous nous rencontrions, tu ne crois pas ?

Nicole raccrocha et resta là à regarder son téléphone, abasourdie. Sa mère ? Après tout ce temps ? Pourquoi maintenant ?

Elle s'assit lourdement sur le canapé, les jambes tremblantes. Toute sa vie, elle s'était répété qu'elle ne voulait pas rencontrer celle qui l'avait si durement abandonnée quand elle avait un an, qu'elle ne voulait pas revenir sur le passé. En grandissant, elle s'était efforcée de se persuader que rien de tout cela n'avait d'importance. Elle avait son père, elle avait Anna et la mère d'Anna, qui était la compagne de Charles plus que sa gouvernante… Elle avait réussi à se convaincre que sa mère ne lui manquait pas.

Cependant, que lui restait-il aujourd'hui ? Rien, absolument plus rien. Toute la semaine, elle avait essayé de combler un vide en elle, travaillant avec acharnement et s'amusant le plus possible, mais en vain. Rien n'avait compensé la peine que lui avait causée le mépris de son père. Pourtant, sa raison lui dictait la plus grande prudence. C'était la première fois que sa mère la contactait en vingt-cinq ans. Jusque-là, Cynthia n'avait apparemment jamais eu une pensée pour elle. Etait-il possible qu'elle veuille se racheter ? Qu'elle regrette sincèrement de l'avoir abandonnée et d'être sortie de sa vie ? Pourquoi la contactait-elle après toutes ces années ?

La curiosité l'emporta sur la prudence, et elle décida d'accepter de rencontrer Cynthia, qu'elle ne pouvait s'imaginer appeler « maman » ou « mère » pour le moment. La rencontre lui apporterait peut-être certaines réponses.

Le ventre noué, Nicole entra dans le restaurant. Elle avait choisi d'y aller à pied, mais chacun de ses pas se faisait un peu plus hésitant. De quoi sa mère et elle pourraient-elles bien parler ? Par ailleurs, si sa mère voulait lui tendre un rameau d'olivier, voire établir des relations avec elle, pourquoi lui donner rendez-vous dans un lieu public ? Un cadre intime aurait sans doute été plus propice pour une mère et sa fille se retrouvant après vingt-cinq ans de séparation.

Alors qu'elle hésitait dans l'entrée, songeant à faire demi-tour, le serveur s'approcha d'elle pour l'accueillir.

— Vous devez être Mlle Wilson, dit-il. Votre mère est déjà là. Je vous en prie, suivez-moi…

*Trop tard !* Elle ne pouvait plus changer d'avis maintenant.

Sa mère était installée seule à une table. Le soleil brillait à travers les fenêtres, et sa silhouette se profilait à contre-jour.

La gorge serrée, Nicole sourit au serveur qui lui avançait sa chaise. Elle garda la tête baissée et posa son sac à main par terre, à côté de sa chaise, repoussant ainsi le moment où elle devrait croiser le regard de sa mère. Puis, prenant une profonde inspiration pour se donner du courage, elle leva les yeux.

Elle eut l'impression de se voir avec vingt-cinq ans de plus. Elles avaient les mêmes yeux, les mêmes cheveux, bien que ceux de Cynthia aient quelques reflets argentés, la même forme de visage… Quelques rides marquaient celui de sa mère, le contour de sa bouche. Etaient-elles signe de regret, d'amertume ? Nicole le saurait-elle seulement un jour ?

— Eh bien, ma chère, cela promet d'être intéressant, n'est-ce pas ? remarqua Cynthia avec un sourire crispé.

Ces mots ne figuraient pas en haut de la liste de toutes les choses que Nicole avait imaginé que sa mère lui dirait lorsqu'elle lui parlerait pour la première fois. Elle se hérissa aussitôt.

— Pourquoi maintenant ?

Cynthia eut un autre sourire forcé.

— Quoi ? Pas de « bonjour, maman, ravie de faire enfin ta connaissance » ? Je ne te reproche pas d'être en colère, mais tu dois bien te rendre compte que je suis victime de ton père, tout comme toi et ton frère.

*Victime ?* Pour une raison obscure, Nicole doutait de la véracité des propos de sa mère. Car les analyses d'ADN avaient prouvé que Judd était bien le fils de Charles. Pourquoi ce dernier en aurait-il douté ? Il avait cru que sa femme avait eu une liaison avec Thomas Jackson. Ce n'était certainement pas le père de Nate qui lui avait mis cette idée en tête. Il n'y avait donc qu'une personne susceptible de l'avoir fait.

— Ah, je vois que tu ne me crois pas ! s'exclama Cynthia avec un soupir. C'est ce que je craignais. Allez, commandons quelque chose, et discutons un peu.

Nicole n'avait pas du tout d'appétit, mais elle passa quand même commande. Dès qu'on leur eut servi à chacune un verre de vin, Cynthia reprit :

— Tu es très belle. Je regrette vraiment de ne pas t'avoir vue grandir. Te laisser, seule avec ton père, est la chose la plus dure que j'aie jamais eue à faire, mais je savais qu'il t'aimait et te protégerait. Judd méritait que j'en fasse autant pour lui.

— Comment as-tu pu m'abandonner comme ça ? lui demanda Nicole de but en blanc.

A son grand étonnement, les yeux de Cynthia s'emplirent de larmes.

— Oh ! ma chérie… Tu crois vraiment que je voulais t'abandonner ? Ton père ne voulait pas que je t'approche ! A partir du moment où il s'est mis en tête ces idées ridicules à propos de Thomas et de moi, il n'a plus voulu que je te voie. Il s'est empressé de nous chasser, Judd et moi.

Elle semblait sincère, sa peine semblait sincère… Nicole avait envie de la croire, pourtant, quelque chose l'en empêchait. Elle n'était pas en mesure de parler de tout cela avec son père ou son frère, et n'avait donc aucun moyen de savoir si sa mère disait la vérité.

Le serveur arriva avec leurs assiettes. Nicole joua machinalement avec les champignons de sa salade, les poussant du bout de sa fourchette, tandis que sa mère prenait avec un raffinement certain un petit morceau de coquille Saint-Jacques.

— Tu aurais pu m'écrire, insista Nicole.

— Je t'ai écrit, de nombreuses fois au fil des ans, mais toutes mes lettres me sont revenues. Ton père ne les ouvrait même pas.

Effectivement, c'était le genre de chose que son père était capable de faire, mais il y aurait eu tout de même des moyens de contourner la difficulté.

En outre, Nicole était adulte, maintenant, et sa mère aurait pu entrer en contact avec elle sans avoir à passer par son père. Même avec un effort d'imagination, elle peinait à croire que sa mère avait fait tout son possible. De toute évidence, Cynthia percevait son scepticisme. Elle agita une main en l'air avec désinvolture.

— C'est du passé… Nous ne pouvons rien y changer, mais nous pouvons certainement apprendre à nous connaître maintenant. Parle-moi de l'endroit où tu vis… Judd m'a dit que tu avais déménagé il y a quelques semaines. Je dois dire que je regrette que vous n'ayez pas fait plus ample connaissance, tous les deux. J'habite dans la propriété, en ce moment, et j'espérais que nous aurions pu être de nouveau tous réunis.

— Judd ne t'a pas dit pourquoi j'étais partie ?

Cynthia posa sur elle son regard perçant, puis secoua la tête.

— Il a bien mentionné une raison, répondit-elle, mais je préférerais l'entendre de ta bouche.

Nicole eut un grognement railleur. Bien sûr ! Judd lui avait probablement déjà donné une version édulcorée des événements.

— Mon père et moi avons eu un différend à propos de ses projets pour Judd, et j'ai estimé qu'il valait mieux que je m'éloigne d'eux un moment.

— Alors où habites-tu ?

— Chez Nate Hunter.

Elle ne voulait pas révéler le lien de parenté qui unissait Nate et Thomas Jackson. A sa connaissance, personne chez Wilson Wines n'en avait entendu parler. Même chez Jackson Importers, il se faisait appeler M. Hunter.

— C'est l'actuel P.-D.G. de Jackson Importers, et je travaille pour lui.

Sa mère pâlit considérablement.

— Jackson Importers ? Cette entreprise a-t-elle un rapport avec Thomas Jackson ?

— C'était la sienne, répondit Nicole, mais il est mort il y a environ un an.

Cynthia fronça les sourcils, l'air songeur.

— Hunter… La mère de Nate serait-elle Deborah Hunter ?

Nicole se crispa. Sa mère avait-elle fait le rapprochement ?

— C'est possible, oui.

— Alors, c'était vrai… Le bruit courait qu'il y avait quelque chose entre Thomas et Deborah, mais personne n'a jamais eu de preuves. Charles n'y croyait pas, bien sûr… Il disait qu'il serait le premier à le savoir si Thomas avait une liaison.

Elle eut un rire sans joie.

— Comme s'il faisait attention à quoi que ce soit d'autre que son entreprise…, poursuivit-elle. Enfin ! J'avais entendu dire que Deborah Hunter avait eu un enfant illégitime, mais comme nous n'évoluions pas dans les mêmes sphères, je ne me suis jamais vraiment intéressée à la question.

Nicole ne savait que répondre. Sans le vouloir, elle avait trahi un secret qui ne lui appartenait pas. Cynthia avait très facilement tiré les conclusions qui s'imposaient. Pourquoi Charles n'était-il pas arrivé aux mêmes ?

Soudain, sa mère tendit le bras sur la table et lui saisit le poignet.

— Ma chérie, il faut que tu te sortes de ce guêpier. On ne peut pas faire confiance à quelqu'un associé à Thomas Jackson. A ton avis, qui a menti à ton père à mon sujet, qui a ruiné notre mariage ? Songe aux dégâts que les mensonges de cet homme ont causés… Si le fils de Thomas te veut à ses côtés, cela ne peut être que pour une seule raison : il veut s'en prendre à ton père.

C'était vrai, et Nicole l'avait appris à ses dépens. Entendre sa mère le lui dire ne faisait que l'attrister encore davantage. Elle était bien placée pour savoir ce que Nate avait eu en tête en la ramenant chez lui, le soir où elle l'avait rencontré, et elle n'avait aucune raison de croire que ses projets de vengeance avaient changé. Elle demeurait l'arme absolue pour lui, même si elle était disposée à rester à ses côtés, maintenant que son père l'avait rejetée.

— Nicole, dis-moi, est-ce que Nate Hunter te fait chanter ? Est-ce qu'il te force à rester avec lui ?

La finesse de sa mère la stupéfia. Sur la défensive, elle répliqua :

— Est-ce si difficile de croire que je veux être avec lui parce qu'il me traite bien et m'apprécie à ma juste valeur ?

Alors même qu'elle prononçait ces mots, elle savait que sa mère devinerait qu'elle mentait.

Cynthia secoua doucement la tête avec une expression compatissante.

— Tu l'aimes, n'est-ce pas ?

— Non ! protesta Nicole.

Cependant, elle s'interrogea. L'aimait-elle ? Comment était-ce possible ? Elle était sa maîtresse, sa collègue, sa prisonnière, l'instrument de sa vengeance. Ce qu'elle éprouvait pour lui était bien trop complexe pour qu'elle y réfléchisse en présence de sa mère.

— Notre relation est… pratique, pour lui comme pour moi, se contenta-t-elle de répondre.

— Eh bien, j'espère que c'est vrai, parce que s'il est comme son père, il a une idée derrière la tête, et c'est probablement de se venger de Charles parce qu'il a coulé Thomas financièrement.

— Pouvons-nous parler d'autre chose, s'il te plaît ? Je préférerais ne pas discuter de mes relations avec Nate, si cela ne te dérange pas. Et puis, je pensais que tu voulais apprendre à me connaître…

— Tu as raison, je suis désolée.

Pour la première fois, Cynthia eut un sourire qui semblait sincère, et elle changea habilement de sujet.

Quand Nicole retourna à l'appartement, elle se sentait tiraillée. Lorsqu'elle ne parlait pas de Charles ou de Nate, sa mère était d'une compagnie très agréable. Elle lui avait parlé de sa famille, les Masters, du vignoble qui faisait chambres d'hôtes à la périphérie d'Adélaïde, et des cousins de Nicole. Des cousins ! Elle avait toute une famille… Elle n'avait jamais eu la chance de la connaître, contrairement à Judd, qui avait eu ce privilège, et qui avait maintenant celui d'être le seul héritier de son père. Elle, en revanche, n'avait plus rien.

# - 10 -

Nate sentit que quelque chose n'allait pas dès qu'il entra dans l'appartement. Nicole avait un verre de vin blanc à la main, et elle regardait fixement les lumières du Viaduct Basin au loin. A en juger par sa posture, il n'avait pas intérêt à la toucher. Elle paraissait excessivement tendue, et n'avait plus rien de la femme langoureuse qu'il avait laissée dans son lit le matin même, avant d'aller au mariage de Raoul.

Il savait qu'elle avait vu son reflet dans la baie vitrée, en face d'elle, mais elle fit comme s'il n'était pas là. Un sentiment d'inquiétude le submergea.

— Que s'est-il passé ? C'est ton père ?

Il l'aurait tout de même appris, si Charles Wilson était mort…

— Non, répondit-elle avec un soupir. C'est ma mère.

— Ta mère ? Je croyais qu'elle vivait en Australie…

— Apparemment, non. Elle va revenir vivre dans la maison de famille. Il semblerait que tout le monde y ait sa place, sauf moi.

Elle avait pris un ton désinvolte, mais il voyait bien qu'elle était profondément blessée.

— Elle t'a contactée ?

— Nous avons déjeuné ensemble. C'est normal, pour une mère et sa fille, non ? Bien sûr, nous ne sommes pas une mère et une fille normales.

Elle se tourna vers lui, et il fut stupéfait de voir qu'elle avait les yeux pleins de larmes. Instinctivement, il s'approcha d'elle et la prit dans ses bras, regrettant de ne pas avoir été là pour elle quand elle avait eu besoin de soutien. Thomas ne le lui avait jamais dit clairement, mais Nate avait toujours soupçonné Cynthia d'être à l'origine des mensonges qui avaient détruit l'amitié de son père et de Charles. De son venin, elle avait empoisonné la vie de tant de personnes… Et elle continuait, empoisonnant maintenant celle de Nicole !

— Tu sais, dit Nicole d'une voix étouffée, tout contre son torse, dès que j'ai été en âge de comprendre que ma mère m'avait abandonnée, j'ai voulu des réponses. Même après m'être persuadée que je n'avais pas besoin d'elle. Je voulais savoir pourquoi je n'avais pas droit à l'amour inconditionnel d'une mère, comme mes amis. Elle m'a dit qu'elle voulait que nous apprenions à nous connaître… maintenant, après vingt-cinq ans… Tu peux croire une chose pareille ?

Il resta silencieux, conscient qu'elle n'attendait pas vraiment de réponse de sa part. Du moins, pas à cette question, et pas de lui.

— Je ne crois pas que j'arriverai à la croire, reprit Nicole, mais comme j'en ai envie ! Qui n'aurait pas envie de penser que sa mère l'aime ?

Il s'écarta légèrement d'elle pour voir son visage.

— Je ne pense pas que tu puisses te fier à ses motivations, Nicole.

Elle eut un rire sans joie.

— C'est drôle, elle m'a dit exactement la même chose en parlant de toi.

Il se crispa.

— Ah bon ? Pourquoi ?

— Oh ! elle t'a catalogué tout de suite, disant que tu étais probablement comme ton père. Apparemment, elle connaissait aussi ta mère… pas vraiment, évidemment. Elles n'évoluaient pas dans les mêmes sphères, vois-tu, ajouta-t-elle en parodiant le ton de sa mère.

Il fut parcouru d'un frisson.

— Je suis sérieux, Nicole. Ce n'est pas normal qu'elle arrive ici après tout ce temps, alors que ton père est malade… Cela cache quelque chose. Elle aurait pu te contacter n'importe quand par le passé. Je crois que tu ferais mieux de l'éviter.

Elle se libéra de son étreinte.

— C'est à moi d'en décider, non ?

Il savait qu'il avait été trop loin, mais ce qui était dit était dit. Il avait parlé avec franchise, et était persuadé d'avoir raison. Cynthia Masters-Wilson n'était pas une femme digne de confiance, et il ne voulait plus voir Nicole souffrir. Mais il ne voulait pas non plus se disputer avec elle…

— Oui, répondit-il, bien sûr. Tu veux toujours aller à Karekare ?

Elle haussa les épaules avec nonchalance et but une gorgée de vin.

— Peu importe.

— Nous devrions y aller, cela nous ferait du bien de quitter un peu la ville.

— D'accord, dit-elle sans enthousiasme.

Elle but le reste de son vin et emporta son verre dans la cuisine pour le mettre dans le lave-vaisselle, puis elle se dirigea vers la chambre qu'ils partageaient de nouveau. Ses mouvements étaient saccadés, automatiques, comme si elle était perdue dans ses pensées, à un endroit où il ne pouvait l'atteindre… Cette idée le glaçait.

Au mariage de Raoul, il avait compris quelque chose. La cérémonie et la réception avaient été très agréables, les invités étaient des gens qu'il appréciait beaucoup, et pourtant, toute la journée, il avait compté les minutes qui le séparaient du moment où il rentrerait et retrouverait Nicole. Etre avec elle n'avait plus rien à voir depuis longtemps avec ses projets de vengeance. Le passé était le passé… Nicole était son présent, et il voulait qu'elle le reste.

Assise dans la voiture, silencieuse, Nicole ressassait la conversation qu'elle avait eue avec sa mère. Leurs retrouvailles n'avaient pas du tout été celles qu'elle avait toujours imaginées. Cynthia était vraiment incroyable… Elle revenait dans sa vie après tout ce temps et croyait pouvoir lui dicter sa conduite ! Décidément, tout le monde semblait vouloir régenter sa vie, ces temps-ci… et elle se laissait faire. Toute sa vie était chamboulée. Elle était tellement perturbée que ses règles avaient du retard.

Soudain, un sentiment de peur l'envahit. Se pouvait-il qu'elle soit enceinte ? *Oh non, par pitié ! Faites que ce soit dû au stress…*

Un enfant n'aurait pas sa place dans la relation que Nate et elle avaient actuellement. Et puis, elle n'était pas du tout convaincue qu'elle serait une bonne mère. Elle s'était toujours tellement concentrée sur son travail qu'elle n'avait jamais songé à fonder une famille. Et même si elle le désirait, serait-elle à la hauteur ? Par ailleurs, elle n'avait pas envie de donner raison à son père, qui pensait que le jour où elle deviendrait mère, le travail n'aurait plus aucune importance pour elle.

Elle devait savoir ce qu'il en était de toute urgence. Sa vie entière se disloquait. Comment le destin pouvait-il être cruel au point de lui envoyer cette nouvelle épreuve ?

— Pourrions-nous nous arrêter à Titirangi sur la route ? demanda-t-elle. J'ai oublié deux ou trois choses.

— Bien sûr.

Quand ils arrivèrent dans la petite ville, Nate se gara le long du trottoir et coupa le contact.

— Veux-tu que je t'accompagne ?

— Non, je te remercie… Je n'en ai pas pour longtemps, répondit-elle en descendant de voiture.

*Ne viens pas, par pitié, ne viens pas !* se répéta-t-elle intérieurement. Soulagée, elle vit qu'il restait dans la voiture et se dirigea d'un pas vif vers les boutiques. Comment faire maintenant ? Si elle entrait dans la pharmacie, il la verrait et lui demanderait probablement ce qu'elle y avait acheté. Il y avait toutes sortes de médicaments chez lui, elle ne pouvait donc pas prétendre avoir besoin d'aspirine ou d'un médicament de confort.

*Réfléchis !* s'adjura-t-elle intérieurement. *La supérette*... Le magasin était petit, mais on devait tout de même y vendre des tests de grossesse. Elle entra et parcourut rapidement les rayons. Elle finit par trouver ce qu'elle cherchait. Elle prit un test, de la crème hydratante et un baume pour les lèvres en guise d'alibi, et alla payer. Elle cacha le test dans son sac à main et retourna à la voiture.

— Tu as trouvé tout ce dont tu avais besoin ? demanda Nate tandis qu'elle attachait sa ceinture de sécurité.

— Oui, merci. Il me manquait juste deux ou trois choses.

Il l'observa attentivement, et elle sentit le rouge lui monter aux joues. Elle n'avait jamais su mentir...

— Très bien, alors allons-y.

Elle se laissa aller en arrière sur le siège, soulagée. Elle avait dramatisé, il n'avait aucune raison de soupçonner quoi que ce soit.

Ils se connaissaient depuis si peu de temps, et ils avaient déjà vécu tant de choses ensemble... Elle avait l'impression d'avoir passé toute une vie avec lui.

Le reste du trajet jusqu'à Karekare lui sembla durer une éternité. Nate lui parla du mariage de Raoul et des invités. Il la fit sourire avec des anecdotes amusantes sur la famille du marié, mais elle perçut néanmoins dans sa voix une note de regret qu'elle s'expliquait très bien : comme elle, il avait grandi comme enfant unique ; il n'avait pas eu de grande famille pour le soutenir, ni oncles, ni tantes, ni cousins avec lesquels jouer ou se chamailler. Il avait toujours été seul avec ses parents.

— Certaines personnes ont de la chance, tu ne crois pas ? fit-elle remarquer alors qu'ils s'engageaient dans l'allée de la maison.

— De la chance ?

— Oui, de la chance d'être entourées.

— Je ne suis pas sûr que Raoul se soit estimé particulièrement chanceux quand son grand-oncle s'est levé pour porter un toast aux amis absents… Ça a duré un quart d'heure !

Elle rit de bon cœur à la plaisanterie. Elle aurait dû aller au mariage au lieu de déjeuner avec sa mère, cela lui aurait fait du bien.

— Tout de même, cela aurait été agréable, en grandissant…

Elle ne termina pas sa phrase, plongée dans ses pensées. Nate lui prit la main et la serra tendrement.

— Oui, je vois ce que tu veux dire.

Ils entrèrent dans la maison en silence. Elle alla aussitôt s'enfermer dans la salle de bains, puis elle sortit le test de grossesse de son sac. D'une main légèrement tremblante, elle suivit les instructions à la lettre. Tandis qu'elle attendait de voir le résultat s'afficher, chaque seconde lui sembla durer une éternité. Elle entendait Nate s'affairer dans la chambre… Il fallait qu'elle en finisse avant qu'il ne lui demande ce qu'elle faisait.

Enfin, prenant une profonde inspiration, elle s'arma de courage et regarda le bâtonnet. Le résultat était négatif ! Un sentiment d'euphorie l'envahit. Elle remit le test et la notice dans l'emballage, et mit le tout à la poubelle, prenant soin de jeter quelques mouchoirs en papier par-dessus.

Elle se lava les mains, tremblant encore un peu. Elle était profondément soulagée, et pourtant, étrangement, elle éprouvait une pointe de regret. Aurait-ce été si terrible de porter l'enfant de Nate ? Même s'ils n'avaient pas de relation normale, un enfant aurait été néanmoins une source de bonheur véritable… Si elle avait un enfant, elle serait aimée sans réserve, inconditionnellement.

Elle se regarda dans le miroir et secoua la tête, chassant de son esprit ces idées fantasques. Elle avait travaillé dur pour réussir professionnellement, elle n'allait pas tout abandonner maintenant, pour un projet chimérique, un rêve qui tournerait probablement très mal si elle essayait de le réaliser.

Non, les choses étaient mieux ainsi… Il n'y avait pas de place dans sa vie pour un enfant, alors que tout était déjà si compliqué.

*
* *

Nate commençait à détester le dimanche après-midi. Cela n'avait jamais été le cas auparavant ; il adorait passer du temps dans sa maison au bord de la plage, et encore plus depuis que Nicole était à ses côtés. Cependant, pour une raison obscure, il avait le sentiment que la semaine à venir ne présageait rien de bon. Nicole, elle non plus, n'était pas dans son état normal. Elle avait eu un comportement étrange tout le week-end. Il avait d'abord attribué ce changement à sa rencontre avec sa mère, mais il avait le sentiment désormais qu'il existait une autre explication.

Lorsqu'ils avaient fait l'amour, la nuit précédente, il avait eu l'impression qu'elle avait l'esprit ailleurs. Avec tout ce qui s'était passé ces dernières semaines, les seuls moments où les barrières dressées entre eux s'étaient effondrées étaient quand ils avaient fait l'amour. Maintenant, ils n'avaient même plus cela.

Il sentit l'inquiétude le gagner. Quelque chose s'était passé, qui avait suscité ce changement chez Nicole, et il ne savait pas ce que c'était, ni comment arranger les choses. Quand il lui parlait, il ne parvenait qu'à lui arracher des réponses polies, et quand il insistait pour tenter de découvrir ce qui n'allait pas, elle changeait de sujet. Il ne savait plus quoi faire. Il avait l'impression qu'il était en train de la perdre, et l'idée lui était insupportable.

Ces pensées en tête, il rassembla les poubelles de la maison et alla les porter dans le garage. Au moment de les jeter, il s'aperçut que le sac de la poubelle de la salle de bains était déchiré et qu'une partie de son contenu s'était répandue sur le sol. Il jura tout bas et se baissa pour ramasser le tout. Soudain, il remarqua par terre une petite boîte en carton qui retint son attention.

*Un test de grossesse ?* Son cœur fit un bond dans sa poitrine.

Il avait envie d'aller la voir tout de suite et de lui demander quel était le résultat du test, mais il se força à rester là où il était tant qu'il n'aurait pas retrouvé un semblant de calme.

*Nicole, enceinte ?* Une douce chaleur l'envahit à cette seule pensée. Il n'aurait rien pu imaginer de plus beau que de la voir porter son enfant, de vivre l'aventure de sa grossesse avec elle jusqu'à ce qu'ils tiennent enfin dans leurs bras leur fille ou leur fils, de fonder une famille avec elle, une famille au centre de laquelle elle serait.

Son cœur continuait à battre la chamade. *Une famille unie, pour toujours…*

C'était tout ce dont il avait toujours rêvé, mais il n'avait jamais osé se l'avouer, car il avait jusque-là été incapable de confiance. Maintenant, il avait l'occasion de se défaire de son amertume, d'aller de l'avant, de faire quelque chose de bien, d'extraordinaire…

Il n'y avait rien d'étonnant à ce que Nicole ait été distante tout le week-end ! Elle devait s'inquiéter, se demander comment lui annoncer la nouvelle, redouter sa réaction… Il s'emploierait à la rassurer, lui dirait qu'il prendrait soin d'elle et du bébé, qu'elle n'aurait jamais aucune raison de s'inquiéter, qu'il ferait tout ce qui était en son pouvoir pour la protéger.

Il remit la boîte en carton dans le sac et jeta les poubelles, puis alla se laver les mains, tout en réfléchissant à ce qu'il allait lui dire. Comment aborder le sujet ? Comment annoncer à la femme que l'on tenait captive que l'on voulait passer le reste de sa vie avec elle ?

Il rentra dans la maison et la chercha. Il l'aperçut, à travers la baie vitrée, sur la plage. Elle se tenait là, seule, immobile. Peut-être songeait-elle à la vie qu'elle portait en elle ? Comment la rassurer, lui faire comprendre que tout allait bien se passer, qu'elle pouvait lui faire confiance ?

Il prit une décision : il allait lui parler sans détour. Parfois, il convenait de prendre des risques, surtout quand l'enjeu était important.

Sans réfléchir plus longtemps, il fit coulisser la porte-fenêtre et descendit les marches qui conduisaient à la plage. Nicole dut sentir sa présence, car elle détacha son regard des mouettes qui se laissaient porter par le vent et se tourna vers lui.

— Il faut qu'on parle, Nicole.

— Ah bon ? De quoi ?

Ses cheveux lui fouettaient le visage. Il glissa les mains dans les poches de son jean.

— Je sais ce qui te tracasse, et je veux que tu saches que tout va bien se passer. Je vais prendre soin de toi. Nous allons nous marier, et tu n'auras plus aucune inquiétude à avoir, je te le promets.

— Nous marier ?

— Bien sûr ! Rien ne nous en empêche. Nous sommes faits pour nous entendre. Tu pourras même continuer à travailler, si tu veux. Je sais à quel point ta carrière est importante pour toi.

A son grand étonnement, elle rit. Il fronça les sourcils, contrarié par sa réaction.

— Quoi ? Qu'est-ce que j'ai dit ?

— Pourquoi est-ce que je t'épouserais ?

— Bien sûr que tu vas m'épouser ! Nous devons rester unis dans l'intérêt de notre bébé. Tu sais aussi bien que moi ce que c'est que de grandir avec des parents séparés… Notre situation n'est peut-être pas idéale, mais nous pouvons y arriver, j'en suis sûr. Je me suis juré d'être marié à la mère de mes enfants, quoi qu'il arrive, et c'est ce qui va se passer maintenant.

Elle recula d'un pas.

— Qu'est-ce qui te fait croire que je suis enceinte ?

— Tu étais bizarre, ces deux derniers jours, et je sais pourquoi, maintenant. J'ai trouvé le test de grossesse dans la poubelle, Nicole.

Elle le regarda fixement, horrifiée. Il avait trouvé le test ? Qu'avait-il fait, au juste, fouillé dans les poubelles ? Avait-il l'intention de contrôler toutes les facettes de sa vie ?

*Non…* Elle écarta cette pensée. Au fond, elle savait qu'il n'était pas comme cela.

— Et alors ? Tu penses que nous devons nous marier si je suis enceinte ? demanda-t-elle. C'est une conception plutôt désuète, tu ne trouves pas ?

Elle vit son visage se durcir.

— Que cette conception soit ou non désuète, Nicole, je n'aurai pas d'enfant illégitime.

— Non, effectivement, répliqua-t-elle sèchement.

Comment osait-il se montrer aussi tyrannique ? Ses propres sentiments n'entraient-ils pas en ligne de compte ? Ce n'était pas parce qu'il prenait une décision qu'elle devait s'y plier. Même si elle était enceinte, elle n'épouserait jamais un homme qui, de toute évidence, ne l'aimait pas. Il ne voulait pas que son bébé, et non leur bébé, soit un enfant illégitime ; mais avait-il la moindre considération pour elle ? Elle n'épouserait jamais Nate Hunter, jamais.

— Très bien, répondit-il, dans ce cas, c'est réglé. Nous allons nous marier. Ce n'est pas la peine de faire une grande cérémonie, je suis sûr que nous pourrons régler la question dans les semaines à venir.

— Je ne t'appartiens pas, Nate, et je ne suis pas à tes ordres. Je suis un être humain, et j'en ai plus qu'assez de la façon dont tu me traites. Mon père m'a traitée de cette façon pendant des années, et je ne supporterai pas la même chose de toi.

Elle s'interrompit brusquement. Une idée venait de lui traverser l'esprit…

— Mon père… C'est de mon père qu'il s'agit ! Tu veux te marier avec moi pour lui porter le coup final ? C'est l'étape ultime de ta vengeance ?

— Non ! protesta-t-il aussitôt.

Sa réaction semblait sincère, mais comment le

croire ? Depuis le début, rien d'autre ne comptait que ses projets de vengeance.

— Vraiment ? demanda-t-elle d'un ton soupçonneux.

— Ecoute, je sais que ce n'était pas la demande en mariage la plus romantique…

— La plus romantique ?

Elle eut un rire sans joie.

— Tu pourras dire tout ce que tu veux, Nate, je ne me marierai pas avec toi. Il y avait deux issues possibles à ce test : soit j'étais enceinte, soit je ne l'étais pas. Je ne suis pas enceinte, et je ne t'épouserai jamais, alors tu peux remballer ta demande en mariage.

Elle passa à côté de lui en le bousculant et remonta vers la maison. Elle n'aurait pas cru qu'il pourrait la blesser plus encore. Elle s'était dit qu'ils avaient peut-être trouvé une solution viable à leur situation : elle aimait travailler pour Jackson Importers, elle y avait une liberté dont elle ne disposait pas chez Wilson Wines, et elle appréciait de pouvoir élargir ses horizons et échanger des idées avec des gens qui étaient sur la même longueur d'onde qu'elle. Par ailleurs, Nate et elle étaient faits pour s'entendre merveilleusement sur le plan sexuel, c'était indéniable… C'était pour ainsi dire la seule chose qui lui avait permis de tenir ces dernières semaines : savoir qu'elle pouvait trouver le réconfort dans ses bras, toutes les nuits.

Elle était tellement en colère que sa vue se brouillait. Elle entra dans la maison, repoussant la porte-fenêtre avec une telle violence que la vitre trembla. Nate était resté sur la plage, les mains dans les poches, tourné vers la maison.

Elle se détourna et essaya désespérément de contenir le tourbillon d'émotions qui la submergeait.

Bon sang ! Pourquoi lui avait-il demandé de l'épouser de cette façon, pourquoi lui avait-il demandé de l'épouser tout court ? Elle ne voulait pas se marier, elle voulait faire son travail tranquillement. Grâce à son travail, elle pouvait se prouver sa vraie valeur. Il n'était pas question de sentiments, tout ce qu'elle avait à faire était de se présenter au bureau tous les matins et de faire de son mieux…

Pourtant, elle ne pouvait s'empêcher de se demander ce qu'elle aurait ressenti si la situation avait été différente. Si elle avait bel et bien été enceinte, si Nate l'avait demandée en mariage en exprimant son désir de fonder une famille, s'il lui avait témoigné de l'amour ou même seulement de l'affection, aurait-elle été si prompte à le repousser ? Au fond de son cœur, elle savait qu'elle aurait accepté. Comme lui, elle trouvait qu'il valait beaucoup mieux élever un enfant à deux, dans un environnement stable où il se sentirait aimé. Elle en avait toujours rêvé, petite…

Elle devait être honnête avec elle-même : quels que soient ses sentiments pour Nate, sentiments dont elle ne parvenait pas à définir la nature, sans amour, leur union aurait été vouée à l'échec. Il fallait être dévoué pour élever un enfant, et des parents qui ne s'étaient même pas engagés l'un envers l'autre, alors même qu'ils vivaient sous le même toit, n'auraient eu à offrir à leur enfant qu'un foyer malheureux où régnait la discorde.

Hélas, elle se retrouvait à la case départ : elle n'était qu'un pion dans un jeu qui n'était pas le sien, attendant que Nate mette Wilson Wines échec et mat.

Il fallait qu'elle se sorte sans attendre de cette effroyable situation. Mais comment ?

# - 11 -

Allongé dans le lit, Nate écoutait la respiration de Nicole. Elle lui tournait le dos, comme lorsqu'ils s'étaient endormis. Elle lui avait à peine parlé depuis qu'il lui avait demandé de l'épouser, et il ne pouvait pas le lui reprocher. Il avait été stupide, inconsidéré… Il n'avait pensé qu'à lui et à ses propres désirs.

Il s'était servi d'elle sans vergogne pendant des semaines, et s'était ensuite attendu qu'elle accepte de l'épouser, sans prendre ses sentiments à elle en considération.

Ce dont il était sûr, maintenant, c'était que ses sentiments pour elle étaient bien plus profonds que son désir de vengeance. Il s'en était aperçu quand elle l'avait accusé de vouloir se marier avec elle dans le seul but de nuire à son père. Il s'était alors rendu compte qu'il n'avait même pas songé à Charles Wilson en trouvant le test de grossesse. Il n'avait pensé qu'à elle, et à l'enfant qu'ils allaient avoir ensemble.

Il savait maintenant que tout ce qui importait dans sa vie était lié à la femme étendue à côté de lui dans la pénombre… la femme qui ne le touchait pas et ne voulait pas qu'il la touche, la femme qui l'avait rejeté catégoriquement.

Il n'était pas du genre à essuyer un refus sans se battre, et pourtant, cette fois, il se sentait désarmé. Il avait tout gâché entre eux, et ne voyait pas comment arranger les choses.

Elle était encore dans sa vie, elle resterait dans sa vie tant qu'il continuerait d'utiliser leur vidéo pour la faire chanter… Mais qu'est-ce que cela prouvait ? Rien, à part le fait qu'elle n'était pas avec lui par choix. Cette réalité lui brisait le cœur.

Il l'aimait, il s'en rendait compte maintenant. Il ne pouvait concevoir sa vie sans elle. Ces dernières semaines lui avaient ouvert les yeux. Depuis le début, il avait éprouvé de l'attirance, mais très rapidement, cette attirance s'était muée en sentiment bien plus profond. Il n'avait pas voulu se l'avouer jusque-là, mais le refus de Nicole l'avait forcé à être honnête envers lui-même.

Il ne voulait pas se marier avec elle uniquement pour subvenir à ses besoins et à ceux de l'enfant qui n'avait existé que dans son imagination, il voulait tout. Il voulait aimer et chérir Nicole, passer le restant de ses jours avec elle, le reste de sa vie à l'aimer et à être aimé en retour. Il voulait se marier avec elle parce qu'il l'aimait.

Il avait toujours su résoudre tous les problèmes. Cette aptitude était l'une des raisons de sa réussite professionnelle ; il trouvait une solution avant même que d'autres ne voient le problème. Pourtant, cette fois, il était complètement démuni.

Comment la convaincre que ses intentions étaient pures et venaient du cœur ? Il avait essayé d'aller droit au but sur la plage, mais il s'y était très mal pris. Il lui avait dit comment les choses allaient se passer au lieu de le lui demander. Il avait détruit toutes ses chances de réaliser ses rêves.

Il repoussa les couvertures et se leva, quittant la chambre à pas feutrés. Le clair de lune éclairait le reste de la maison d'une lueur grise et froide, à l'image de son avenir sans Nicole à ses côtés. Il n'avait que ce qu'il méritait, après l'avoir traitée comme il l'avait fait, mais il ne pouvait accepter l'idée que tout était fini entre eux. D'une façon ou d'une autre, il devait trouver un moyen d'arranger les choses. Cette fois, son bonheur en dépendait.

Tout en feuilletant les rapports qu'on avait déposés sur son bureau pour qu'elle les lise, Nicole se dit que Nate et elle étaient au moins restés polis l'un envers l'autre. Cependant, comment pouvaient-ils continuer à vivre sous le même toit ? La tension entre eux était palpable. Elle n'avait plus envie de rien, elle n'avait même plus d'appétit. Elle n'avait rien mangé de la journée.

Ce matin, Nate lui avait dit de prendre sa voiture pour venir travailler, car il devait passer la soirée avec des clients venus de l'étranger. Elle ne lui avait pas proposé son aide, heureuse de saisir l'occasion pour mettre un peu de distance entre eux. Elle éprouva un profond soulagement lorsqu'elle quitta enfin le bureau.

A l'appartement, elle eut à peine le temps de poser ses affaires quand le téléphone sonna. Elle laissa le répondeur s'enclencher, mais se hâta de décrocher en entendant la voix de sa mère.

— Allô ?

— Nicole, ma chérie, j'espérais te trouver là ! Comment s'est passé ton week-end ?

— Bien… Nous sommes allés à Karekare.

— Je vois. As-tu réfléchi à ce que je t'ai dit au sujet des Jackson ? Je crois que ce n'est vraiment pas une bonne idée que tu passes davantage de temps chez cet homme. Je suis sérieuse, ma chérie… Il n'en sortira rien de bon, tu dois bien t'en rendre compte…

Nicole réprima un soupir. Encore quelqu'un qui lui dictait sa conduite…

— Je suis adulte, Cynthia, et je prends mes propres décisions depuis longtemps.

— Je sais, mais permets-moi de te donner le conseil d'une mère, dans ce cas précis. Je sais que je n'ai pas été là pour toi jusqu'à aujourd'hui, mais crois-moi quand je te dis que tu ferais mieux de te méfier.

Nicole lutta contre l'envie de raccrocher.

— Avais-tu une autre raison de m'appeler ?

— Eh bien, à vrai dire, oui.

Etait-ce le fruit de son imagination, ou sa mère était-elle un peu gênée ? Elle resta silencieuse, attendant qu'elle continue.

— Les choses ne se sont pas vraiment passées comme je l'espérais, ici, et j'ai décidé de retourner à Adélaïde pour l'instant. J'aimerais vraiment que tu m'accompagnes. Je pars demain matin, et je laisserai un billet à ton nom à l'enregistrement des bagages.

— Je ne crois vraiment pas…

— Non, je t'en prie, l'interrompit sa mère, ne prends pas ta décision tout de suite. Accorde-toi la soirée pour y réfléchir… Nous n'avons pas vraiment eu le temps de faire connaissance, n'est-ce pas ? Après tout, partager un déjeuner ne suffit pas à établir une relation.

Elle eut un rire un peu forcé.

— A la propriété, reprit-elle, nous pourrions passer du temps ensemble, et tu rencontrerais tes cousins… Après tout, tu es une Masters, toi aussi, et tu as ta place là-bas, avec moi. C'est aussi ton héritage.

Nicole sentit son cœur se serrer. Sa mère savait-elle toujours faire vibrer la corde sensible ?

Pourtant, partir, comme cela… alors que son père était encore à l'hôpital, et que Nate pouvait lui envoyer la vidéo à tout moment…

— D'accord, répondit-elle enfin, je vais y réfléchir.

— Vraiment ? Oh ! c'est merveilleux !

Cynthia lui donna les horaires du vol.

— J'espère te voir dans le hall d'embarquement, ajouta-t-elle. J'ai tellement hâte !

Elle raccrocha sans laisser à Nicole le temps de répondre, et cette dernière reposa le combiné sur son socle. Elle se sentait comme plongée dans une étrange torpeur.

Toute sa vie suivait une spirale infernale. La proposition de sa mère pouvait-elle être le nouveau départ dont elle avait désespérément besoin ? Pouvait-elle vraiment s'en aller en laissant tout derrière elle, sans se soucier de ce qui se passerait quand Nate enverrait la vidéo à son père ? Car il le ferait, elle n'en doutait pas un seul instant. Si elle avait appris une chose sur lui au cours de ces dernières semaines, c'était qu'il était prêt à tout pour obtenir ce qu'il voulait. Il ne connaîtrait le repos que quand il aurait fait tomber Charles Wilson de son piédestal. Il l'avait utilisée, et il n'avait plus besoin d'elle maintenant. En définitive, elle ne lui était pas plus nécessaire qu'elle n'était nécessaire à son père.

Etait-elle prête à le laisser blesser son père de la sorte, sans même essayer de l'en empêcher ? Etait-elle prête à mettre un terme à leur liaison, une bonne fois pour toutes ? Pouvait-elle vraiment s'en aller, sans rien regretter ?

Quand Nate se réveilla, il était seul dans le lit. Nicole dormait profondément quand il était rentré, dans la nuit, un peu éméché. Une douleur lui martelait maintenant le crâne. Il tendit le bras et toucha le côté du lit où Nicole avait dormi. Les draps étaient froids. Il jeta un coup d'œil au réveil et vit qu'il avait dormi plus longtemps que d'habitude. Elle devait déjà être au bureau.

Il se leva péniblement et alla dans la cuisine. Là, il but un grand verre de jus d'orange et mangea une banane, ne prenant pas le temps de se faire un petit déjeuner plus copieux.

Il alla ensuite prendre une douche et s'habiller, ce qui lui demanda un effort considérable. Inquiet d'avoir encore trop d'alcool dans le sang pour conduire, il prit un taxi pour aller au travail. Nicole avait sa voiture, ils pourraient donc rentrer ensemble.

— Mlle Wilson n'est pas avec vous, ce matin ? lui demanda April lorsqu'il entra dans le hall.

Un sentiment d'inquiétude le saisit aussitôt.

— Elle n'est pas dans son bureau ?

— Non, elle m'a laissé un mot pour me dire qu'elle n'était pas là... Je pensais qu'elle arriverait avec vous.

Il eut l'impression que son sang se glaçait dans ses veines.

— Si elle téléphone, dites-le-moi tout de suite, d'accord ?

Il se dirigea vers son bureau à grandes enjambées et appela le concierge de son immeuble. Quelques instants plus tard, celui-ci lui confirma avoir vu la voiture de Nicole quitter le parking un peu après 5 heures du matin. Nate passa un autre coup de téléphone, et apprit qu'elle s'était garée dans le parking de l'entreprise peu de temps après, pour en repartir une dizaine de minutes plus tard.

Où pouvait-elle bien être maintenant ?

Il essaya de l'appeler depuis son bureau, mais tomba sur le répondeur. Soudain, il se rappela qu'il avait coupé son téléphone portable la veille au soir, et qu'il avait oublié de le rallumer. Il le trouva dans la poche de sa veste. Il avait un nouveau message, qu'il écouta aussitôt.

« Je ne peux plus rester avec toi, Nate, disait Nicole d'une voix tremblante. Ça me tue à petit feu. Fais ce que tu veux de la vidéo, ça m'est égal, à présent. Si je ne prends pas un peu de distance par rapport à toi, par rapport à tout le monde, je vais devenir folle. Toute ma vie, j'ai essayé de satisfaire tout le monde, mais je ne peux plus, je ne le ferai plus jamais. C'est trop… Il faut que je prenne soin de moi, que j'apprenne à écouter mes propres envies, pour changer. En fait, je dois découvrir qui je suis vraiment et ce que je veux. Je n'en peux plus que l'on me donne des ordres. Ma mère m'a demandé de l'accompagner à Adélaïde… N'essaie plus de me contacter, s'il te plaît. »

Elle avait laissé ce message vers 8 heures du matin, et elle semblait se retenir de pleurer. Nate sentit tous ses muscles se contracter tant le besoin irrépressible qu'il éprouvait de la protéger était violent. Il devait la retrouver. Elle était profondément vulnérable et avait besoin de quelqu'un pour veiller sur elle, le temps qu'elle se ressaisisse. Quelqu'un comme lui, et non pas comme Cynthia Masters-Wilson…

Il repensa soudain au dispositif de localisation

du portable qu'il lui avait donné, qui permettait de savoir où elle se trouvait à tout moment. Il téléphona au directeur du service informatique, Max, qui lui promit de localiser le téléphone et de le rappeler quelques minutes plus tard pour lui dire où il se trouvait. En attendant, Nate alluma son ordinateur et consulta les horaires des départs depuis l'aéroport d'Auckland. Avec un peu de chance, il aurait le temps de l'empêcher de prendre l'avion pour Adélaïde…

Mais il perdit tout espoir en voyant que le seul vol direct pour Adélaïde était parti le matin même à 8 heures. L'heure à laquelle elle lui avait laissé le message : tout concordait. Elle devait avoir pris cet avion pour quitter le pays avec sa mère.

Un mélange de colère et de frustration l'envahit tandis qu'il envisageait de prendre le prochain vol pour Adélaïde, dans l'espoir de la reconquérir. Cependant, elle refuserait peut-être catégoriquement de le voir, et sa mère serait capable de l'empêcher de la contacter. Même s'il parvenait bel et bien à localiser son portable, cela ne lui serait plus d'une grande utilité, maintenant.

Le téléphone sonna sur le bureau, et il décrocha le combiné précipitamment.

— Nate, le portable de Nicole a été localisé ici. Tu es sûr qu'elle ne se cache pas quelque part dans ton bureau ?

Nate réprima un grognement de frustration, contrarié par l'humour de Max. Il ouvrit le premier tiroir du bureau de Nicole. Son téléphone portable était là, avec, sur l'écran, un Post-it sur lequel était écrit « Je n'en aurai plus besoin ».

Il referma lentement le tiroir, remercia Max et raccrocha. Posant les coudes sur le bureau, il enfouit son visage dans ses mains.

Le mal de tête avec lequel il s'était réveillé n'était rien en comparaison de celui qui le tenaillait maintenant. Il ferma les yeux un instant et réfléchit à ce qu'il allait faire. Il pouvait aller à Adélaïde, mais pour cela, il avait besoin d'arguments, et quel meilleur argument que le soutien du frère de Nicole ?

Il chercha ses clés, et jura en se rappelant qu'il avait laissé sa voiture chez lui. Il devrait donc prendre de nouveau un taxi pour aller jusqu'à Wilson Wines…

Une quinzaine de minutes plus tard, il entrait d'un pas décidé dans le hall d'accueil de Wilson Wines.

— Je veux voir Judd Wilson.

— M. Wilson ne prend pas de rendez-vous aujourd'hui, répondit la réceptionniste d'un ton guindé.

Elle eut une expression indignée lorsqu'il l'ignora et se dirigea vers l'escalier qui conduisait aux bureaux de la direction.

— Attendez, vous ne pouvez pas monter !

— Regardez-moi bien !

Il monta les marches deux par deux. Sur le palier, au premier étage, il vit une jeune femme qu'il reconnut comme étant Anna Garrick. La description que Raoul lui en avait faite était d'une grande précision, comme d'habitude : elle était jolie, sa complexion était semblable à celle de Nicole, mais ses cheveux étaient un peu plus clairs et elle était un peu plus petite.

— Monsieur Hunter ? s'étonna-t-elle.

Elle le regarda d'un air interloqué, mais reprit vite une expression professionnelle.

— Où est Wilson ? Il faut que je le voie.

— M. Wilson est toujours à l'hôpital, et les visites sont limitées à la famille.

— Mais non, s'emporta-t-il, pas Charles Wilson… C'est Judd Wilson que je veux voir, tout de suite !

— Dans ce cas, asseyez-vous, répondit-elle, imperturbable, je vais voir s'il peut vous recevoir.

— Dites-moi où il est, c'est important.

— Vraiment ? fit soudain une voix d'homme au bout du couloir. Ne t'inquiète pas, Anna… Je vais recevoir M. Hunter dans mon bureau.

Nate remarqua le regard qu'ils échangeaient. De toute évidence, ils se demandaient ce qu'il faisait là, mais ce n'était pas tout… Il y avait quelque chose entre eux, quelque chose qui lui donnait l'impression d'être de trop.

— Où est Nicole ? demanda-t-il de but en blanc.

— Venez dans mon bureau, nous discuterons.

Judd Wilson lui lança un regard froid, qui lui rappela qu'il n'était plus sur son territoire et donc plus en position d'exiger quoi que ce soit. Sans parvenir à cacher sa frustration, il suivit Judd et s'assit en face de son immense bureau en acajou.

Tandis que Jackson Importers était à la pointe de la modernité, les bureaux de Wilson Wines dégageaient une impression d'ancienneté, comme s'ils étaient là depuis un moment et qu'ils y resteraient encore longtemps.

Il éprouva une pointe d'envie. Tout cela aurait dû faire partie de l'entreprise de son père, de son héritage à lui… Cependant, l'heure n'était pas à l'amertume ni aux récriminations. Sa priorité était de retrouver Nicole.

— Alors, et si vous me disiez ce que vous voulez, maintenant ? dit Judd, son regard toujours aussi froid.

— Nicole est partie. Il faut que je la retrouve pour lui demander de revenir.

— Ma sœur est une grande fille, Hunter. Si vous n'arrivez pas à la contacter, c'est peut-être qu'elle n'a pas envie que vous la contactiez, tout simplement.

— Elle n'est pas elle-même, en ce moment. Elle a subi des pressions considérables, et je ne crois pas qu'elle soit capable de prendre une décision rationnelle. Vous devez m'aider, je vous en prie, le supplia Nate, mettant son orgueil de côté pour la femme qu'il aimait plus que tout au monde.

— Je dois vous aider ? Je ne crois pas, non. Elle nous a quittés pour travailler avec vous, et maintenant, elle vous a quitté, vous aussi. Qu'est-ce qui vous fait croire que je ferais quoi que ce soit pour vous aider à la faire revenir ?

— Je crois qu'elle est allée à Adélaïde avec votre mère.

Judd se laissa aller en arrière dans son fauteuil et haussa les sourcils, surpris. Soudain, la voix d'Anna Garrick s'éleva à la porte du bureau :

— Non, c'est impossible qu'elle soit partie.

— Pourquoi ? demanda Nate, perplexe. Elle m'a dit que sa mère l'avait invitée.

— C'est impossible, répéta Anna, parce que son passeport est toujours ici, dans le coffre-fort de son ancien bureau.

Une vague de désespoir submergea Nate, qui sentit son courage l'abandonner. Maintenant, il n'avait plus la moindre idée de l'endroit où Nicole se trouvait. Où la chercher ? D'ailleurs, il n'avait pas le droit de la chercher : elle était partie de son plein gré, rompant toute relation avec lui.

— Merci, dit-il d'une voix brisée.

Il se leva et se dirigea vers la porte.

— Hunter, puis-je vous demander pourquoi vous voulez à tout prix la retrouver ? demanda Judd.

— Parce que je l'aime, et parce que j'ai fait la plus grosse erreur de ma vie en la laissant partir.

# - 12 -

Quand arriva le vendredi soir, Nate était dans un état déplorable, incapable de se concentrer, et à bout de nerfs. Il ne s'était jamais senti aussi démuni de sa vie.

Tout, autour de lui, lui rappelait Nicole : ses produits de beauté et son parfum dans la salle de bains, les vêtements qu'elle avait laissés, et au bureau, son téléphone et son ordinateur…

Tous les jours depuis qu'elle était partie, il se demandait où elle pouvait bien être. Il avait même songé à la porter disparue auprès des services de police, mais il était à peu près sûr que sa demande n'aurait pas été prise au sérieux. Après tout, elle était adulte, ils s'étaient disputés… Son départ n'était que la suite naturelle des événements. Pourtant, son absence lui paraissait tout sauf naturelle.

Quelqu'un devait tout de même savoir où elle se trouvait… Elle était sociable, s'entendait bien avec les gens. Elle n'était pas du genre à rester seule longtemps. Il se creusa la tête pour trouver avec qui elle aurait pu être en contact. Un seul nom lui vint à l'esprit.

*Anna Garrick.* Celle-ci n'avait pas dit grand-chose

quand il était allé voir Judd Wilson, le mardi matin. Certes, Nate avait dramatisé et s'était comporté comme un idiot, il était arrivé avec des exigences et s'était montré agressif… Ce n'était pas ainsi qu'on gagnait le respect ou l'aide d'autrui. Par ailleurs, Nicole n'avait peut-être pas encore contacté Anna, à ce moment-là… mais peut-être avait-elle été en contact avec elle depuis ?

Le temps qui s'écoula entre le moment où il décida d'aller voir Anna et celui où il arriva chez les Wilson passa dans une sorte de brouillard. Alors qu'il s'engageait dans l'allée, il ne put s'empêcher d'admirer l'immense demeure qui se dressait au bout. Il savait que sa construction, puis son entretien, avait nécessité beaucoup d'efforts, et il éprouva malgré lui un certain respect pour Charles Wilson.

Une fois à la porte, il souleva le vieux heurtoir et le laissa retomber lourdement sur la plaque de cuivre. Un homme en livrée vint lui ouvrir.

— J'aimerais voir Mlle Garrick, s'il vous plaît, annonça Nate après s'être présenté.

— Un moment, monsieur, je vous prie. Si vous voulez bien attendre dans le salon, je vais voir si elle peut vous recevoir.

Nate ne savait pas si Anna jouait à un petit jeu avec lui ou si elle était réellement occupée, mais il dut attendre une bonne vingtaine de minutes avant qu'elle pénètre dans le salon et lui souhaite la bienvenue. Cependant, il se répéta qu'il devait contenir son impatience s'il voulait découvrir où était Nicole.

Lorsqu'elle daigna enfin le voir, Anna se montra calme et pleine de sollicitude, probablement plus qu'il ne le méritait étant donné leur dernière entrevue. Elle lui offrit à boire, à l'aise dans son rôle d'hôtesse, mais il refusa poliment, trop nerveux pour faire autre chose qu'arpenter la pièce. Enfin, elle s'assit sur un élégant petit canapé et l'observa attentivement.

— Que puis-je pour vous, monsieur Hunter ?

— Nate… Appelez-moi Nate, je vous en prie.

— Très bien, Nate. Que voulez-vous ?

Il s'éclaircit la voix et choisit ses mots avec soin.

— Avez-vous eu des nouvelles de Nicole ?

— A supposer que ce soit le cas, croyez-vous vraiment qu'elle voudrait que je vous le dise ?

Il soupira.

— J'en conclus que vous en avez eu. Est-elle…

— Elle va bien, mais elle ne veut voir ni vous ni personne pour le moment.

Il plongea les yeux dans les siens pour voir si elle s'inquiétait pour son amie.

— Il faut que je la voie, dit-il d'un ton un peu brusque, empreint d'une tristesse qu'il ne parvint pas à cacher.

Anna secoua la tête.

— Cela ne vous suffit-il pas de savoir qu'elle va bien ?

— A votre avis ? Je l'aime, Anna ! Je dois m'excuser, je dois voir si elle est prête à me donner une seconde chance.

— Je trahirais sa confiance si je vous disais

où elle est. Je l'ai déjà fait une fois récemment ; inutile de vous dire que je n'ai pas l'intention de recommencer. Cela a failli détruire notre amitié.

— Je m'en rends bien compte, mais je vous en supplie…

— Je ne peux pas. Elle doit pouvoir me faire confiance.

Nate avait l'impression d'avoir une boule de plomb dans l'estomac. Anna avait été son seul espoir…

— Moi aussi, je veux qu'elle sache qu'elle peut me faire confiance, dit-il d'une voix brisée en se levant pour partir.

A la porte, il se retourna et ajouta :

— Merci de m'avoir reçu. Si vous lui parlez, s'il vous plaît, dites-lui… Bah ! Ce n'est pas la peine, cela ne changera rien, de toute façon.

L'expression compatissante d'Anna lui alla droit au cœur. Nicole avait de la chance d'avoir une amie comme elle…

Il sortit de la maison et se dirigea vers sa voiture d'un pas lourd. Soudain, il entendit des pas précipités sur les marches du perron.

— Hunter, attendez !

C'était Judd Wilson. Nate se tourna vers lui.

— Oui ? dit-il, profondément abattu.

— Je sais où elle est.

Le cœur de Nate fit un bond dans sa poitrine.

— Et vous accepteriez de me le dire ?

— Anna va me tuer, mais il faut bien que quelqu'un vous donne un coup de main ! Je vois bien à quel point vous souffrez… Vous devez régler cela, tous les deux, d'une façon ou d'une autre. Vous le méritez autant l'un que l'autre.

Judd lui donna une adresse, à deux heures de route au nord d'Auckland.

— Ne me faites pas regretter mon geste, Hunter. Si vous faites de nouveau du mal à ma sœur, vous aurez affaire à moi.

Nate tendit la main, et se sentit profondément soulagé quand Judd la prit pour la serrer dans la sienne.

— Je vous revaudrai ça, dit-il d'un ton grave.

— Oui, répondit Judd, nous en reparlerons plus tard.

Nate acquiesça d'un signe de tête et monta dans sa voiture. Il devait repasser par son appartement avant d'aller voir Nicole, il avait quelque chose à y prendre. Il était tard, mais elle serait peut-être encore debout quand il arriverait. Dans le cas contraire, il attendrait qu'elle se réveille.

Nicole se frotta les pieds avec une serviette de toilette pour faire tomber le sable sous la véranda. Elle avait pris l'habitude de faire de longues promenades sur la plage, tard le soir, dans l'espoir de s'épuiser et de trouver enfin le sommeil.

Depuis qu'elle avait pris la décision de quitter Nate, elle avait à peine fermé l'œil. Pour l'instant, il n'avait pas encore envoyé la vidéo à son père, elle savait au moins cela. Anna lui donnait régulièrement des nouvelles de Charles. Apparemment, il allait de mieux en mieux. Cependant, si elle était parfaitement honnête avec elle-même, elle devait admettre que la principale raison de ses insomnies était le fait que Nate lui manquait. Sa force lui manquait, sa présence à son côté la nuit lui manquait…

Elle poussa un profond soupir et traversa la véranda. L'air de la nuit était froid, et elle avait les pieds glacés. Elle aurait probablement dû mettre des chaussures pour aller se promener, mais elle aimait sentir le sable sous ses pieds, elle aimait cette sensation lorsqu'elle marchait, seule, avec pour seule compagnie les étoiles dans le ciel.

Elle fit coulisser la porte-fenêtre, qui s'ouvrit avec un grincement, et entra dans la maison de vacances plutôt délabrée qu'elle avait louée. Après avoir quitté Jackson Importers, elle avait conduit en direction du nord, ne s'arrêtant que pour s'acheter un téléphone bon marché à carte prépayée dans une station-service.

Elle ne savait pas vraiment elle-même ce qui l'avait attirée dans la région, en dehors du fait que c'était en bord de mer, et que cela ne ressemblait en rien à la côte ouest sur laquelle donnait la maison de Nate. Cependant, si son but avait été de l'oublier, elle avait échoué lamentablement : elle n'avait pas arrêté de penser à lui depuis son arrivée.

Elle verrouilla la porte et alla dans la cuisine faire chauffer de l'eau. Une tasse de tisane l'aiderait peut-être à dormir…

Elle s'immobilisa en entendant les pneus d'une

voiture crisser sur le gravier de l'allée de la maison. Personne ne savait qu'elle était ici à part Anna, et celle-ci ne serait jamais venue sans la prévenir. Les murs n'étaient pas très épais, et elle entendit des pas sur le perron. Enfin, on frappa trois coups secs à la porte.

Son cœur se mit à marteler sa poitrine. Elle approcha de la porte.

— Nicole, c'est moi, Nate.

Comment l'avait-il retrouvée ? Et surtout, maintenant qu'il était là, qu'allait-elle faire ?

— Nicole, s'il te plaît… Je ne suis pas là pour te faire de la peine ou pour me disputer avec toi, je veux juste te parler…

Elle hésita un moment, puis ouvrit la porte d'une main tremblante. Elle eut un choc en le voyant. Elle avait essayé de s'endurcir, de lui fermer son cœur, mais elle ne put s'empêcher de s'inquiéter pour lui. Il semblait n'avoir ni dormi ni mangé correctement depuis plusieurs jours. Elle donnait probablement la même impression, et pourtant, quand elle le regardait, elle avait envie de le réconforter.

Elle résista à l'envie de le prendre dans ses bras, d'apaiser son esprit tourmenté. Il avait peut-être lutté contre les mêmes démons intérieurs qu'elle, comme elle, sans succès, à en juger par son apparence. Elle prit une profonde inspiration pour se donner du courage et s'écarta pour le laisser passer.

— Entre, dit-elle avec raideur en indiquant d'un geste le salon.

L'endroit était simple. Il y avait une chambre, une

salle de bains, et tout le reste était dans cette pièce, qui faisait office d'entrée, de salon et de cuisine. L'avantage de la maison était qu'elle donnait sur la plage.

— Tu veux boire quelque chose de chaud ?

Elle ne voulait pas lui proposer quelque chose d'alcoolisé avant qu'il reprenne le volant, surtout dans son état. Elle ne voulait surtout pas qu'il ait un accident.

— Non, merci, répondit-il d'une voix un peu voilée. Comment vas-tu, Nicole ?

Elle versa l'eau chaude sur le sachet de tisane dans sa tasse et alla s'asseoir avec dans l'un des fauteuils. Nate s'assit en face d'elle, sur le canapé.

— Ça va. Ecoute, je ne sais pas pourquoi tu es ici, mais je ne changerai pas d'avis. Je pensais ce que je t'ai dit dans mon message.

Il glissa la main dans la poche intérieure de sa veste et en sortit une boîte plate qu'elle reconnut avec horreur. Il la lui tendit, mais comme elle ne la prenait pas, il la déposa sur la table basse, entre eux. Elle vit que son refus de prendre la boîte l'avait surpris, même blessé.

— C'est à toi, dit-il.

— Quoi ? C'est une copie ?

— Non, c'est l'original. Il n'y a pas de copie, dit-il en la regardant droit dans les yeux. Je n'aurais jamais pu l'envoyer à ton père, je n'aurais jamais pu te faire ça, Nicole, je veux que tu le saches. Je sais que je t'ai menacée de le faire, et plus d'une fois, mais même si je n'étais pas tombé amoureux de toi, je n'aurais jamais pu abuser de ta confiance de la sorte.

Elle sentit son cœur se serrer. L'avait-elle bien entendu ? Etait-ce un autre stratagème pour la récupérer ?

— Tu semblais bien décidé à le faire. Pourquoi devrais-je croire que tu as changé d'avis ? demanda-t-elle d'une voix dure qu'elle ne reconnaissait pas elle-même.

Il baissa la tête.

— Je ne mérite pas que tu me croies, mais j'espère que tu me comprendras…

Il leva de nouveau la tête, l'air profondément angoissé.

— Je sais que je me suis comporté comme un véritable monstre, avec toi. J'aurais dû te dire tout de suite qui j'étais, j'aurais dû te laisser avec tes amis au bar, ce soir-là, mais je ne pouvais pas. J'étais déjà destiné à te rencontrer, je te désirais de toutes mes forces…

Elle serra sa tasse dans sa main, ignorant la chaleur qui lui brûlait les doigts. Le simple fait de l'entendre prononcer ces mots la troublait, éveillait son désir pour lui.

— Et dès que tu m'as eue, tu t'es servi de moi, dit-elle d'un ton amer.

— Je suis désolé… Je sais que cela ne suffit pas de dire ça, que cela paraît vide de sens, mais je t'en prie, crois-moi. Je regrette tellement de t'avoir traitée comme je l'ai fait… Si je pouvais revenir en arrière, je ferais tout différemment.

*Moi aussi…* Pour commencer, elle n'aurait pas quitté la maison de son père, ce soir-là, elle ne serait pas partie fâchée pour se réfugier dans les bras du seul homme qui avait le pouvoir de lui faire tant de mal.

*L'homme dont je suis, hélas, tombée amoureuse…* A cette pensée, son cœur se mit à battre la chamade. C'était la triste vérité, et la situation était désespérée. Elle ne pouvait pas faire confiance à Nate. Il était passé maître dans l'art de la manipulation, et il en avait voulu à Charles toute sa vie. Comment aurait-elle pu croire que ses aveux n'étaient pas une autre façon de la contrôler ?

— C'est tout ce que tu avais à me dire ? demanda-t-elle froidement.

— Non, ce n'est pas tout. Je pourrais passer le restant de mes jours à te dire combien je regrette de t'avoir si mal traitée, et cela ne suffirait pas. Je t'aime, Nicole. J'ai honte d'avoir dû te perdre pour l'admettre, mais c'est la vérité… Le jour où je t'ai demandé de m'épouser, sur la plage, je me mentais à moi-même en essayant de me persuader que c'était pour le bébé, et je t'ai blessée en te proposant pour de mauvaises raisons ce que j'aurais dû te proposer pour toi, et pour toi uniquement. Accepterais-tu de me donner une seconde chance ? Laisse-moi me faire pardonner, laisse-moi t'aimer comme tu mérites d'être aimée.

Elle secoua la tête. Le mouvement était presque imperceptible, mais Nate le vit et insista :

— S'il te plaît, ne prends pas de décision tout

de suite. Donne-toi quelques jours pour réfléchir. Reviens à Auckland, reviens vers moi… Recommençons, tous les deux, je te promets de faire ce qu'il faut, cette fois.

— Non, répondit-elle, avec l'impression que son cœur se brisait. Je ne peux pas, Nate. Je ne peux pas te faire confiance, je ne peux pas être sûre que tu ne me blesseras pas de nouveau, ou que tu ne feras pas de mal à ma famille. Je ne peux pas, c'est tout.

Elle n'avait pas non plus confiance en elle : elle l'aimait tant… Si elle retournait auprès de lui, elle serait de nouveau entre ses mains, pour le meilleur et pour le pire. Cela ne pouvait pas recommencer.

Nate la regarda sans rien dire pendant un long moment, les mots qu'elle venait de prononcer suspendus dans l'air entre eux comme une barrière infranchissable. Puis il hocha lentement la tête et se leva. Elle resta immobile et le regarda traverser la pièce. Ce ne fut que lorsqu'il eut refermé la porte derrière lui qu'elle éclata en sanglots.

Il était parti. Elle l'avait chassé. Etait-ce bien ce qu'elle voulait ?

Nate se dirigea vers sa voiture comme un automate. Nicole l'avait repoussé. Le pire scénario qu'il avait imaginé s'était réalisé. Il s'installa au volant de la Maserati et, soudain, se rendit compte que des larmes coulaient sur ses joues.

Il démarra et remonta l'allée, s'éloignant de la

maison, de Nicole, tout en s'essuyant les yeux et les joues. Il avait l'impression de laisser son âme derrière lui, de n'être plus qu'une coquille vide. Elle l'avait comblé, et il n'avait pas eu la présence d'esprit de s'en apercevoir avant qu'il ne soit trop tard.

Au bout de l'allée, il se retourna, espérant en dépit de tout qu'il verrait sa silhouette se découper dans l'embrasure de la porte, qu'elle lui ferait signe de revenir. Hélas, la lumière du perron était éteinte, et avec elle son dernier espoir.

Il l'avait perdue. Il avait trahi sa confiance, avait menacé sa famille… Il avait exactement ce qu'il méritait.

Il s'engagea sur la route sinueuse, qui le conduirait vers Auckland… vers sa vie solitaire et ses vains projets de vengeance.

Les yeux lui brûlaient quand il arriva enfin sur le Auckland Harbor Bridge et prit la direction du Viaduct Basin. Il était profondément abattu lorsqu'il entra dans son appartement, qui lui paraissait vide sans Nicole. Il avait beau être épuisé, il n'avait pas du tout envie de dormir. Il devait trouver un moyen de la convaincre qu'elle pouvait lui faire confiance et que son amour pour elle était bien réel. Il devait y en avoir un. Il ne pouvait imaginer le reste de sa vie sans elle à ses côtés. C'était inenvisageable.

# - 13 -

Nate descendit de sa voiture devant la maison familiale des Wilson. Il n'avait pas dormi de la nuit et était dans tous ses états. Il frappa énergiquement à la porte et recula sur le seuil, attendant qu'on vienne lui ouvrir.

Au bout d'un moment, la porte s'ouvrit enfin, et Judd Wilson apparut, vêtu d'un pantalon de pyjama et d'une robe de chambre, les cheveux ébouriffés.

— Bon sang ! marmonna-t-il. Vous savez quelle heure il est, mon vieux ?

— Ecoutez, je sais qu'il est tôt, mais il faut que je vous parle. C'est très important, ça ne peut pas attendre…

— Dans ce cas, entrez.

Judd le dévisagea.

— Vous vous êtes regardé, ce matin ?

Nate fit la grimace, mais ne répondit pas. Il savait qu'il devait avoir l'air aussi mal qu'il l'était. Il ne s'était ni rasé ni brossé les cheveux, et il portait ses vêtements de la veille.

La voix d'Anna s'éleva soudain en haut de l'escalier :

— Judd ? Qui est-ce ?

— Nate Hunter.

— Et Nicole ? Elle va bien ?

Anna descendit l'escalier, en peignoir.

— Nicole allait bien quand je suis parti, marmonna Nate entre ses dents. Elle ne veut pas entendre parler de moi, mais j'espère que nous pourrons y remédier ensemble.

Judd et Anna échangèrent un regard perplexe.

— Vous devez défendre votre cause vous-même, Hunter. Ma sœur prend ses décisions toute seule.

— Je sais, mais j'ai une proposition à vous faire qui devrait vous intéresser et qui montrerait à Nicole à quel point je tiens à elle.

— Il vaudrait mieux en discuter devant une bonne tasse de café, dit Anna. Judd… ?

— Bien sûr, acquiesça Judd, entrez.

Nate les suivit jusque dans la cuisine, spacieuse et moderne.

— Notre cuisinière a pris son week-end, déclara Anna, et j'espère que vous ne m'en voudrez pas trop si je vous propose un petit déjeuner plus simple que ce que nous pourrions vous offrir en temps normal.

Nate s'assit à la table et sortit plusieurs feuilles de papier de la poche de son manteau.

— Je vous en prie, ne vous donnez pas de mal pour moi.

Tandis qu'Anna faisait du café, il leur expliqua son plan dans les grandes lignes. Judd l'écouta en silence, l'interrompant de temps à autre pour lui demander quelques précisions. Il concluait quand

Anna posa devant eux des assiettes de bacon accompagné de pain grillé.

— Pour résumer, dit-il, je vous propose de fusionner Jackson Importers et Wilson Wines et de ne former qu'une seule et unique entreprise, au lieu de continuer à être en concurrence. C'est ainsi que les choses auraient dû se passer depuis le début, et il ne tient qu'à nous de faire en sorte que cela fonctionne.

— Pourquoi ? demanda Judd. L'idée est très intéressante, bien sûr, mais pourquoi maintenant ?

— Parce que je ne vois pas pourquoi nous devrions continuer d'être les victimes de la querelle de nos pères.

— Nos pères ? répéta Anna, stupéfaite. Vous êtes… ?

— Oui, je suis le fils de Thomas Jackson.

Judd se laissa aller en arrière sur sa chaise et l'observa attentivement.

— Vous êtes sûr de vouloir le faire ?

— Absolument, répondit Nate d'un ton catégorique.

— Vous vous rendez compte que je ne peux rien faire sans en discuter au préalable avec mon père et avec Nicole ?

— Je comprends. J'aimerais être là quand vous en parlerez à votre père, si cela ne vous dérange pas. Je crois qu'il est grand temps de tourner la page… Cette histoire a fait souffrir trop de gens toutes ces années. Il faut y mettre un terme.

Nicole souffrait terriblement de l'absence de Nate. Il lui manquait tant… Ses nuits agitées étaient ponctuées de rêves dans lesquels il apparaissait, et elle passait ses journées à essayer, en vain, de l'oublier. Si seulement ils s'étaient rencontrés dans des circonstances normales, sans rapport avec cette querelle stupide qui opposait leurs familles ! Si seulement elle pouvait croire qu'il l'aimait pour elle-même, et non parce qu'il voulait assouvir sa vengeance.

Elle avait cru que le fait de le fuir, de fuir la ville, aurait facilité un peu les choses, mais elle s'était trompée. A vrai dire, la distance n'avait fait qu'intensifier ses sentiments pour lui : sans rien d'autre pour s'occuper l'esprit, elle n'avait pensé qu'à lui. Surtout depuis qu'il lui avait dit qu'il l'aimait, et qu'elle avait dû le chasser.

Assise sous la véranda, dans une flaque de soleil, elle regardait sans vraiment le voir un riverain jeter une balle à son chien, sur la plage. Que faire pour combler le vide que l'amour qu'elle éprouvait pour Nate avait creusé au plus profond de son cœur ? Elle l'aimait… Comment pouvait-elle l'aimer ? Il l'avait pratiquement kidnappée, l'avait retenue chez lui contre son gré, l'avait forcée à travailler pour lui. Il devait bien y avoir une explication à son attachement irrationnel pour cet homme !

Mais, après tout, était-ce si irrationnel ? L'attirance qu'elle avait éprouvée pour lui le premier soir avait été immédiate, violente, pour elle, du moins. Qu'en avait-il été pour lui ? Dès le départ, il avait eu une idée derrière la tête.

Le revoir hier avait été une véritable épreuve pour elle. Dans des circonstances différentes, s'il n'avait pas été aussi résolu à se venger de son père, elle l'aurait entraîné dans la chambre et aurait fait l'amour avec lui voluptueusement.

Une douce chaleur l'envahit à cette seule pensée. Elle avait besoin de faire un peu d'exercice pour s'épuiser et penser à autre chose. Elle alla prendre une veste en coton à l'intérieur et enfila une paire de baskets, puis elle marcha sur la plage, vers le nord.

Le vent s'était levé lorsqu'elle fit enfin demi-tour pour rentrer, et une odeur de pluie flottait dans l'air.

Elle arrivait devant la maison quand il se mit à pleuvoir. Elle se hâta de rentrer, alla directement dans la petite salle de bains, enleva sa veste et l'accrocha à la patère pour la faire sécher. Elle passa ensuite dans la cuisine afin de faire chauffer de l'eau pour se préparer une tasse de thé. Elle prit son téléphone portable, qu'elle avait laissé sur le plan de travail, et vit qu'elle avait plusieurs appels manqués et plusieurs messages, tous d'Anna.

Que pouvait-elle avoir de si important à lui dire ? Il ne pouvait s'agir de son père, dont la santé s'améliorait de façon constante. Apparemment, il allait bientôt pouvoir rentrer chez lui.

Dans chacun de ses messages, Anna lui demandait de la rappeler le plus vite possible. Son amie semblait tout excitée. Nicole emporta sa tasse de thé avec elle pour aller s'asseoir sur le canapé, à l'endroit où Nate s'était assis la veille au soir. Laissant ses pensées vagabonder, elle ne put s'empêcher de passer la main sur le rembourrage usé, comme pour sentir encore sa présence.

Elle sursauta quand une bourrasque souffla contre les fenêtres, l'arrachant à sa rêverie. Elle ne pouvait pas se permettre de penser à Nate, ni maintenant, ni jamais. Elle avait un coup de téléphone à passer.

Anna répondit à la première sonnerie.

— Ah, Nicole ! Judd veut te parler, attends une seconde, je te le passe.

Il y eut un bref silence, puis la voix grave de Judd s'éleva :

— Comment vas-tu ?

— Ça va… Il fait un temps horrible, mais ça va.

*Quelle ironie !* Pour une fois qu'elle avait une conversation avec son frère, elle parlait du temps !

— Tant mieux. Ecoute, je vais aller droit au but… Il y a une affaire importante concernant Wilson Wines dont je veux discuter avec toi, mais je ne veux pas le faire par téléphone. Peux-tu venir au bureau lundi matin ? Je préférerais vraiment t'en parler de vive voix.

*Lundi ?* Pourquoi pas… Ce n'était pas comme si elle avait d'autres rendez-vous !

— Bien sûr, répondit-elle. A quelle heure ?

— Disons 11 heures. Cela devrait te laisser le temps de venir tranquillement.

— D'accord, j'y serai.

Sans beaucoup plus de civilités, Judd raccrocha.

Il fallait bien reconnaître que leur relation n'avait rien de normal. Ils n'avaient jamais eu cette chance.

De quoi pouvait-il bien vouloir lui parler ? Peut-être de sa possible réintégration au sein de Wilson Wines. Si elle retrouvait son ancien poste, elle pourrait peut-être réparer les dégâts qu'elle avait causés en travaillant pour Jackson Importers.

Le week-end s'écoula bien trop lentement à son goût, et quand le lundi matin arriva enfin, Nicole prit la route bien plus tôt que nécessaire. Elle avait encore passé une nuit agitée, peuplée de rêves dans lesquels figurait Nate, et elle avait hâte de s'occuper l'esprit à autre chose. La circulation jusqu'à Auckland constitua une première distraction.

Elle eut une sensation curieuse en se garant à sa place habituelle dans le parking de l'entreprise, mais qui ne fut rien comparée à celle qu'elle éprouva en entrant dans le bâtiment. Rien n'avait changé… D'ailleurs, pourquoi s'était-elle attendue à autre chose ?

La réceptionniste lui dit que Judd l'attendait à l'étage. Nicole monta les marches et fut accueillie sur le palier par Anna, qui la prit brièvement dans ses bras.

— Tu sais de quoi il s'agit ? lui demanda Nicole.

— Il vaut mieux que Judd t'en parle lui-même, répondit Anna avec un sourire. Il t'attend dans l'ancien bureau de Charles.

— L'ancien bureau ? Papa ne va pas revenir ?

— Probablement pas. Il va beaucoup mieux, mais il n'est plus assez en forme pour travailler.

Nicole était abasourdie. Son père avait toujours été si dynamique... Elle le voyait comme quelqu'un d'invincible. Le manque d'enthousiasme dont il faisait preuve pour les idées qu'elle lui soumettait l'avait souvent contrariée, mais elle ne pouvait imaginer l'entreprise sans son père à la barre.

— Est-ce cela dont Judd veut me parler ?

— Va le voir, se contenta de répondre Anna.

Nicole redressa les épaules et se dirigea vers le bureau de son père, ou plutôt celui de Judd. Il se leva lorsqu'elle frappa et ouvrit la porte.

— Je suis content que tu aies pu venir...

Il commença par lui tendre la main, puis la prit dans ses bras pour l'embrasser.

— Nous ne sommes pas vraiment partis du bon pied, tous les deux, n'est-ce pas ?

— Non, répondit-elle avec un sourire crispé.

Etant donné qu'elle s'était comportée comme une enfant gâtée depuis son arrivée et qu'elle avait quitté la maison en furie quelques jours plus tard, la remarque de Judd était l'euphémisme du siècle !

— Avec un peu de chance, nous pourrons peut-être rectifier le tir ?

— Bien sûr ! Qui sait, nous allons peut-être même nous apprécier ?

Il lui répondit par un sourire lumineux. Son humour lui rappela celui de leur père, et elle se sentit instantanément plus à l'aise. Elle se raccrocha à cette sensation, et écouta ce qu'il avait à lui dire.

— Tu veux dire que c'est une idée de Nate ? demanda-t-elle lorsqu'il eut terminé. Il veut fusionner nos deux entreprises ?

Elle se leva et se dirigea vers la fenêtre.

Nate voulait fusionner Jackson Importers avec Wilson Wines ? Qu'était devenue sa soif de vengeance ? De son propre aveu, c'était ce qui l'avait motivé toute sa vie. Pourquoi renoncer maintenant ? Ils savaient aussi bien l'un que l'autre que ce marché avantagerait Wilson Wines. L'entreprise était fragilisée, avec l'arrivée de Judd et l'incapacité de leur père à reprendre sa place. Si Jackson Importers voulait les obliger à mettre la clé sous la porte, c'était le moment idéal. Pourquoi Nate leur tendait-il la main ?

— C'était son idée, répondit Judd, et après en avoir discuté avec lui, je suis tenté d'accepter. C'est une excellente idée, qui mettrait un terme à un conflit qui dure depuis trop longtemps. Nos deux familles auraient enfin une chance de tourner la page.

Elle secoua la tête. Elle n'arrivait pas à y croire.

— Tu es sûr qu'il n'a pas d'arrière-pensées ?

— Nous avons beaucoup plus à gagner que lui à l'heure actuelle ; tu es d'ailleurs bien placée pour le savoir. Tu as travaillé pour lui, tu sais à quel point leur place sur le marché est forte, ici et à l'étranger. Avec lui à la tête de l'entreprise, ils vont devenir encore plus puissants. Bien sûr, le nom de Wilson Wines inspire le respect, et nous avons très bonne réputation, mais à moins de nous moderniser, nous allons nous affaiblir pendant que Jackson Importers se développe. Cette fusion est exactement ce dont nous avons besoin pour nous remettre sur les rails.

Nicole se rassit. Se pouvait-il que Nate ait été sincère lorsqu'il était venu la voir vendredi ? Avait-il vraiment l'intention de lâcher prise, d'abandonner sa rancœur et son hostilité ? Pourrait-elle enfin renouer de bonnes relations avec sa famille et se sentir de nouveau elle-même ? Une relation avec Nate était-elle possible, finalement ?

— Tu veux mon avis aujourd'hui ? demanda-t-elle à Judd. J'ai besoin de temps pour y réfléchir…

— Ecoute, je sais que cela fait beaucoup d'un coup… Dieu sait que nous n'avons pas eu trop du week-end pour nous faire à l'idée, Anna et moi, mais ce n'est pas à moi seul de prendre cette décision. Cela te concerne aussi.

Un sentiment d'amertume l'envahit malgré elle.

— Non, cela ne me concerne pas. C'est toi qui es à la tête de Wilson Wines, maintenant. La décision te revient, Judd, que tu le veuilles ou non.

Il prit une enveloppe sur le bureau et la lui tendit.

— Tiens, ce qu'il y a là-dedans t'aidera peut-être à voir les choses autrement.

Elle prit l'enveloppe avec méfiance.

— Qu'est-ce que c'est ?

Judd rit.

— Allez, ouvre-la !

Elle s'exécuta. A l'intérieur, il n'y avait qu'une seule feuille de papier. Elle écarquilla les yeux en lisant ce qui y était écrit : Judd lui cédait tout ce que leur père lui avait donné. Tout. Si elle signait ce papier, elle aurait une participation majoritaire dans Wilson Wines et toutes les décisions lui reviendraient.

— Tu as perdu la tête ? demanda-t-elle.

— Non, au contraire. J'ai appris à mes dépens qu'une vie consacrée à la vengeance n'est pas une vie. Je crois que Nate l'a récemment découvert lui aussi. J'ai failli perdre Anna à cause de mon désir de me venger de notre père parce qu'il m'avait abandonné. Je ne veux plus risquer de perdre celle que j'aime… et Nate non plus. Nous avons tous souffert, Nicole, mais nous méritons d'être heureux, vraiment heureux. Je sais que je fais ce qu'il convient de faire en te donnant ceci, et je sais que tu feras à ton tour le bon choix.

— Et tu es heureux, Judd, maintenant ?

— Avec Anna, oui. Nous allons nous marier, Nicole. Je sais que vous êtes très proches, et je veux que tu saches que je vais prendre bien soin d'elle.

Nicole se laissa aller en arrière dans son fauteuil et le regarda avec un sourire, son premier sourire sincère depuis longtemps.

— Tu as intérêt, ou tu auras affaire à moi !

— J'en prends bonne note, répondit-il en souriant lui aussi. Alors, et si tu prenais une journée pour réfléchir à tout ça ? Anna t'a préparé un dossier pour que tu puisses étudier en détail la proposition de Nate.

*
* *

Assise dans sa voiture, dans le parking de Wilson Wines, Nicole était encore sous le choc des nouvelles que Judd venait de lui annoncer. Et celle de ses fiançailles avec Anna n'était pas la moindre ! Elle avait pressé sa meilleure amie de questions, et celle-ci avait avoué son amour pour Judd, mais elle lui avait dit qu'ils n'annonceraient rien publiquement tant que Charles ne serait pas rentré et bien installé. Cependant, ils lui avaient déjà demandé sa bénédiction, et apparemment, Charles avait été prompt à la leur donner.

Tandis qu'elle mettait le contact et quittait le parking, elle se demanda où elle en était. Elle devait réfléchir à beaucoup de choses… Ce ne fut que lorsqu'elle se trouva sur l'échangeur de l'autoroute du nord qu'elle décida brusquement de faire demi-tour et de retourner à Auckland.

Le parking de l'hôpital d'Auckland était presque vide à cette heure de la journée, et elle n'eut aucun mal à trouver une place. Quelques instants plus tard, elle se dirigeait vers la chambre de son père. Elle espérait de tout son cœur qu'il allait accepter de la voir. Si, comme Judd le lui avait dit, ils méritaient tous d'être heureux, alors il était temps pour elle de mettre les choses au clair avec son père. C'était seulement s'ils réglaient leurs différends que les blessures pourraient enfin cicatriser.

Elle s'efforça de dissimuler le choc qu'elle éprouva en le voyant adossé à ses coussins, les yeux fermés.

Il avait perdu beaucoup de poids et était atrocement pâle. Elle aurait pu le perdre. Elle n'aurait alors jamais eu l'occasion de se faire pardonner, et tout ça pour quoi ?

— Papa ? dit-elle timidement en refermant la porte de la chambre derrière elle.

Il ouvrit les yeux, et elle fut soulagée d'y voir la lueur vive qui y avait toujours brillé.

— Tu es revenue…

Elle perçut dans sa voix un léger tremblement révélateur, et vit ses yeux s'embuer de larmes.

— Oh ! Papa ! Bien sûr que je suis revenue… Tu m'as manqué.

— Ah, ma petite fille… Viens par ici ! dit-il en lui tendant les bras.

Elle s'approcha de lui et l'embrassa.

— Toi aussi, tu m'as manqué, reprit-il. J'ai eu tout le temps de réfléchir, ces dernières semaines, et je sais que je te dois des excuses.

— Non, papa, ce n'est rien. Je suis toujours trop impulsive…

— Non, ce n'est pas rien. Je ne t'ai jamais vraiment donné ta chance… Et j'étais tellement en colère quand tu es allée travailler pour Jackson Importers que j'ai vu rouge en te voyant arriver aux urgences. Mais j'ai eu tort. En fin de compte, la famille passe avant tout. Je n'aurais jamais dû t'écarter comme je l'ai fait, j'aurais dû t'en parler, quand j'ai décidé de demander à Judd de revenir. J'ai eu tort de prendre des décisions qui te concernaient sans te consulter.

— Ne t'inquiète pas, papa, je comprends. Cela m'a profondément blessée, mais je comprends, maintenant. Tu n'as pas pu élever Judd comme tu l'aurais aimé. Tu as été privé de tant de choses…

— A cause d'un seul mensonge, dit-il avec tristesse. Tu le sais ? Ta mère m'a fait croire que je n'étais pas le père de Judd. A ma grande honte, je l'ai crue, et je l'ai crue aussi quand elle m'a dit que Judd était en fait le fils de mon meilleur ami. Tant d'années gâchées, tant de temps perdu…

— Mais tu peux rattraper le temps perdu, maintenant !

Plus que jamais, elle était heureuse de ne pas avoir fui ses problèmes en partant pour l'Australie avec Cynthia. Elle voulait bel et bien rencontrer le reste de sa famille un jour, faire la connaissance de ses cousins, de ses oncles et tantes, mais sa priorité était d'arranger les choses ici.

— Oui, répondit Charles. Tu sais, Nicole, l'orgueil est une chose effroyable. A cause de mon orgueil, j'ai perdu ma femme, mon fils, mon meilleur ami et ma santé. Si je pouvais revenir en arrière, je ferais tant de choses différemment… J'ai pris de très mauvaises décisions dans ma vie, notamment avec toi. Je sais que tu penses que je te brimais, au travail, et je suppose que c'est vrai, mais je me reconnaissais tellement en toi ! Tu étais tellement déterminée à développer l'entreprise, au détriment des autres domaines de ta vie. J'ai toujours voulu ce qu'il y a de mieux pour toi, et quand j'ai vu que tu suivais le même chemin que moi, j'ai voulu t'en empêcher à tout prix. Tu mérites bien plus qu'une simple entreprise ! Tu mérites une vie riche, un mari, des enfants, la stabilité d'un foyer. Tu ne dois pas consacrer toute ton énergie au travail, comme je l'ai fait.

— Mais j'aime mon travail, papa... Il m'a vraiment manqué.

— Je croyais que le fait de te limiter au travail t'inciterait à t'investir davantage dans ta vie sentimentale. Je n'aurais pas dû prendre cette décision à ta place. Je suis sûr que tu as eu plus de liberté avec Nate Hunter qu'avec moi. Inutile de prétendre le contraire ! Il a vu une belle occasion, et il l'a saisie.

— Papa, il y a quelque chose qu'il faut que tu saches, à propos de Nate.

— En plus du fait que c'est un adversaire redoutable ? Je dois reconnaître que cela force l'admiration.

Ne sachant comment formuler les choses avec délicatesse, elle annonça de but en blanc :

— C'est le fils de Thomas Jackson.

Son père ferma les yeux un instant et poussa un profond soupir.

— Cela explique bien des choses, dit-il calmement. Encore quelqu'un qui aura souffert de toute cette histoire... De toute évidence, je lui dois des excuses, à lui aussi. Il n'a pas dû avoir la vie facile. Etes-vous ensemble, tous les deux ?

Elle secoua la tête.

— Nous étions ensemble, mais j'ai mis un terme

à notre relation. Il voulait être avec moi pour de mauvaises raisons.

— Lesquelles ?

— Pour se venger de toi, pour commencer.

Charles eut un petit rire.

— Eh bien, je ne peux pas le lui reprocher ! C'est compréhensible.

Nicole était abasourdie. Toute sa vie, elle avait entendu son père dénigrer Thomas Jackson, et maintenant, il riait des projets de vengeance de Nate ?

— Cela ne te met pas en colère ?

— Non, plus maintenant, répondit-il avec un soupir. Cela a du bon d'être confronté à sa propre mortalité. Ensuite, on voit les choses différemment.

— Judd m'a donné sa participation majoritaire dans l'entreprise, ajouta-t-elle.

— Vraiment ? La décision lui revient, de toute façon. Je n'aurais jamais dû vous diviser comme je l'ai fait, mais c'était tellement important pour moi de le faire revenir et de veiller à ce que tu aies une vie plus équilibrée.

Nicole quitta l'hôpital assez tard. Même si certaines infirmières l'avaient regardée d'un œil noir, on lui avait permis de rester au chevet de son père tout l'après-midi. Ils avaient discuté comme ils ne l'avaient encore jamais fait. En attachant sa ceinture de sécurité, elle se dit que le sentiment qui l'animait était un sentiment de bien-être : elle était heureuse, elle savait enfin quelle était sa place dans le cœur de son père.

Elle avait désormais toutes les cartes en main. Elle n'était plus un pion, mais bien dans la partie. Et c'était à elle de jouer.

# - 14 -

Plongée dans ses pensées, Nicole parvint cependant sans mal à éviter un opossum sur la route sinueuse. Elle avait appelé Nate au travail, mais il n'y était pas, pas plus qu'à l'appartement, quand elle y était passée. Il devait donc être à Karekare. Cela finirait là où tout avait commencé…

Elle conduisait lentement, se méfiant des virages et de l'obscurité, plus habituée à faire le trajet en tant que passager qu'en tant que conductrice. Quelle analogie intéressante par rapport à sa vie… Malgré ses efforts pour aller de l'avant et être remarquée, elle s'était toujours laissé diriger au lieu de prendre les choses en main.

Elle avait désormais la sensation d'être dégagée des contraintes auxquelles elle avait jusque-là été soumise, et elle éprouvait pour la première fois un intense sentiment de liberté.

En s'engageant dans l'allée menant à la maison de Nate, elle fut pourtant saisie d'une légère appréhension. Elle se gara et, d'un pas hésitant, alla sonner à la porte.

Il vint ouvrir.

— Nicole !

Il semblait stupéfait de la voir. Il la dévora du regard, et une vague de désir la submergea malgré elle.

— Il faut qu'on parle, dit-elle d'un ton brusque. Je peux entrer ?

Il s'écarta pour la laisser passer et lui fit signe de s'asseoir dans le salon.

— Tu veux boire quelque chose ?

— Ce n'est pas une visite de courtoisie, répondit-elle avec fermeté. J'ai quelque chose à te demander.

— Vas-y, je te dirai tout ce que tu veux savoir.

— Es-tu encore en train de jouer à un petit jeu avec ma famille en proposant de fusionner nos deux entreprises ?

Il semblait surpris.

— Tu es déjà au courant ?

— Judd m'a fait venir de Langs Beach pour en discuter. Il m'a donné le dossier, mais je ne l'ai pas encore étudié. Je voulais te parler avant de décider de le lire ou de m'en servir comme allume-feu, au choix.

Il eut un rire sans joie.

— C'est tout sauf un jeu.

— Alors, c'est vraiment ce que tu veux ?

Il la regarda droit dans les yeux, et elle perçut sa sincérité.

— Oui.

— Tu ne fais pas ça pour nuire à ma famille, de quelque façon que ce soit ?

— Non.

Elle prit une profonde inspiration.

— Ni pour me nuire, à moi ?

— Certainement pas. Je n'ai jamais eu l'intention de te faire du mal, Nicole… Je voulais te donner l'occasion de réussir, dès le début.

— Alors pourquoi fais-tu cela ?

Il soupira et se pencha en avant, les coudes appuyés sur les cuisses, les mains jointes sous son menton. Il plongeait toujours les yeux dans les siens, comme pour la convaincre de sa bonne foi.

— J'ai fait cette proposition à Judd pour trois raisons. La première, parce qu'il s'agit d'une excellente idée : si nous arrêtons de nous faire concurrence, nous serons beaucoup plus forts.

Elle hocha la tête.

— Très bien, c'est la première raison. Quelles sont les deux autres ?

— Il est temps de mettre un terme à la querelle qui oppose nos deux familles. Elle a fait souffrir trop de gens, et pendant trop longtemps. J'ai décidé de lâcher prise, de me défaire de ma rancœur. C'est vrai que j'ai eu une enfance difficile, mais j'ai aussi eu des privilèges que beaucoup d'autres n'ont pas eus. Mon père a veillé à ce que j'aie la meilleure éducation possible, et devoir me battre un peu m'a rendu plus fort, plus déterminé. C'est grâce à tout cela que je suis devenu l'homme que je suis aujourd'hui. Je ne suis pas parfait, loin de là, mais je sais ce qui est juste, et je sais maintenant me libérer de ma colère pour aller de l'avant. L'orgueil peut être quelque chose de terrible…

Son père lui avait dit la même chose. Elle en fit la remarque à Nate, qui hocha lentement la tête.

— Tu sais, j'aimerais le voir, s'il est d'accord. Nous avons beaucoup de choses à nous dire.

— Je crois que cela lui ferait plaisir. Je lui ai parlé de toi, aujourd'hui, je lui ai dit que tu étais le fils de Thomas. Je m'attendais à ce qu'il veuille continuer à rivaliser avec Jackson Importers indéfiniment, mais son hospitalisation l'a changé, elle a changé sa vision des choses.

Elle s'interrompit un moment, réfléchit à tout ce que son père lui avait dit, puis se rappela son but en venant ici et s'arracha à ses pensées.

— Quelle est la troisième raison ? demanda-t-elle.

— La troisième raison ? Tu la connais déjà.

Elle le regarda, perplexe. Que savait-elle déjà ? Voyant qu'elle ne disait rien, Nate ajouta :

— Je t'aime.

— C'est tout ? demanda-t-elle, sceptique.

— Oui, c'est tout, répondit-il avec un rire sans joie, même si je ne m'attendais pas à cette réponse.

— Ce n'est pas ce que je voulais dire…

— Nicole, l'interrompit-il, je sais qu'après ce que je t'ai fait, il faut que je te prouve que je t'aime, c'est évident. J'ai fait tellement d'erreurs. Quand je t'ai demandé de m'épouser, sur la plage, quand je croyais que tu attendais un bébé, j'étais prêt à tout pour te protéger et subvenir à tes besoins et à ceux de notre enfant, mais je m'y suis très mal pris. Il faut que tu comprennes. J'ai été un enfant illégitime. Bien sûr, je sais que ce n'est pas si dramatique, et je n'étais probablement pas le seul enfant de ma classe à venir d'une famille monoparentale, mais je voulais que notre enfant ait plus que ce que j'ai eu.

Il se leva et se mit à arpenter la pièce, se passant nerveusement la main dans les cheveux. Elle sentait la tension irradier de son corps.

— Continue, dit-elle d'une voix douce.

Il s'arrêta devant la fenêtre. Dehors, la lune et les étoiles projetaient leur lueur argentée sur l'écume des vagues.

— Je voulais être sûr que mon enfant ne manquerait jamais de rien, je voulais qu'il se sente aimé. Tu sais, même si tout n'a pas toujours été rose, j'ai toujours su que j'étais aimé, toujours. Je ne serai jamais un père absent pour mes enfants, je ferai partie de leur vie, et je serai là quand ils auront besoin de moi.

Il se tourna de nouveau vers elle.

— C'est comme cela que j'aime, Nicole, j'aime de tout mon cœur, de toutes les fibres de mon être. C'est comme cela que je t'aime, toi. Je t'ai demandé de m'épouser sans vraiment comprendre moi-même à quel point j'étais capable d'aimer, mais je l'ai appris, j'ai appris beaucoup de choses, quand tu m'as quitté. Tu es tout pour moi, et j'ai compris que je devais te le prouver, même si cela signifiait renoncer à tout ce à quoi j'avais toujours cru. Voilà. C'est aussi simple que cela : je t'aime.

Elle resta assise là, abasourdie. Ce qu'il venait de lui dire n'avait rien de simple, cela révélait la profondeur de l'homme qui se tenait devant elle, qu'elle avait repoussé mais qui n'avait pas abandonné.

Il n'était pas le même homme que celui qui l'avait ramenée chez lui lors de cette nuit fatidique, un mois plus tôt. Il avait changé… Le Nate qu'elle avait connu n'aurait jamais songé à fusionner Jackson Importers et Wilson Wines.

L'homme qui se tenait devant elle l'aimait, il l'aimait vraiment, et elle aussi avait changé. Elle n'avait plus peur de ses sentiments pour lui.

Elle se leva et s'approcha.

— Je te crois, murmura-t-elle d'une voix tremblante, lui posant une main sur la joue avec douceur. Moi aussi, je t'aime.

Il eut un gémissement plaintif et tourna le visage au creux de sa main pour déposer un baiser sur sa paume.

— C'est plus que je ne mérite, dit-il dans un souffle.

— Nous nous méritons l'un l'autre. Nous ne sommes pas parfaits, mais nous sommes parfaits l'un pour l'autre. Aime-moi, Nate… Aime-moi pour toujours…

— J'y compte bien !

Il la prit dans ses bras, puis il l'emmena dans la chambre où ils avaient déjà créé tant de souvenirs merveilleux. Là, ils se déshabillèrent lentement, prenant le temps de s'embrasser et de se caresser, comme si c'était leur première fois, comme s'ils se découvraient.

Enfin, Nate s'allongea au-dessus d'elle et tendit le bras vers la table de chevet pour prendre un préservatif. Elle posa une main sur la sienne pour arrêter son geste.

— Ce n'est pas la peine, dit-elle. Je veux accueillir ce que la vie nous apporte, et je ne veux plus de barrière entre nous.

— Tu es sûre ?

Elle lui caressa les fesses du bout des doigts, effleura les muscles de son dos, savourant la sensation.

— Sûre et certaine, murmura-t-elle en déposant un baiser sur ses lèvres.

Lorsqu'il la pénétra lentement, elle sut qu'elle avait pris la bonne décision. Elle n'avait rien connu d'aussi délicieux que ce contact, sans rien pour les séparer.

Nate commença à bouger en elle, et elle joignit ses mouvements aux siens. Elle se mit à gémir, et peu à peu, ses cris s'intensifièrent, jusqu'à ce qu'ils plongent tous les deux dans un tourbillon de plaisir où le reste du monde avait cessé d'exister.

Ils restèrent ensuite enlacés et, quand leur respiration fut redevenue à peu près régulière, elle suivit du bout des doigts le contour de son visage. Elle ne l'avait jamais autant aimé qu'à cet instant précis.

— Tu crois que tout cela serait arrivé si nos pères ne s'étaient pas brouillés ?

Nate sourit.

— Qui sait ? J'aime à le croire… Je sais qu'il n'y a aucune autre femme au monde faite pour moi.

Elle se blottit contre lui.

— Pourquoi crois-tu qu'elle ait menti ?

— Qui ?

— Ma mère… Pourquoi crois-tu qu'elle ait menti à mon père pendant toutes ces années ?

— Tu es sûre que c'est ce qu'elle a fait ?

— Mon père ne m'a pas tout raconté, mais il m'a dit que ses mensonges étaient à l'origine de ce qui s'est passé.

Nate roula sur le dos, l'entraînant avec lui.

— Je me doutais qu'elle était l'instigatrice de toute cette histoire… A l'époque, elle en voulait peut-être à Charles de consacrer tant de temps au travail. Qui sait ? Ce n'est pas étonnant qu'il ait réagi comme il l'a fait, face à ce qu'il croyait être la trahison suprême de la part de son meilleur ami.

— Dire qu'elle n'a jamais cherché à rétablir la vérité ! Je ne comprends pas. Pourquoi faire une chose pareille ?

Nate la serra contre lui.

— Manifestement, elle était très malheureuse. C'est vraiment triste qu'elle n'ait jamais eu ce que nous avons aujourd'hui, mais nous ne pouvons pas laisser cela nous séparer.

Il lui déposa un baiser sur le front.

— Je regrette sincèrement tout le mal que je t'ai fait, Nicole. Je m'imaginais que si je te donnais tout ce dont tu avais besoin, tu serais heureuse de rester avec moi. J'aurais dû me rendre compte que tu méritais bien plus.

— L'important, c'est que tu t'en sois rendu compte ? murmura-t-elle en s'asseyant à califourchon sur son sexe en érection. Parce que j'attends que tu me prouves très souvent ton amour comme tu viens de le faire…

— Je pense être à la hauteur, répondit-il en souriant alors qu'elle se mettait à onduler du bassin.

Il l'attrapa par les hanches pour l'immobiliser et plongea les yeux dans les siens, l'air grave.

— J'étais sérieux, Nicole… Peux-tu me pardonner ?

— Bien sûr, Nate. Je t'ai déjà pardonné. Nous avons tous les deux fait des choses que nous regrettons.

— Il y a une chose que je ne regretterai jamais, c'est de t'avoir rencontrée. Tu m'as ouvert les yeux, tu m'as appris à aimer de tout mon cœur, sans conditions. Nicole… veux-tu m'épouser ?

— Oui, répondit-elle. Je t'aime, Nate Hunter Jackson, et je veux t'épouser.

— Tant mieux… Je n'aimerais pas avoir à te kidnapper de nouveau !

Elle rit. Elle ne s'était jamais sentie aussi heureuse de sa vie, aussi comblée. Sa place était aux côtés de Nate, tout comme sa place à lui était auprès d'elle. Elle avait enfin trouvé l'amour, la reconnaissance et la sécurité dont elle avait rêvé toute sa vie, avec cet homme merveilleux. Jusque-là, leur chemin avait été chaotique, mais ce qui valait vraiment la peine dans la vie ne s'atteignait jamais facilement. Elle le savait au plus profond de son cœur… Elle savait aussi qu'elle l'aimait, et que leur avenir promettait d'être radieux.

## — Le 1er mai —

*Passions n°394*

**Dans les bras d'un Irlandais** - Maureen Child

Le jour où elle s'est engagée dans une aventure sans lendemain avec Ronan Connolly, son sublime Irlandais, Laura a commis une erreur fatale. Loin de maîtriser la situation, elle est tombée follement amoureuse de lui, avant qu'il ne la quitte brutalement. Aussi, lorsque Ronan vient la retrouver, visiblement décidé à la reconquérir, Laura est-elle sur ses gardes. Il représente un danger pour elle – celui de la tentation. Car si elle brûle d'envie d'accepter son invitation en Irlande, elle redoute aussi de retomber sous son emprise…

**Retour à Little Rock** - Gina Wilkins

Depuis qu'Evan Daugherty est revenu à Little Rock, Arkansas, Renae est en proie à une vive émotion. En effet, malgré les sept années qui sont écoulées, elle n'a jamais pu oublier l'étreinte torride qu'ils ont échangée autrefois. Or, elle le sait, lâcher la bride aux fantasmes qu'Evan fait naître en elle est un petit jeu auquel elle n'a pas le droit de se livrer. Aujourd'hui maman de jumeaux de six ans, elle n'a pas de temps à consacrer aux hommes. Et encore moins à Evan, celui-là même qu'il lui est interdit d'aimer…

---

*Passions n°395*

**Le secret de Kergallen** - Nora Roberts

Il est fougueux, impétueux, provocateur, incroyablement arrogant… et il semble déterminé à ce qu'elle quitte le château familial au plus vite. Et pourtant, Serenity tombe immédiatement sous le charme viril de Christophe, comte de Kergallen. Pas question qu'elle se laisse pour autant dicter sa conduite par cet aristocrate qui la considère comme une intrigante. Si Serenity se trouve aujourd'hui en Bretagne, c'est pour renouer avec ses racines et lever des secrets trop longtemps enfouis. Personne ne la détournera de ses projets – pas même le plus envoûtant des hommes…

**Si près de toi** - Nora Roberts

Depuis que Mitch Dempsey, son nouveau voisin, a débarqué chez elle à l'improviste, Hester ne cesse de penser à lui, ce qui est parfaitement absurde. Non seulement elle n'a pas de temps à consacrer aux hommes, mais elle n'a rien de commun avec *lui* ! Elle est sérieuse, il est frivole. Elle est consciencieuse, il est désordonné. Elle travaille dans une banque, il est dessinateur ! Alors pourquoi l'attire-t-il autant ? Pourquoi perd-elle tous ses moyens en sa présence ? Et, surtout, pourquoi Mitch est-il devenu, en quelques minutes à peine, le héros de son petit garçon ?

*Passions n°396*

## **Un rêve à t'offrir** - Jules Bennett

Anthony tenant un bébé dans les bras – Charlotte a fait ce rêve de fois... Mais parce que son mari lui refusait le foyer dont elle voulait tant, elle a dû le quitter, le cœur serré. Aujourd'hui, alors qu'ils viennent d'être tous les deux nommés tuteurs d'une petite fille de huit mois, Charlotte ne sait plus que penser. Bien sûr, elle ne peut abandonner cet enfant qui a tant besoin d'elle, mais peut-elle s'installer de nouveau sous le toit d'Anthony sans revenir dans son lit ? Une chose est sûre : loin de lui paraître impensable, cette simple idée lui apparaît soudain comme follement excitante...

## **Dans la chaleur du Montana** - Victoria Pade

Si Lacey s'est aventurée au fin fond du Montana, non loin de la petite ville de Northbridge, c'est qu'elle doit à tout prix rencontrer Seth Camden. Mais arrivée au ranch, elle reste un moment sous le choc. Loin de l'homme d'affaires qu'elle attendait, l'aîné des Camden a tout du cow-boy – et de quoi affoler son cœur. Grand, musclé, incroyablement viril, il est, à n'en pas douter, l'homme le plus sexy qu'elle ait jamais rencontré. Dès lors, Lacey tente de se ressaisir : elle n'est pas là pour succomber au charme de son regard bleu glacier, mais bien pour faire affaire avec cet homme réputé intraitable...

---

*Passions n°397*

## **La fiancée de Blake Fortune** - Marie Ferrarella

Série «Le destin des Fortune»

*J'ai besoin de toi.* Lorsque Katie entend cette voix suave au téléphone, elle prend le premier avion pour Red Rock. Enfin, Blake Fortune la réclame auprès de lui ! Enfin, son patron s'est rendu compte, à la faveur de la tornade qui a dévasté la petite ville, qu'elle n'est pas uniquement son efficace assistante, mais la femme de sa vie. C'est en tout cas ce qu'elle espère, avant de déchanter. En effet, Katie découvre vite que si Blake l'a fait venir, c'est qu'il compte sur elle pour l'aider à mettre au point une stratégie. Une stratégie pour conquérir une autre femme...

## **Le fruit du scandale** - Karen Rose Smith

Après avoir passé une nuit torride avec Brenna McDougall, Riley O'Rourke pensait pouvoir oublier celle qui, depuis l'adolescence, s'insinue sans cesse dans ses pensées. Mais quelques mois plus tard, lorsqu'elle débarque chez lui avec un bébé dans les bras, il comprend que la flamme qui les unit depuis toujours est loin d'être éteinte. Désemparé, Riley n'en est pas moins résolu à assumer ses responsabilités. Rien ne l'empêchera d'être le père du petit Derek. Pas même la querelle qui a fait des O'Rourke et des McDougall des familles ennemies...

*Passions n°398*

## **Troublante attraction** - Linda Winstead Jones

Très occupée par l'écriture de son premier livre, Lauren voit d'un mauvais œil l'arrivée de ses nouveaux voisins, un père célibataire doté de trois enfants aussi agités que bruyants. Pourtant, lorsqu'elle fait plus ample connaissance avec Cole Donovan, ses sentiments à son égard prennent un tour inattendu. Si Cole n'est pas du tout son type d'homme – trop grand, trop beau –, elle se sent irrésistiblement attirée par lui. Or, elle le sait, céder à la tentation qu'il incarne serait pure folie. Car, elle se l'est juré, sa carrière doit absolument passer avant tout le reste...

## **Le lien du destin** - Tessa Radley

Le choc. Victoria vient d'être nommée tutrice du petit Dylan. Bien sûr, elle adore le bébé, mais l'élever est une responsabilité qu'elle ne s'attendait pas à devoir endosser du jour au lendemain. Pis, elle doit partager la garde avec Connor North, l'homme le plus autoritaire – et le plus dangereusement attirant – qu'elle ait rencontré. Alors qu'elle se demande comment ils vont seulement pouvoir se supporter, Connor lui fait une proposition stupéfiante : l'épouser, pour offrir un foyer stable à l'enfant. Troublée par les sentiments contradictoires que cette idée font naître en elle, elle finit par accepter – à la condition qu'ils ne consomment pas leur union...

---

*Passions n°399*

## **Escapade sensuelle** - Kate Hoffmann

Série «Le défi des frères Quinn»

Epuisée par d'interminables tournées, Maddie décide de mettre sa carrière de chanteuse entre parenthèses et de s'offrir quelques jours de vacances incognito. Au programme : profiter enfin de la vie et s'amuser un peu ! Et de ce côté-là, son voyage commence plutôt bien car dès sa première étape, elle fait la connaissance de Kieran Quinn, un homme au charme troublant, à la fois sombre et sexy. Un homme qui d'un seul regard est capable d'éveiller en elle le plus puissant des désirs. Exactement ce dont elle avait besoin !

## **Le frisson du désir** - Cathy Yardley

Lorsque son patron lui demande de surveiller secrètement son fils, Finn Macalister, afin de l'empêcher de dilapider la fortune familiale et de le ramener dans le droit chemin, Diana est folle de rage. Elle n'a tout de même pas été engagée pour jouer les nounous auprès d'un play-boy immature et irresponsable ! Mais quand elle réussit enfin à approcher Finn, elle comprend que le pire est encore à venir... Cet homme représente peut-être tout ce qu'elle déteste, mais le frisson qui la traverse soudain, alors qu'il la dévore de son regard brûlant n'a plus rien à voir avec le mépris et la colère...

A paraître le 1er mars

Best-Sellers n°551 • suspense

**La demeure maudite - Heather Graham**

Comme chaque année, Ashley se réjouit d'accueillir dans sa superbe et majestueuse demeure de Louisiane — la plantation Donegal, au cœur du bayou — un festival historique qui rend hommage au passé de sa famille. Mais cette fois, rien ne se passe comme prévu : la fête tourne au cauchemar lorsqu'un cadavre est découvert, suspendu à l'ange de pierre qui surplombe le mausolée familial. Profondément choquée, et inquiète face à l'inaction de la police locale, Ashley décide de faire appel à une équipe d'enquêteurs du FBI, des spécialistes réputés pour avoir résolu les affaires les plus étranges. Une unité à laquelle appartient Jake Mallory, son premier amour, un homme atypique et pourvu d'un talent troublant pour communiquer avec l'au-delà. Mais aussi celui qui lui donnera le courage de dévoiler des secrets de famille que même la mort n'a pu ensevelir…

*Best-Sellers n°552 • suspense*

**Ciel de feu - Karen Harper**

Quand elle découvre que l'une des granges de la communauté Amish où elle vit vient de brûler, Sarah Kauffman est bouleversée. Non seulement elle est profondément touchée par la détresse des propriétaires, dont elle est proche, mais elle avait récemment obtenu d'eux l'autorisation de peindre une fresque sur le mur de la maison : tout le travail qu'elle a réalisé avec passion a été consumé dans les flammes. Mais lorsqu'un second, puis un troisième incendie se déclarent dans d'autres bâtiments également ornés de ses peintures, Sarah, stupéfaite, comprend qu'il s'agit bel et bien d'incendies criminels. Et que ces incendies ont un lien avec son propre travail. Décidée à découvrir la vérité, elle accepte alors sans hésiter de collaborer avec le troublant et charismatique Nate MacKenzie, l'inspecteur chargé de l'enquête. Très vite, les langues se délient, les secrets de familles se dévoilent, tandis que ses propres convictions commencent à vaciller. Se pourrait-il qu'elle soit la cible, la seule et unique cible, d'un criminel dépourvu de tous scrupules ?

*Best-Sellers n°553 • suspense*

**Epiée - Leslie Tentler**

*« Je n'ai pas l'intention de vous tuer. A moins, bien sûr, que vous ne m'y forciez… »*
Psychologue et animatrice d'une émission de radio, Rain Sommers a l'habitude des déséquilibrés qui l'appellent depuis les quartiers sombres de La Nouvelle-Orléans, pour donner libre cours à leurs fantasmes. Mais lorsqu'un auditeur commence à témoigner d'une obsession terrifiante pour elle et pour sa mère — une chanteuse emblématique assassinée trente ans plus tôt —, Rain prend peur. Qui peut bien être cet homme à la fois cynique et malsain qui semble très bien la connaître ? Près de basculer dans la panique, Rain n'a d'autre choix que d'accorder sa confiance à Trevor Rivette, un agent du FBI apparemment convaincu que l'auteur des coups de fil et le tueur en série sur lequel il enquête en ce moment ne sont qu'une seule et même personne. Mais en se plongeant dans l'enquête aux côtés de Trevor, Rain ignore encore qu'elle va se retrouver entraînée dans une spirale infernale où les secrets du passé et les événements récents sont inextricablement liés…

*Best-Sellers n°554* • *thriller*

**La signature écarlate** - Andrea Ellison

A Nashville, personne n'a oublié la série de crimes qui ont terrifié la ville : dix jeunes femmes victimes d'un meurtrier sadique. Dix jeunes femmes au teint d'albâtre et aux cheveux de jais, aux lèvres outrageusement maquillées de rouge.

Vingt ans plus tard, la ville est de nouveau plongée dans la peur tandis que quatre nouvelles victimes sont découvertes, tuées exactement selon le même rituel. Pour les enquêteurs, il n'y a aucun doute : ces crimes portent la signature sanglante du même tueur. Mais pour Taylor Jackson, le lieutenant chargé de l'enquête, l'affaire va prendre une tournure plus personnelle : un détail dans le profil de l'assassin a en effet réveillé des souvenirs enfouis au plus profond d'elle-même. Des souvenirs qui lui font croire qu'elle a fréquenté de près le tueur. Pire encore : le portrait du suspect correspond point pour point à celui d'un notable de Nashville. Un homme qu'elle connaît bien…

*Best-Sellers n°555* • *suspense*

**N'oublie pas que je t'attends** - Amanda Stevens

*« Maman, je reviens bientôt. »* Quand ce message est découvert sur le pare-brise d'une voiture garée devant chez elle, Tess Campbell reprend espoir. Car l'enfant qui a écrit ces mots ne peut être que sa petite Emily, kidnappée trois semaines plus tôt, et qui, elle en a la certitude, est toujours vivante. Mais à Eden, petite ville tranquille du Mississippi, Tess n'est pas seule à vivre dans l'angoisse de ne plus jamais revoir son enfant. Tout près d'elle, une autre mère, Naomi, endure ce calvaire depuis dix ans déjà. Depuis que sa fille Sadie a été enlevée dix ans plus tôt, dans la même école qu'Emily, et dans des circonstances étrangement similaires. Y a-t-il un lien entre ces deux enlèvements ? Et si oui, quels sont les mobiles des ravisseurs, qui n'ont fait aucune demande de rançon ?

Devant l'inertie de la police, Tess et Naomi décident d'unir leurs forces et de continuer à se battre. C'est alors qu'un nouveau drame se produit, qui vient relancer l'enquête : dans la petite école d'Emilie et de Sadie, une troisième fillette, Sara Beth, manque à l'appel…

*Best-Sellers n°556* • *roman*

**La fille du New Hampshire** - Shannon Stacey

Quand sa rédactrice en chef découvre qu'elle a autrefois été la petite amie de Joe Kowalski, un auteur de bestsellers jaloux de son intimité, Keri Daniels se retrouve confrontée à un ultimatum : obtenir une interview exclusive avec Joe ou trouver un nouvel emploi. Furieuse mais désireuse de promouvoir sa carrière de journaliste qu'elle adore, Keri accepte de tenter sa chance auprès de Joe, quelle n'a pas revu depuis dix ans. Mais elle n'est pas au bout de ses surprises, car Joe lui propose bientôt un marché aussi surprenant qu'audacieux : si elle vient camper avec lui dans le New Hampshire, elle aura le droit de lui poser chaque jour une question pour son interview. Si c'est le prix à payer pour rédiger l'article de sa vie, qu'à cela ne tienne ! En revanche, pas question de céder à nouveau au charme ravageur de son ancien amant. Même si Keri a bien remarqué l'étincelle de désir qui illumine le regard de Joe quand il pose ses yeux d'azur sur elle…

*Best-Sellers n°557 • historique*
**L'héritage scandaleux** - Nicola Cornick
*Londres, 1811*

Après la disparition de son cruel époux, lady Joanna Ware est bouleversée par l'ultime humiliation que lui réserve le testament de celui-ci. En effet, non content de la déposséder de tous ses biens, son mari a fait d'elle la tutrice d'une petite Nina, fruit de l'une de ses innombrables liaisons. Pis encore : il a abandonné la fillette dans un monastère à l'autre bout du monde et exige que Joanna la récupère en personne. Malgré sa colère, Joanna est déterminée à sauver l'enfant, même s'il lui faut pour cela partir à l'autre bout du monde. Mais sa détermination vacille lorsqu'elle découvre qu'elle devra partager la garde de Nina avec le meilleur ami de son époux, Alex Grant. Car entre l'arrogant Alex et elle, la haine est palpable… tout autant que le désir.

*Best-Sellers n°558 • historique*
**La fausse mariée** - Margaret Moore
*Midlands, 1204.*

Pour remercier l'ombrageux inconnu qui lui a sauvé la vie alors qu'elle était attaquée par une bande de brigands, lady Elizabeth d'Averette est prête à tout… ou presque. Car lorsque le prétendu sir Oliver lui demande son aide pour infiltrer le château de Wimarc, l'une des forteresses les mieux gardées de la région, Elizabeth hésite. Certes, Oliver défend une noble cause : il veut libérer son frère retenu prisonnier injustement par le cruel Wimarc, mais son plan est aussi risqué qu'indécent. Comment pourraient-ils se faire passer pour mari et femme alors qu'ils se connaissent à peine ? D'autant qu'un tel mensonge les obligerait à une intimité intolérable pour une lady de son rang…

Composé et édité par les

*éditions* HARLEQUIN

Achevé d'imprimer en France (Malesherbes)
par Maury-Imprimeur
en mars 2013

Dépôt légal en avril 2013
N° d'imprimeur : 179663